DU MÊME AUTEUR

Chez d'autres éditeurs

ROUSSEAU. SOLITUDE ET COMMUNAUTÉ, École Pratique des Hautes Études, Mouton, 1974.

LUMIÈRES DE L'UTOPIE, Payot, 1978.

UNE ÉDUCATION POUR LA DÉMOCRATIE. *Textes et projets de l'époque révolutionnaire,* présentés par B. Baczko, Garnier, 1982.

LES IMAGINAIRES SOCIAUX : MÉMOIRE ET ESPOIRS COLLECTIFS, Payot, 1984.

nrf essais

Bronislaw Baczko

Comment sortir de la Terreur

Thermidor et la Révolution

Gallimard

A la mémoire de
Rela
ma femme, mon amie, mon amour

Cet essai est né d'une surprise et d'un étonnement. En lisant, un peu par hasard, le journal tenu pendant la Révolution par un certain Célestin Guittard de Floriban, un bourgeois parisien, je tombai sur la page où l'auteur relate que dans la nuit du 9 au 10 thermidor courait à Paris une rumeur selon laquelle Robespierre aurait voulu se proclamer roi et même nourri l'intention d'épouser la fille de Louis XVI, détenue au Temple. Procédant aux nécessaires vérifications, je constatai que cette rumeur, absurde, avait cependant trouvé une assez large audience et influencé le cours des événements. Comment cela fut-il possible ? Dans quel contexte politique et mental s'inscrivirent cette rumeur et son succès, à première vue paradoxal ? J'en vins à m'intéresser aux événements du 9 thermidor et, plus largement, à la période thermidorienne, trouble et troublante.

Le 10 thermidor, personne ne sait – ni ne pense – encore où la chute du « dernier tyran » pourra conduire la Révolution. L'importance de la période thermidorienne ne réside point dans un projet politique ou idéologique initial, mais dans les problèmes auxquels les acteurs politiques furent confrontés et qu'ils durent résoudre. Autant leurs réponses étaient souvent hésitantes et contradictoires, n'étant élaborées qu'au fur et à mesure, autant les problèmes eux-mêmes présentent aujourd'hui encore, dans leur enchaînement, une cohérence assez remarquable. Que faire des geôles surpeuplées ? Qui – et quand – devait en être libéré ? Quelle forme devait prendre la justice « portée à l'ordre du jour » ? Quelle liberté accorder à la presse ? Comment remédier aux séquelles politiques, culturelles et psychologiques de la Terreur ? Comment démanteler définitivement la Terreur ? Qui en portait la responsabilité et cela appelait-il un châtiment ?

Ces questions, partielles, se complètent et soulèvent toutes un seul problème : *comment sortir de la Terreur ?* Par quels choix et par quelles voies ? Quel espace politique inventer pour l'après-Terreur ? Comment interdire à jamais tout retour de la Terreur ? Et, du coup, comment terminer la Révolution et assurer à la République un nouveau départ ? Mon interrogation porte donc sur l'*expérience politique thermidorienne* qui assure à cette période de quinze mois son unité et son originalité et l'intègre à l'expérience politique globale de la Révolution.

Je m'aperçus rapidement que cette interrogation se double d'une autre, inséparable. Comment le symbolisme et l'imaginaire révolutionnaires conquérants de l'an II peuvent-ils se désintégrer dans un temps aussi court, en l'espace de quelques mois seulement ? Quel est le contre-imaginaire, antiterroriste et antijacobin, produit et refoulé lors de la Terreur, qui, dès que recule la peur, remonte brutalement à la surface, marquant pour longtemps de ses hantises la mémoire collective ? Car le recul de la peur et les progrès de la liberté d'expression contraignirent les acteurs politiques à formuler de douloureuses questions. « Comment *cela nous* est-il arrivé ? » Comment la Révolution put-elle, en partant des principes de 89, en venir aux pratiques terroristes de l'an II ? Pouvait-on concilier ses principes avec son histoire ? En d'autres termes, quelle lumière le moment thermidorien projette-t-il sur les chemins sinueux déjà parcourus, sur les expériences et les mécanismes de la Révolution, sur ces institutions politiques et leur environnement mental ?

La Révolution française est vite devenue un modèle, une sorte de matrice, pour les révolutions qui advinrent ultérieurement. Ainsi vit-on des révolutionnaires s'identifier tour à tour aux Girondins, aux Jacobins, aux sans-culottes... Ils rêveraient de leur 14 juillet et de leur 10 août. Jamais pourtant ils ne s'identifièrent aux *thermidoriens* et l'idée d'avoir leur *propre Thermidor* les hantait comme un cauchemar.

C'est assurément beaucoup de questions pour un seul livre, certainement trop. Elles s'enchaînent pourtant par la force des choses, et ce livre n'est qu'un essai : il invite à une réflexion et ne propose pas de réponses définitives.

La problématique de ce livre a d'abord été ébauchée lors de quelques conférences dans le cadre du séminaire de mes amis François Furet et Mona Ozouf, à l'École des Hautes Études en Sciences Sociales. Notre dialogue constant, et particulièrement intense lors des colloques sur « La Révolution française et la culture politique moderne », m'a beaucoup enrichi et stimulé. Pour tout ce qu'ils m'ont apporté, qu'ils soient, une fois encore, très cordialement remerciés.

Je ne saurais estimer ce que cette recherche doit à Jean-Claude Favez, ami infaillible, interlocuteur et lecteur privilégié, à son exigence intellectuelle ainsi qu'à son sens critique de l'histoire.

Ce livre est dédié à ma femme; de son vivant, sa présence et son aide me soutinrent chaque jour et me permirent de surmonter les grandes difficultés qui se sont accumulées au cours de l'élaboration de cet ouvrage; après sa mort, son souvenir m'incita à achever la rédaction de ce texte, malgré tout.

CHAPITRE I

Robespierre-roi...

« Aujourd'hui, lundi après-midi, Robespierre et 21 conjurés avec lui sont conduits au Tribunal révolutionnaire pour confirmer leur condamnation car, étant hors la loi, leur procès est tout fait. On décrète qu'ils seront fait mourir à la place Louis 15, aujourd'hui place de la Révolution. Ils y furent conduits et passèrent par la rue Saint-Honoré et partout ils furent insultés par le peuple indigné de voir comme ils l'avaient trompé. Et ils ont eu la tête tranchée à 7 heures du soir. En 24 heures cela a été fait; ils ne s'attendaient guère à mourir si vite, ceux qui voulaient massacrer 60 mille hommes dans Paris. Voilà comme les scélérats, au moment d'exécuter leurs projets, Dieu permet qu'ils périssent eux-mêmes.

« Robespierre était l'âme de la conjuration avec un autre scélérat, Couthon, qui le secondait. On dit qu'il voulait se reconnaître Roi dans Lyon et dans d'autres départements et épouser la fille de Capet... Comment un simple particulier peut-il se mettre un pareil projet dans la tête. Scélérat ambitieux, voilà où t'a conduit ton orgueil. Lui mourant comme chef de la conjuration, tout tombe avec lui [1]. »

Célestin Guittard de Floriban, qui résume ainsi les événements du 9 au 10 thermidor, est un témoin inestimable. Il consigne dans son journal les menus détails de sa vie de rentier – de plus en plus ruiné –, dans le Paris révolutionnaire. Infatigable, il parcourt les rues à la recherche des dernières nouvelles, lisant les affiches et les journaux, discutant dans les

---

1. *Journal de Célestin Guittard de Floriban, bourgeois de Paris, sous la Révolution*, présenté et commenté par Raymond Aubert, Paris, 1974, pp. 437-438.

« groupes » sur la place du Carrousel. Il est d'autant plus friand de rumeurs qu'il les accepte toutes avec une telle crédulité qu'on se demande parfois si celle-ci est vraie ou feinte. Il se réjouit de l'arrestation d'Hébert qui « fait la feuille du Père Duchesne » : « Quel grand bonheur qu'on ait découvert ce complot et il faut espérer qu'on en connaîtra tous les chefs. » Deux semaines plus tard, le 16 germinal an II, il se félicite du dévoilement d'une autre conjuration. « Il y avait un monde infini sur la place » quand on a tranché la tête « à quinze conspirateurs très connus » et c'est Danton « qui a été à la tête de la conspiration ». Autre complot déjoué : Chaumette, « un jeune homme de trente et un ans, ayant fait de bonnes études et ayant beaucoup d'esprit... se mit à la tête d'une conspiration pour égorger l'Assemblée Nationale. Il en a, ainsi que ses complices, tout ce qu'ils méritaient tous : la mort, et ils l'ont subie aujourd'hui. Dans quel désordre n'allaient-ils pas mettre la France ». Le 4 floréal, Guittard est allé avec sa section à la Convention pour « féliciter Collot d'Herbois, député, et Robespierre » d'avoir échappé à « l'assassin Amiral » et à « une autre possédée du diable », Cécile Renault; fort heureusement « l'on a tous les deux arrêtés [1] ». Il ne s'étonne guère, un mois plus tard, de voir ce même Robespierre exécuté et d'apprendre qu'il voulait se proclamer roi.

Guittard, tout crédule qu'il fût, n'est pas le seul à croire à cette nouvelle stupéfiante. Georges Duval, jeune clerc travaillant chez un notaire en thermidor an II et qui deviendra, quelques mois plus tard, un des meneurs de la « jeunesse dorée », assure dans ses souvenirs qu'après le supplice de Robespierre « un bruit courut, et tous qui vivaient alors peuvent s'en souvenir, qu'il avait bien osé d'aspirer à la main de l'orpheline du Temple; et des confidences donnèrent à penser que ce bruit n'était pas tout à fait sans fondement. Or, dans le cas où il aurait conçu un aussi insolent projet, il espérait sans doute que Madame Élisabeth, lui étant redevable de sa vie, lui serait favorable auprès de son auguste nièce. Robespierre, l'assassin de Louis XVI, époux de la fille de Louis XVI! et son successeur

1. *Ibid.*, pp. 326, 334, 337-338.

au trône, sans doute [1]. Georges Duval était un libelliste sans vergogne; il présentait comme vraies toutes les rumeurs qui agitaient le Paris révolutionnaire. Son témoignage est donc recevable dès lors qu'il rapporte rumeurs et fables. Dans pareil cas, c'est un menteur tout à fait fiable.

L'HISTOIRE D'UNE FABLE

La rumeur selon laquelle Robespierre aurait voulu succéder à Louis XVI n'a pas échappé aux historiens de la Révolution et notamment à ceux qui ont étudié le 9 thermidor. La plupart l'ont négligée aussi rapidement que dédaigneusement : elle est trop absurde et, en outre, fabriquée de toutes pièces. Pourtant, elle nous semble mériter qu'on la prenne au sérieux. Non pas pour en examiner le bien-fondé; c'est, au contraire, parce qu'elle est manifestement fausse qu'elle retient toute notre attention. Il est un lieu commun, trop souvent oublié, qu'une rumeur fausse est un fait social réel; en cela, elle recèle sa part de vérité historique – non pas sur les nouvelles qu'elle fait ébruiter, mais sur les conditions de possibilité de son émergence et de sa diffusion, sur l'état d'esprit, les mentalités et l'imaginaire de ceux qui l'ont acceptée comme véridique. Aussi, plus une rumeur publique est fausse, absurde et fantasmatique, plus son histoire promet d'être riche en enseignements. Or, la fable de Robespierre-roi a effectivement circulé dans le Paris trouble du 9 et 10 thermidor; elle fut tenue pour la révélation d'une vérité jusqu'alors cachée, au moins par certains acteurs de ces événements. Du coup, elle ne témoigne pas seulement de sa propre existence. Si, le 9 thermidor, la fable a réussi à se lover dans l'imaginaire social, il convient alors de s'interroger sur cet imaginaire et sur l'événement lui-même dont la rumeur était

---

1. G. Duval, *Souvenirs thermidoriens*, Paris, 1844, t. I, p. 146. Duval assure que « Robespierre ne s'emportait contre les Anglais que pour en imposer à la populace et couvrir d'un voile plus épais les relations secrètes qu'il entretenait avec eux, afin de s'asseoir un jour, grâce à leur aide, sur le trône de Louis XVI, qu'il avait contribué si puissamment à rendre vacant le 21 janvier 1793 », *ibid.*, pp. 201-202.

inséparable au point d'en influencer le dénouement, toute fausse qu'elle fût.

L'histoire de cette fable, nous ne pouvons la reconstituer que très partiellement. La raison en est double : elle n'a laissé que des traces fugitives et les témoignages dont elle fit l'objet sont souvent confus. La rumeur se propagea par l'imprimé et de bouche à oreille. Cette distinction est d'ailleurs toute relative. Les journaux, les placards, les brochures qui rapportaient les nouvelles étaient distribués par des crieurs qui s'époumonaient à capter l'attention du public. Dans les rues et sur les places, des groupes se formaient et le texte était souvent lu à haute voix, commenté sur le coup. La masse de textes écrits léguée par la période révolutionnaire ne doit pas occulter le fait que la culture de l'époque demeurait largement orale et que l'information politique particulièrement circulait dans les masses populaires surtout par voie orale. Tel était notamment le cas pendant les « journées révolutionnaires » parisiennes quand des dizaines de milliers de gens entraient directement en contact dans la rue. Le cheminement oral d'une rumeur laisse donc peu de traces et celles-ci, quand elles existent, sont souvent incertaines. Ainsi, sur la nuit du 9 au 10 thermidor, où surgit notre fable, on dispose d'une documentation abondante : les comptes rendus des débats de la Convention; les procès-verbaux des comités révolutionnaires et des assemblées des sections; les rapports que ces comités ainsi que les commandants de la force armée sectionnaire envoyaient, d'heure en heure, aux Comités de salut public et de sûreté générale; les procès-verbaux de la Commune; les innombrables témoignages, etc. Mais cette masse documentaire traduit également, voire d'abord, la confusion qui régnait cette nuit parmi les acteurs. Cette surabondance ne comble pas certaines lacunes et ajoute même des contradictions à la confusion qui marque les récits des événements. En outre, la fable de Robespierre-roi est, comme toutes les rumeurs publiques, protéiforme. Elle connaît plusieurs variantes, de la plus rudimentaire à la plus élaborée, avec plusieurs ramifications. Son histoire ne pourrait se faire que sur la base de leur inventaire, tel que le pratiquent les anthropologues, et qui demeure pourtant fort incomplet.

Le 9 thermidor au matin, lors de la séance de la Convention qui se terminera notamment par la mise en arrestation de Robespierre, Couthon, Saint-Just et les autres, notre rumeur ne se propage pas. Le *tyran*, tel est le terme, à la fois chef d'accusation et épithète injurieuse, que Billaud-Varennes lance à Robespierre. Les conventionnels vont le reprendre en criant *A bas le tyran!*, en exorcisant par la clameur leur peur, en empêchant, par leurs cris répétés, Robespierre de prendre la parole. Tallien ajoutera d'autres épithètes : *le nouveau Cromwell, le nouveau Catilina.* Parmi les accusations contre Robespierre, aussi nombreuses que disparates, ne figure point celle d'avoir voulu rétablir la royauté et de surcroît d'avoir aspiré à devenir roi. Lors de ce débat, l'allusion au « trône » n'apparaît qu'une seule fois, dans une envolée rhétorique de Fréron contre Couthon : « Couthon est un tigre altéré du sang de la représentation nationale. Il a osé, pour passe-temps royal, parler dans la société des Jacobins de cinq à six têtes de la Convention. Ce n'était là que le commencement, et il voulait se faire de nos cadavres autant de degrés pour monter au trône. » Envolée cruellement ridicule; Couthon se contente de répondre, en montrant ses pieds paralysés : « Je voulais arriver au trône, oui... » Pendant le débat houleux personne ne se donne la peine de préciser quelle forme de gouvernement voulait adopter le « nouveau tyran ». Elie Lacoste parle vaguement d'un triumvirat composé de Robespierre, Saint-Just et Couthon. Barère évoque la menace d'une dictature militaire, dénonce la collusion des « conspirateurs » avec les aristocrates et l'étranger. Il se réfère à un « officier ennemi » anonyme, fait prisonnier en Belgique, qui aurait confessé : « Tous vos succès sont rien; nous n'en espérons pas moins de traiter de la paix avec un parti, quel qu'il soit, avec une fraction de la Convention et de changer bientôt de gouvernement. » Il s'indigne contre « l'aristocratie, joyeuse des événements actuels..., cette aristocratie, que tous nos efforts semblent ne pouvoir éteindre, et qui se cache dans la boue quand elle n'est pas dans le sang, l'aristocratie [qui] a fermenté depuis hier avec une activité qui ne ressemble qu'au mouvement contre-révolutionnaire ». La *Proclamation de la*

Convention nationale au peuple français, votée à la fin de cette séance, mais rédigée d'avance, quelques heures plus tôt, par Barère, brandit tous les dangers que court la Révolution. « Le gouvernement révolutionnaire, objet de la haine des ennemis de France, est attaqué au milieu de nous; les formes du pouvoir républicain touchent à leur ruine; l'aristocratie semble triompher, et les royalistes sont prêts à reparaître. Citoyens, voulez-vous perdre en un jour six années de révolution, de sacrifices et de courage? Voulez-vous revenir sous le joug que vous avez brisé?... Si vous ne vous ralliez pas à la Convention nationale [...] les victoires deviennent un fléau; et le peuple français est livré à toutes les fureurs des divisions intérieures et à toutes les vengeances des tyrans. Entendez la voix de la patrie, au lieu de mêler vos cris à ceux des malveillants, des aristocrates et des ennemis du peuple, et la patrie sera encore une fois sauvée. »

L'assimilation des « conspirateurs » aux royalistes s'esquisse donc par le truchement des sous-entendus et des allusions à l'objectif commun aux uns et aux autres, à savoir la destruction de la République; mais de Robespierre-roi il n'est pas encore question. Le pas sera franchi au soir du 9 thermidor, dans la panique qui s'empare de la Convention. Ayant repris sa séance vers 19 heures, elle reçoit, heure après heure, des nouvelles de plus en plus alarmantes : la rébellion de la Commune qui appelle les sections à « se mettre debout »; les déplacements de la force armée des sections sur l'attitude desquelles parviennent des informations contradictoires; l'arrivée des canonniers devant la Convention, place de la Réunion (ci-devant du Carrousel) qui ont délivré Hanriot (séquestré dans l'après-midi au Comité de sûreté générale, il parcourt maintenant, à cheval, les rues en haranguant les canonniers et les compagnies sectionnaires); la libération de Robespierre et d'autres députés mis en arrestation. Ce n'est pourtant pas dans les débats de la Convention que se trouvent les premières traces de la rumeur. Ni les décrets mettant hors la loi Robespierre, les autres députés arrêtés et la Commune rebelle, ni la discussion, agitée et désordonnée, qui suit leur adoption ne font mention de « visées royalistes » de Robespierre. La rumeur se propage dans la rue, notamment place de Grève, et dans les sections. Les comités sectionnaires sont alors en contact permanent avec les Comités de salut public et de sûreté générale; en outre, ils échangent des informations entre eux. La rumeur est certainement colportée à l'occasion de la proclamation dans les rues, par des huissiers entourés des flambeaux, des décrets sur la mise hors-la-loi. Elle est aussi diffusée par au moins une partie des douze conventionnels qui assistent Barras, nommé commandant général de la garde nationale. Ceinturés de tricolore, sabre au côté, coiffés du chapeau à panache, ils se lancent à l'assaut de la ville, pour mobiliser autour de la Convention et contre les conspirateurs les bataillons de la garde nationale, les canonniers, les comités et les assemblées sectionnaires, la population tout court. Les informations sur toute cette activité fiévreuse sont incomplètes. Ainsi, Léonard Bourdon, un des douze conventionnels assistant Barras, dénonça violemment Robespierre à la section des Gravilliers qui devait jouer un rôle important dans la suite des événements; les renseignements nous manquent pourtant sur les arguments qu'il a employés à l'appui de son accusation. D'autres représentants pour convaincre les sections hésitantes du faubourg Saint-Antoine leur ont parlé du cachet à fleur de lys trouvé chez Robespierre (nous aurons à revenir sur ce cachet); Barère, qui rapporte cet épisode dans son rapport du 10 thermidor, ne cite pas pourtant les noms de ces conventionnels. On peut estimer, avec plus ou moins de certitude, que la rumeur courut, dans la nuit du 9 au 10 thermidor, dans une quinzaine de sections au moins (ou de leurs bataillons) – dont celles des faubourgs de Saint-Antoine et de Saint-Marcel, ainsi que certaines sections du centre de la ville.

Rien n'autorise pourtant à cantonner la diffusion de cette rumeur dans les seules sections sur lesquelles des renseignements nous sont parvenus. Une fois lancée, la rumeur vole d'une section à l'autre, trouve maints nouveaux colporteurs, est vivement discutée partout où, dans l'agitation et l'incertitude, on est avide de nouvelles sur les événements qui se déroulent confusément. Ainsi, l'assemblée de la section de l'Indivisibilité, qui a balancé pendant un moment entre la Commune et la Convention, reçoit le message de la section des Lombards l'avertissant que son comité révolutionnaire a fait arrêter « cinq

scélérats », de toute évidence complices de la Commune, qui
« voulant profiter d'une circonstance qu'ils jugeaient favorable
à leurs desseins, proclamaient le fils de Capet ». Cette nouvelle,
qui dévoilait les vrais projets de la « plus terrible conspiration »,
ne figure dans aucune archive d'autres sections. Cependant, la
section des Lombards, acquise de la première heure à la
Convention, a « fraternisé » avec une vingtaine d'autres sections, en y envoyant ses délégués. On peut donc raisonnable-
ment supposer que ces émissaires n'ont pas manqué de rappor-
ter partout ce renseignement bouleversant. De même que la
section des Lombards, la plupart des sections fidèles à la
Convention communiquent entre elles et cherchent à
convaincre les sections qui hésitent, formant ainsi un dense
réseau de circulation de nouvelles, de rumeurs, de bruits.

Que racontait-on ? La nouvelle stupéfiante connaît plusieurs
versions, comme si elle se déformait au cours de sa diffusion (il
n'est pas d'ailleurs certain que tous les colporteurs initiaux la
rapportaient de la même manière). L'élément invariable est, à
peu près, celui-ci : Robespierre est un royaliste; on l'a, enfin,
démasqué; cela explique à la fois le but de sa conjuration et les
mesures de salut public prises par la Convention. Sur ce canevas on improvise, on brode, on apporte des preuves. On pourrait grouper les versions de la rumeur de la plus simple à la
plus élaborée : on a trouvé chez Robespierre (et/ou à la
Commune, chez les administrateurs de la police) un cachet à
fleur de lys; deux individus ont essayé de libérer du Temple le
« jeune Capet »; cinq « scélérats » voulaient déjà le proclamer
roi; Robespierre veut épouser la fille de Capet et le contrat de
ce mariage est déjà signé.

La même nuit courut une rumeur sur la collusion entre les
Comités de la Convention et les « royalistes », voire le « parti de
l'étranger ». Robespierre jeune, à peine délivré de la Force,
prononce à la Maison Commune un discours accusant violemment la faction qui « voulait asservir le peuple, égorger les
patriotes, ouvrir le Temple et en tirer le jeune Capet ». Le
Comité exécutif de la Commune se décide, tard dans la nuit, à
ordonner l'arrestation d'une quinzaine de députés qui « oppri-
ment » la Convention. Du coup, il promet une couronne

civique « aux généreux citoyens qui arrêteront ces ennemis du peuple... qui ont osé plus que Louis XVI lui-même, puisqu'ils ont mis en état d'arrestation les meilleurs citoyens ». Remarquons que présenter la Convention comme « opprimée » par une « poignée de scélérats », « ennemis du peuple », c'était trancher, du coup, le problème combien délicat de la légitimité de l'insurrection. La Commune et les « meilleurs patriotes » représenteraient, ainsi, « le peuple debout » qui reprend sa souveraineté mais ne se dresse pas contre la Convention, la représentation nationale. Il n'agit que pour la « délivrer de l'oppression » dans laquelle les « conspirateurs la retiennent ». Autre tentative de la Commune, la plus désespérée, peut-être, dont témoignerait le brouillon d'une proclamation de son Comité exécutif, cité par Courtois : « Le peuple est averti qu'une patrouille de la part de l'étranger qui dominait dans le Comité de salut public, s'était présentée au Temple, pour enlever les infâmes rejetons de Capet; la patrouille est arrêtée, et le Conseil a fait immoler les Capet. » Écho déformé des bruits qui agitaient la rue, les Comités ayant effectivement envoyé un détachement de la force armée pour protéger le Temple ? Signe d'un mouvement de panique qui éclate dans ces dernières heures de la Commune, quand, après minuit, la place de Grève se vide de plus en plus, et les dernières compagnies de canonniers commencent à la quitter ? Quoi qu'il en soit de ces proclamations et de leur diffusion effective, elles ne pouvaient que contribuer à la confusion générale. Les bruits s'ajoutaient les uns aux autres et se confondaient tous ensemble dans une seule rumeur selon laquelle les royalistes s'agitaient et voulaient libérer les « infâmes rejetons ».

La rumeur bat son plein le 10 thermidor, au petit matin, quand, après la prise de la Maison Commune, Robespierre et les autres députés « déclarés traîtres à la Patrie » sont transférés à la salle du Comité de salut public, voisinant celle où siège en permanence la Convention. On dirait que l'on assiste au retour de la vague : la rumeur, grossie, revient à son point de départ. La Convention dispose, enfin, de la preuve matérielle du complot royaliste tramé à la Maison Commune : on lui apporte

« les registres de la Commune et le cachet des conspirateurs sur lequel a été gravée tout nouvellement une fleur de lys et ce cachet était sur le bureau de la Commune ». Retenons que les diverses versions du compte rendu de la séance divergent sur un point précis : qui a apporté ce « cachet infâme » ? « Des citoyens de la section des Gravilliers » ? « Le juge de paix de la section des Gravilliers » ? « Une députation des commissaires des sections » ? « Un juge de paix nommé par les représentants de faire perquisition dans la Maison commune » ? Quoi qu'il en soit, plusieurs députés s'écrient qu'ils ont effectivement vu ce sceau fleurdelisé. Cette preuve acquise, les commentaires vont bon train. Entre les députés et, certainement, dans les tribunes on se raconte que « Robespierre avait des pensées d'alliance avec la fille de Louis XVI, qu'il voulait rétablir le fils de Capet sur le trône » et ces propos « préoccupaient les esprits » (à croire Barras qui le rapporte dans ses *Mémoires*, en ajoutant pourtant que « personnellement il ne prêtait aucune foi à ces allégations » ; nous aurons à revenir sur son témoignage). Tout à savourer la victoire, on se laisse aller ; aux bruits qui circulaient le long de la nuit s'ajoutent des invectives. On annonce à la Convention que « le lâche Robespierre est là » et on lui demande si elle veut le voir. La réponse est indignée. « Apporter dans le sein de la Convention le corps d'un homme couvert de tous les crimes, ce serait enlever à cette belle journée tout l'éclat qui lui convient. Le cadavre d'un tyran ne peut que porter la peste ; la place qui est marquée pour lui et ses complices, c'est la place de la Révolution. Il faut que les deux Comités prennent les mesures nécessaires pour que le glaive de la loi les frappe sans délai. » Thuriot qui s'indigne ainsi, ne manquera d'apporter des précisions sur ces « crimes ». L'occasion lui sera offerte quelques heures plus tard par Fouquier-Tinville qui, légaliste pointilleux qu'il était, soulève à la Convention un épineux problème. Avant de procéder à l'exécution des rebelles mis hors la loi, il faut constater leur identité devant les officiers municipaux de leur commune ; or, il se trouve que tous ces officiers sont eux-mêmes mis hors la loi... Thuriot, qui préside la séance, lève la difficulté dédaigneusement : « La Convention a voulu la mort la plus prompte des conjurés. C'est trop d'attendre, que les Comités fassent donc leur rapport, et que les traîtres montent sur l'échafaud. Nous sommes tellement instruits de la scélératesse de nos ennemis, *que nous savons que Robespierre était en mesure pour se faire proclamer roi à Lyon et dans d'autres communes de la République.* » Les témoignages les plus significatifs et certainement les plus dramatiques sur la propagation de la fable ne viennent pas pourtant de la salle de la Convention, mais de celle du Comité de salut public où Robespierre est étendu sur une table. Tout un cortège a accompagné son transfert; une foule se presse pour le voir. On lui lève le bras pour regarder son visage ensanglanté, on ne cesse de l'insulter. Parmi ces insultes la rumeur revient sans cesse, en forme de refrain. *« Ne v'là-t-il pas un beau roi? »;* *« Sire, Votre Majesté souffre »; « Ah, il faut que je te dise la vérité : « Tu m'as bien trompé, scélérat »; « Retirez-vous donc, que ces messieurs* (Saint-Just, Dumas, Payan que l'on vient d'amener) *voient leur roi dormir sur une table tout comme un homme.* » Robespierre, pour étancher le sang dont sa bouche était remplie, se servit d'un petit sac en peau blanche et sur lequel on lisait ces mots : « Au Grand Monarque, Lecourt, fourbisseur du Roi et de ses troupes, rue Saint-Honoré. » Lui a-t-on donné ce sac de pistolet par hasard ou par dérision ? Difficile à savoir, mais l'enseigne du vendeur provoque des injures sur « le terme qu'avait choisi son ambition ». Avant le transfert à la Conciergerie, un chirurgien, en pansant la mâchoire brisée, fait passer à Robespierre un bandeau sur la tête; à cette occasion les sarcasmes reprennent : « *Voilà que l'on pose le diadème à Sa Majesté* [1]... »

---

1. Pour suivre les versions et le cheminement de la fable les 9 et 10 thermidor, les documents et les ouvrages suivants se sont révélés parmi les plus utiles : *Archives parlementaires*, Paris, 1982, t. XCIII (remarquable édition assurée par Françoise Brunel, qui apporte les diverses versions des comptes rendus des séances de la Convention); Ch. Duval, *Projet du procès-verbal des séances des 9, 10 et 11 thermidor*, Paris, an II (texte non approuvé par la Convention); procès-verbaux des sections *in* : E.B. Courtois, *Rapport fait au nom des Comités de salut public et de la sûreté générale sur les événements du 9 thermidor, an II*, Paris, an III; G. Walter, *La Conjuration du Neuf Thermidor*, Paris, 1974; Ph. Buonarotti, *Conspiration pour l'égalité dite de Babeuf*, Paris, 1830, vol. I; A. Mathiez, *La Politique de Robespierre et le 9 thermidor expliqués par Buonarotti*, « Annales révolutionnaires », 1910; Guyot, *Relation sur le 9 thermidor*, AN F⁷ 4432; *Faits recueillis aux derniers instants de Robespierre et de sa faction dans la nuit du 9 et 10 thermidor*, Paris, an II, BN Lb⁴¹ 1149; *Courrier républicain*, du 12 au 30

Ainsi le texte de Guittard, par lequel nous avons ouvert ce dossier, réunit plusieurs variantes de la fable qui circulaient le lendemain du 9 thermidor. Reprise et enrichie, celle-ci servira encore à consolider la victoire. D'abord au plan symbolique, par la mise en scène de l'exécution de Robespierre et de ses complices. La Convention a décidé avec enthousiasme de déplacer la guillotine de la place du Trône renversée (barrière de Vincennes) à la place de la Révolution, sur ce lieu symbolique de la mort du « dernier tyran ». Les charrettes, partant de la Conciergerie, avaient à traverser le centre de la ville. Les bruits couraient d'ailleurs que les dépouilles des exécutés avaient été jetées dans la fosse où on avait enterré les corps de Louis XVI et de Marie-Antoinette, et qu'on avait spécialement rouverte pour cette occasion exceptionnelle. Barras revendiqua l'honneur de cette initiative. Certes, ses mémoires, rédigés sous la Restauration, foisonnent de vantardises et de fables. Retenons pourtant, précisément pour l'intérêt de la fable, une anecdote macabre qu'il relate à sa manière, pour se mettre en avant et ajouter du lugubre au pittoresque. « Le citoyen Sanson, l'exécuteur lui-même », l'aurait approché « dans les formes respectueuses, le chapeau bas et très humblement : " Où déposera-t-on leurs corps, citoyen représentant? " " Qu'on les jette dans la fosse de Capet, répondis-je avec humeur, Louis XVI valait mieux qu'eux. Ce sera encore de la royauté pour Robespierre, puisqu'il paraît que lui aussi en a eu le goût. " [1] »

Barère, dans son rapport présenté le 10 thermidor au nom des deux Comités, apporte la version officielle des événements. Les rumeurs d'hier y trouvent leur place comme autant de faits confirmés : le cachet fleurdelisé saisi à la Commune; les mystérieux individus qui se sont présentés au Temple. Il annonce aussi de nouvelles révélations, qui ne tarderont pas à venir, sur les projets des conspirateurs. D'où les mesures énergiques de sécurité prises par les Comités : « Le Temple est gardé avec soin, ainsi que la Conciergerie; le même intérêt appelle le peuple à les garder. » Il ne s'aventure pourtant pas à reprendre

thermidor; Barras, *Mémoires*, Paris, 1895, vol. I; A. Mathiez, *Autour de Robespierre*, Paris, 1957; P. Sainte-Claire Deville, *La Commune de l'an II*, Paris, 1946.
    1. Barras, *op. cit.*, t. I, pp. 199-200.

à son compte la fable du mariage, projeté ou accompli, entre Robespierre et la fille de Louis XVI. La place accordée dans le rapport aux « visées royalistes » de Robespierre est d'ailleurs assez limitée. Le ton est surtout rassurant et l'accent est mis sur l'issue heureuse des événements, sur l'excellent état des sections et de l'esprit public, sur le dévouement du peuple entier à la Convention.

L'événement référentiel n'est pas le 21 janvier, mais le 31 mai : « Le 31 mai, le peuple fit sa révolution; *le 9 thermidor la Convention a fait la sienne*; la liberté a applaudi également à toutes les deux. » L'exécration à la fois de cette liberté et du peuple rapproche et réunit tous les « tyrans », les anciens et les nouveaux. « Puisse cette époque terrible, où de nouveaux tyrans, plus dangereux que ceux que le fanatisme et la servitude couronnent, être le dernier orage de la révolution [1]. »

Ce sont Collot d'Herbois et Billaud-Varenne qui se chargent d'exposer de nouvelles révélations « sur le système de conjurés, à la tête desquels était Robespierre ». Ils le font devant les Jacobins. La nuit du 9 au 10 thermidor, ceux-ci tenaient une séance encore plus enflammée que d'habitude, et envoyaient des messages unanimes de solidarité à la Commune. Leur réunion fut dispersée par des sectionnaires fidèles à la Convention. Rassemblés deux jours plus tard, les Jacobins manifestent de nouveau à l'unanimité leur ralliement à la Convention et leur indignation contre les « conjurateurs », les « oppresseurs du peuple » qui les ont trompés. Ils apprennent avec stupéfaction « quelques détails relatifs à la conspiration », livrés tour à tour par Collot et Billaud. « Il en résulte que ce monstre [Robespierre] de concert avec Saint-Just et Couthon devait se partager l'empire. *Antoine* Couthon régnait dans le Midi, *Lépide* Saint-Just au Nord, et *Catilina* Robespierre au Centre. Une lettre d'un membre du parlement d'Angleterre vient d'en instruire les Comités. » D'autre part, le rapport d'un déserteur apprend que « les puissances étrangères étaient liguées avec Robespierre et ne voulaient traiter qu'avec lui ». De toutes ces révélations Bil-

---

1. *Moniteur*, vol. 21, pp. 346-347.

laud tire une leçon morale et politique : « Que cet exemple vous apprenne à ne plus avoir des idoles... Ralliez-vous autour de la Convention qui, dans ces moments d'orage, a déployé le plus grand caractère. » Le même jour, il annoncera à la Convention « un prompt rapport des Comités qui, pièces en main, prouveront que les conjurés devaient hier faire égorger soixante mille citoyens [1]. » La Convention restera pourtant sur sa faim; la promesse ne sera pas tenue et les « pièces » accablantes ne seront jamais révélées.

Dans les jours qui suivent l'« heureuse révolution », les journaux et les brochures s'exercent, à leur tour, à révéler « les innombrables fils de l'horrible conspiration qui devait exécuter la liberté et faire oublier les crimes de la Saint-Barthélemy ». On brode surtout sur les informations fournies par les rapports des Comités et les débats à la Convention, multipliant pourtant les épithètes et les tableaux d'horreurs. « Le trône ensanglanté de Charles IX devait être rebâti ces jours mêmes dans Paris sur des monceaux de cadavres. Un tyran, non moins exécrable, devait aussi assassiner de sa propre main et livrer aux bourreaux, qu'il dirigeait, tous les républicains énergiques qui auraient refusé de devenir ses sujets. » La rumeur de projet de mariage avec la « fille Capet », qui n'était pas reprise par les documents officiels, rebondit avec force. « *Nouveaux et intéressants détails de l'horrible conspiration de Robespierre et ses complices. Pièces trouvées sous les scellés de ces scélérats. Complicité d'Hanriot pour seconder leurs infâmes desseins en faisant assassiner la Convention nationale et marier la fille Capet à Robespierre pour régner ensemble et faire mourir quatre-vingt mille citoyens.* » L'auteur anonyme du pamphlet chapeauté de ce titre alléchant ajoute, entre autres, cet « intéressant détail » qui prolonge les bruits circulant dans la nuit du 9 au 10 thermidor : « Le 8, un officier municipal disait à des citoyens qui se réjouissaient des succès de la République :

---

1. A. Aulard, *Société des Jacobins*, Paris, 1897, t. VI, pp. 298-299; *Courrier républicain*, 12 thermidor an II; *Moniteur*, vol. 21, p. 356. Le 11 thermidor, Barère déclara à son tour à la Convention : « Tout devait concourir à rétablir la tyrannie sur un trône ensanglanté... Saint-Just était le plénipotentiaire du Nord; Couthon et Robespierre le jeune, le congrès pacificateur du Midi; Robespierre aîné régnait sur Paris sur des monceaux de cadavres », *Moniteur, op. cit.*, t. XXI, pp. 358-359.

" Vous seriez bien surpris, si demain on proclamait un nouveau roi. " Le 10, la fille du tyran Capet s'est, contre sa coutume, levée au point du jour, et elle s'est parée. Le 12, elle a pris le deuil [1].» Une autre brochure, éditée à Rouen, annonçait la nouvelle de la chute de Robespierre sous le titre sensationnel, lui aussi destiné à être crié, *Horrible conspiration pour porter Robespierre à la royauté. Cachet avec une fleur de lys saisi à la Commune à côté de Robespierre.* Si aucun détail nouveau ne vient enrichir la version propagée par les textes officiels, la conclusion ne laisse pourtant planer aucun doute : « Les conspirateurs voulaient rétablir la royauté en France.» A cela s'ajoute le récit sur l'exécution du « tyran » et de ses complices. « La foule était innombrable, les accents d'allégresse, les applaudissements, les cris d'*à bas le tyran*, de *vive la République*, les imprécations de toute espèce ont retenti de toute part le long du chemin. Le peuple se vengeait ainsi des éloges commandés par la terreur, ou des hommages usurpés par une longue hypocrisie [2]. »

Dix jours après cette exécution, le *Journal de Perlet* ne se contente pas de répéter les rumeurs mais discute longuement leur bien-fondé. « Le bruit s'est répandu que, pour se donner plus de lustre aux yeux de ses futurs confrères couronnés, le tyran devait forcer la main à la jeune Capet et l'épouser. Pourquoi, en effet, ces efforts tentés dans la nuit du 9 au 10 thermidor pour s'emparer du Temple ? » Cette « conjoncture » ne pourrait étonner que ceux qui ne connaissent pas « les ambitieux et les cours ». En effet, « le mariage pouvait être à ses yeux un moyen de se faire reconnaître par les puissances étrangères si ses satellites l'avaient fait proclamer ici ». Les rois de l'Europe n'ont-ils pas reconnu Cromwell pour protecteur de l'Angleterre ? En ont-ils moins reconnu

1. *Nouveaux et intéressants détails...*, Paris, s.d., BN Lb 41 3971. On y trouve encore d'autres « intéressants détails » : le nombre de « citoyens à égorger » est augmenté à 80 000 ; les jurés du Tribunal révolutionnaire en avaient la liste et la Commune s'est fait adjuger d'avance une carrière qui peut contenir quatre-vingt mille cadavres. Les agents de police font état dans leurs rapports de l'intérêt particulier que suscitent les brochures et les journaux : « On lit haut les journaux dans les places publiques. Beaucoup de citoyens se rassemblent autour du lecteur et ensuite s'entretiennent de ce qu'ils ont entendu » (rapport du 17 thermidor), A. Aulard, *Paris pendant la réaction thermidorienne...*, Paris, 1898, vol. I, p. 16.
2. *Horrible conspiration...*, Rouen, s.d., BN Lb 41 3972.

Catherine qui s'est emparée du trône assassinant « le tsar son époux »? « Les tyrans aujourd'hui auraient volontiers tenu la même conduite. Pourvu que la France eût un maître, que leur importait que ce fût Robespierre ou Capet [1]. » Les « intéressants détails » sur la vie privée du « tyran » apportaient un nouvel éclairage sur ses visées royalistes. Il se disait « incorruptible » et se réclamait sans cesse de la vertu. Or, on le sait maintenant, il s'est emparé à Issy « de la charmante maison de la ci-devant princesse de Chimay ». « C'est là que se tramaient les complots qui devaient anéantir la liberté; c'est là qu'avec Hanriot, Saint-Just et plusieurs autres complices, se préparait la ruine du peuple, au milieu des orgies les plus bruyantes. C'était le Trianon du continuateur des Capets; c'est là qu'après les repas pour lesquels tout ce qu'il y avait dans le voisinage était en réquisition, le tyran se roulait sur l'herbe, feignait d'être agité de mouvements convulsifs, et en présence de la cour qui l'entourait, il faisait l'illuminé à la manière de Mahomet, pour en imposer aux imbéciles et s'accréditer davantage aux yeux des fripons. » Robespierre avait d'ailleurs des concubines « dans presque toutes les communes » de l'Ile-de-France, alors que Couthon et Saint-Just disposaient de leurs propres palais, autant de « lieux d'orgies [2] ».

Les attaques contre Robespierre-roi trouvent peu de place dans les innombrables adresses de félicitations qui affluent à la Convention de la part des sections, des administrations départementales, des municipalités, des sociétés populaires, des armées, etc. Certes, de temps en temps on évoque le cachet à fleur de lys, on flétrit « les coalisés qui avaient besoin d'un roi ». La section des Gravilliers, qui s'est distinguée pendant « la nuit mémorable » et dont la délégation est vivement applaudie par l'Assemblée, trouve même une formule inédite en dénonçant Robespierre et ses complices comme des « royalistes populaires [3] ». La plupart des adresses – sur lesquelles nous aurons

---

1. *Journal de Perlet*, 20 thermidor an II.
2. *Journal de Perlet*, 20 thermidor an II; *Nouveaux et intéressants détails...; op. cit.*; les bruits sur les « orgies » ont été rapportés à la Convention déjà le 10 thermidor. Barras évoquait également les « lieux de plaisance » que les conjurés, « ces sultans », « ces satyres », avaient dans presque toutes les communes environnant Paris, et où ils « s'abandonnaient à tous les excès », *Moniteur*, vol. 21, p. 497.
3. Cf. par exemple le *Moniteur*, t. XXI, p. 375 (la société populaire de Tours);

à revenir – condamnent avec véhémence le « nouveau Cromwell », le « nouveau Catilina », le « despote », le « tyran », sans pourtant mentionner ses visées royalistes. Comme si la rumeur s'essoufflait peu à peu, comme si elle s'était cantonnée dans un moment bref et ne répondait qu'à ses besoins et contraintes. L'évolution de la situation politique semble la reléguer au second plan. Cela ne veut pas dire pourtant qu'elle disparaisse complètement. Le rapprochement entre Robespierre et le « dernier Capet » sera perpétué au plan symbolique, notamment pendant les fêtes civiques. Ainsi à Lyon, pendant la fête « du Retour et de la Concorde » (qui ne transpirait que la vengeance contre les terroristes), organisée le 30 pluviôse an III pour célébrer la levée des dispositions pénales frappant la ville, un « char du terrorisme » parcourait sous les huées toute la ville. Il était chargé de quatre mannequins : « le roi Robespierre », « le dieu Chalier », le faux dénonciateur et le Jacobin du 9 thermidor.

Pendant les fêtes commémoratives, notamment celles du 21 janvier, du 10 août et du 9 thermidor, on brûlera deux trônes, celui du Capet et celui de la « tyrannie triumvirale », ou bien le mannequin d'un Jacobin surmonté d'une couronne. La Convention envisagera même la possibilité de faire fusionner en une seule les deux fêtes, celle du 10 août et celle du 9 thermidor, en célébrant ainsi simultanément le triomphe de la République sur les « deux trônes [1] ». D'autre part, la fable de Robespierre-roi hantera l'historiographie du 9 thermidor; elle trouvera, et cela dès l'an III, des partisans fervents et des détracteurs acharnés. En l'an III, la ligne de partage entre les uns et les autres est relativement nette : la rumeur n'est défen-

---

p. 376 (l'administration du district de Lille); p. 385 (députation de la section des Gravilliers); p. 396 (officiers-invalides de l'armée du Rhin); p. 435 (société populaire de Maubeuge).
    1. Cf. *Messager du soir*, 4 pluviôse an III; A.D. Allier 791 (information communiquée par Mona Ozouf); R. Fuoc, *La réaction thermidorienne à Lyon*, Lyon, 1975, pp. 72-73; le *Moniteur*, t. XXV, pp. 315; 354. La Convention elle-même a fait le rapprochement symbolique entre les « deux tyrans » en décrétant le 21 janvier 1795, à la suite de la célébration de l'anniversaire de l'exécution de Louis XVI, que serait établie désormais une fête commémorant le 9 thermidor, jour de la chute du « dernier tyran ». Notons, finalement, un écho lointain de la fable; l'*Orateur du peuple*, journal de Fréron, rapporta le 5 vendémiaire que, selon des nouvelles en provenance de... la Martinique, Robespierre avait protégé les enfants de Capet dans l'intention de les faire passer à Londres.

due que par des thermidoriens et elle n'est réfutée que par des royalistes (des « robespierristes », pour la combattre, manquent encore...). De ces prises de position ne citons que deux exemples, celui de Courtois et celui de Montjoie.

Courtois, chargé du rapport sur les événements du 9 thermidor (il ne le présentera que le 8 thermidor an III, la « veille de l'anniversaire de la chute du tyran ») et qui, du coup, est devenu l'historiographe officiel de ces « glorieuses journées », reprend l'essentiel de la fable : le cachet à fleur de lys; le sachet avec l'inscription « au grand Monarque »; les « orgies » à Auteuil, Passy, Issy, etc.; les projets suspects au sujet des « enfants de Capet ». De ces projets il donne une interprétation nouvelle et singulièrement machiavélique, en apportant, comme pièce à conviction, la proclamation de la Commune, que nous avons déjà évoquée. Robespierre et ses complices auraient voulu enlever du Temple les enfants, « les restes innocents d'une famille coupable », pour jeter, d'abord, sur la Convention « l'odieux soupçon d'avoir voulu rétablir un roi ». Par la suite, après avoir réalisé leurs « plans homicides contre la Convention », ils auraient immolé ces enfants « dans la crainte des rivaux ». Ainsi, les « royalistes incorrigibles » qui espéraient, grâce à Robespierre, « voir réapparaître sur le trône le dernier rejeton de Capet qui existait alors » se sont cruellement trompés : le lys dans les mains des conspirateurs n'était qu'un appât pour « attirer à eux les puissances étrangères ». Courtois a fait même graver, à la fin de son rapport, « l'empreinte de cette espèce de poinçon royal » et il annonçait, à son tour, encore de nouvelles révélations sur ce cachet [1]. C'était là, somme toute, une version en quelque sorte « faible » du « royalisme » de Robespierre. Pour réaliser ses projets ignobles et tyranniques, Robespierre se servit, assurément, du cachet royal et des enfants de Capet, mais au fond, il n'était qu'un simple scélérat, à qui ne répugnait pas l'assassinat des enfants, et non pas un vrai prétendant au trône. Courtois ne consacre d'ailleurs que quelques pages de son volumineux rapport à toutes ces allégations et ne se soucie pas trop de les faire accorder avec ses

1. E.-B. Courtois, *Rapport... sur les événements du 9 thermidor, op. cit.*, pp. 24-27, 73-75.

autres explications des projets des « conspirateurs ». Ce rapport jouissait d'une piètre réputation même chez les « thermido-riens ». Il était de notoriété publique que son auteur était un menteur sans vergogne. Tout le monde savait que celui-ci avait soustrait plusieurs pièces des papiers trouvés chez Robespierre qui lui avaient été confiés et sur lesquels il a fait un précédent rapport. Ainsi, il avait gardé certaines pièces pour lui-même (elles pouvaient toujours servir...) et il avait rendu à certains des conventionnels intéressés, d'autres pièces, notamment des lettres d'allégeance à Robespierre (et ils étaient nombreux à venir les chercher après le 9 thermidor...). Néanmoins, per-sonne à la Convention ne trouva utile de contredire le rapport de Courtois; on se contentait, tout au plus, de bruits de couloir.

Félix Montjoie, royaliste déclaré et militant, auteur de la première histoire royaliste du 9 thermidor, passe en revue toutes les conjectures sur les projets des « conspirateurs » et, notamment, de Robespierre : il se serait proposé d'abattre la Convention, toutes les autorités et de devenir « dictateur ou tri-bun »; il aurait voulu laisser à la France le nom de République mais il entendait la gouverner « despotiquement avec Saint-Just et Couthon ». Mais on racontait aussi « qu'il ne visait à rien de moins qu'à devenir roi des Français, qu'il voulait en prendre et le titre et la puissance... On a fait enfin une dernière version. On a dit que son projet était de placer sur le trône le rejeton des rois de France, et de jouir de la brillante fortune qui lui vaudrait un service de cette importance ». Or, pour Mont-joie, « ce sont là autant de fables dont on amuse le peuple ». Si un complot de cette nature avait existé, il s'en trouverait des traces dans les papiers de Robespierre, de Saint-Just, de Cou-thon. Or, les autorités qui disposent de ces papiers n'ont publié aucune preuve. Il faut le dire franchement, quoique la vérité soit terrible : « Cette conjuration n'avait d'autre but que le vol et l'assassinat » et Robespierre n'était que le chef « de tous les bandits et de tous les assassins qui se trouvaient en France, et Dieu sait combien ils étaient nombreux, ces buveurs de sang ». Il ne faut donc accorder aucun crédit à cette fable, de même qu'à cette autre histoire racontée au sujet de Robespierre :

« Les écrivains royalistes, soit qu'ils voulussent se venger par une injure du mal fait à leur parti, soit que réellement ils eussent été induits en erreur par des personnes mal instruites, ont publié qu'il était le neveu de Damiens... Cette opinion qui s'accrédita avec facilité, est aujourd'hui assez généralement répandue, mais c'est un conte qui ne mérite aucune croyance [1]. » Réfutations qui sont autant de témoignages sur la persistance, et cela dans les milieux royalistes, des deux fables de Robespierre, le régicide, neveu de Damiens et de Robespierre, le terroriste ambitieux, aspirant à devenir roi ou à rétablir le fils de Louis XVI sur son trône légitime.

LA FABRICATION D'UNE RUMEUR

Versons le dernier élément à notre dossier.

La fable, pour l'histoire de laquelle nous avons fourni quelques repères, fut *fabriquée* de toutes pièces. Elle n'est pas partie « d'en bas », d'une foule désorientée ou des sections soumises en même temps à des ordres contradictoires, ceux de la Convention et ceux de la Commune. Elle a été lancée d' « en haut », par les Comités de salut public et de sûreté générale, pour rallier les sections et la force armée, pour canaliser leurs émotions, triompher de leurs hésitations, réelles ou supposées. Ainsi, aucun doute ne persiste sur l'élément clé de la fable, à savoir le sceau à fleur de lys, qui était la fameuse preuve matérielle des « visées royalistes » de Robespierre. Ce sceau, rappelons-le, aurait été saisi à la Maison Commune, déposé ensuite sur la table du président de la Convention, reconnu comme authentique par plusieurs députés, reproduit, un an plus tard, par

---

1. F. Montjoie, *Histoire de la conspiration de Maximilien Robespierre*, Paris, s.d. (1795). La fortune qu'a connue la rumeur dans l'historiographie et dans le légendaire du 9 thermidor mériterait une étude à part. Les lignes de partage entre ceux qui la considèrent comme une simple calomnie et ceux qui lui accordent au moins une part de vérité ne seront pas les mêmes qu'en l'an III. La fable de Robespierre-roi recoupe parfois des légendes, autrement puissantes, qui entourent le « mystère de l'enfant du Temple ».

Courtois dans son rapport. Or, c'est un faux. Vingt ans plus tard, à Bruxelles, les régicides exilés vivaient dans leurs souvenirs, ressassaient leur grandeur comme leurs querelles passées, s'essayaient à comprendre tant l'histoire qu'ils avaient faite que celle qu'ils avaient subie. Et il était de notoriété publique parmi eux que le fameux sceau n'avait été trouvé à la Maison Commune qu'après y avoir été caché par les agents du Comité de sûreté générale. Vadier, qui dirigeait l'opération, l'avoua lui-même. « Cambon disait un jour à Vadier, exilé comme lui à Bruxelles : Comment avez-vous eu la scélératesse d'imaginer ce cachet et toutes les autres pièces par lesquelles vous vouliez faire passer Robespierre pour un agent royaliste? *Vadier répondit que le danger de perdre la tête donnait de l'imagination* [1]. » Vadier avait-il tout seul inventé la fable et fabriqué la pièce à conviction? Qui d'autre avait trempé dans cette manipulation? Avait-on lancé une seule version de la rumeur et laquelle, ou plutôt plusieurs versions simultanément dans l'espoir que l'une relaierait l'autre? On ne le saura probablement jamais, de même que ne seront jamais éclaircis plusieurs autres épisodes de cette « journée ». Détails, en fin de compte, secondaires, l'essentiel est ailleurs. La rumeur a été fabriquée et lancée par les Comités de la Convention, notamment par le Comité de sûreté générale, c'est-à-dire par la police qui veillait également à sa diffusion la plus large et la plus efficace. C'était

1. Cf. la note des auteurs *in* P.-J.-B. Buchez et P.-C. Roux, *Histoire parlementaire de la Révolution française*, Paris, 1837, t. 34, p. 59. M.-A. Baudot rapporte une autre version de l'aveu de Vadier. « Cambon avait quelque doute sur les fleurs de lys trouvées chez Robespierre, dont parle Courtois dans son rapport. Il voulait savoir ce qu'il en était et s'en expliqua vivement un jour à Bruxelles avec Vadier, en présence de Charles Teste et moi. Vadier convint qu'elles avaient été transportées du Comité de sûreté générale au domicile de Robespierre après sa mort. » M.-A. Baudot, *Notes historiques sur la Convention nationale, l'Empire et l'exil des votants*, Paris, 1893, p. 74. (Retenons une évidente erreur de détail dans cette relation : le cachet à fleur de lys a été remis au président de la Convention *avant* et non pas *après* l'exécution de Robespierre.) Par acquit de conscience rapportons encore une autre version de Vadier; Buonarroti raconte ses conversations avec Vadier quand ils étaient tous les deux enfermés à Cherbourg, après leur condamnation à la déportation pour participation à la conspiration de Babeuf. Vadier, interrogé sur le 9 thermidor et sur le fameux sceau trouvé sur le bureau de la Commune ou chez Robespierre, s'écria : « *Pour cela c'est une calomnie de l'invention de Barère!* » (Cf. les notes de Buonarroti, publiées par A. Mathiez, « Annales révolutionnaires », 1910, p. 508). Décidément, avec les témoignages de Vadier, mais aussi avec ceux d'autres acteurs du 9 thermidor, on demeure plongé dans la confusion.

une manœuvre de diversion politique qui misait sur la crédulité de la population tout entière, mais surtout des militants sans-culottes, et de la Convention elle-même. Les fabricants de la fable voulaient toucher le plus grand nombre : une fois lancée sur la place publique, puis répétée et amplifiée, la rumeur devait, d'une part, gagner les indécis à la cause de la Convention, et, d'autre part, consolider la fermeté de ceux qui lui étaient d'ores et déjà acquis. L'objectif était aussi clair que le calcul était simple. Barras l'a parfaitement expliqué et amplement commenté. Cette fois encore, crédit peut lui être accordé : c'est un maître en matière de calomnie et d'intrigue politique. Il ne croyait pas un mot, affirme-t-il dans ses *Mémoires*, des allégations qui pourtant « préoccupaient les esprits » et étaient répandues par certains conventionnels – ni au cachet fleurdelisé trouvé chez Robespierre, ni au projet d'alliance que Robespierre avait eu avec la fille de Capet. (Et pour cause, on peut être quasiment sûr que lui, nommé par la Convention « général » de la force armée parisienne, en contact permanent avec le Comité de sûreté générale, était certainement « dans le coup », quoiqu'il n'en souffle pas un mot dans ses *Mémoires*.) Il jugea pourtant que toutes ces fables « n'étaient pas peut-être, quoique peu vraisemblables, inutiles à livrer au peuple ». Son exposé des raisons de cette « utilité » ressemble curieusement à un récit de première main sur les intentions et les calculs des inventeurs de la fable. « Le peuple ne pouvait pas se persuader que Robespierre fût un tyran, autrement qu'en l'associant aux idées de l'ancienne royauté, la seule qui, à ses yeux, présentât un corpus de délit saisissable. Il faut au peuple quelque chose qui tombe matériellement sous les sens pour arriver à son intelligence. Or, comment comprendrait-il que celui qui tous les jours lui adressait des adulations, qui lui parlait de la souveraineté du peuple, de la liberté, de l'égalité, qui se disait son défenseur, et paraît en ce moment son martyr, que celui-là, dis-je, fût ce que nous appelions aujourd'hui un ennemi de la liberté, un oppresseur, un tyran ? Il y a là quelque chose de compliqué qui peut n'être pas aussitôt saisi par l'imagination du peuple, qu'en lui disant sur la même ligne que ce tyran a trahi, qu'il s'entendait avec les ennemis de la République, avec les anciens rois, ou avec des membres de la famille royale, qu'ainsi c'était un infâme tyran. Avec le mot trahison ajouté à la scélératesse, tout se comprend, tout s'explique et l'on peut espérer de rallier le peuple, et le voir aussitôt tourner contre ceux qui lui sont signalés comme traîtres et qu'il reconnaît comme tels.» La franchise est admirable; la représentation, qui perce dans ce texte, d'un peuple manipulable et manipulé mais toujours au bénéfice de la bonne cause qui est la sienne, d'un peuple dont l' « intelligence » bornée demande qu'il lui soit parlé par les « sens » et par l' « imagination », mériterait tout un commentaire. N'est-elle pas curieusement apparentée aux représentations d'un peuple à éduquer qui se retrouvent au cœur du discours pédagogique révolutionnaire? Barras, contrairement à ses affirmations, n'a pas seulement laissé faire ceux qui autour de lui colportaient la fable. Il avait trouvée cette dernière tellement « utile » qu'il l'a répétée à son tour en prononçant à la Convention le rapport final sur la glorieuse mission qu'il avait accomplie le 9 thermidor, empanaché et sabre au clair [1].

1. Barras, *Mémoires, op. cit.*, t. I, pp. 200-201; *le Moniteur*, t. 21, p. 497. Avant de se séparer de Barras et de ses souvenirs, il nous est difficile de résister à la tentation d'évoquer un autre épisode de l'histoire de la fable qui se rattache à lui. Comme nous l'avons dit, Barras se vantait d'avoir donné l'ordre de jeter le corps de Robespierre dans la fosse où on avait déposé les dépouilles de Louis XVI et de Marie-Antoinette. Or, il est quasiment certain que les exécutés du 9 thermidor n'étaient pas inhumés dans cette fosse, au cimetière de la Madeleine, mais au cimetière des Errancis, proche de la place du Trône renversé devenue le lieu habituel des exécutions. Deux tombereaux auraient été creusés pour recevoir les corps des exécutés le 10 thermidor; les têtes avaient été mises séparément dans un grand coffret; une couche de chaux vive avait été étendue « sur les restes des tyrans pour empêcher de les diviniser un jour ». (Cf. les documents cités par C.A. Dauban, *Paris, en 1794 et en 1795*, Paris, 1869, pp. 416-417.) La rumeur persistait néanmoins que pour Robespierre on n'avait pas seulement déplacé la guillotine à la place de la Révolution, mais qu'on avait également rouvert la fosse au cimetière de la Madeleine. Barras, comme nous l'avons remarqué, cultivait soigneusement cette rumeur qui ajoutait du lustre à sa gloire thermidorienne; peut-être y croyait-il vraiment. Quoi qu'il en soit, sous la Restauration il lança une autre rumeur, sorte de plaisanterie morbide. L'occasion lui avait été fournie par le transfert des restes de Louis XVI du cimetière de la Madeleine aux tombes royales de Saint-Denis. Or, affirmait-il à qui voulait le savoir, puisque Robespierre et ses compagnons avaient été les derniers à être jetés dans cette même fosse où tous les corps furent dévorés par la chaux vive, Robespierre aurait été, fort probablement, inhumé à Saint-Denis, « avec quelques os épars de Saint-Just, Couthon ou Hanriot ». Preuve en est que pour identifier les restes du couple royal lors de leur exhumation, le conservateur se référa à quelques boucles trouvées dans la fosse et qui avaient échappé à la destruction. Or, c'est précisément Robespierre qui, le jour de son supplice, porta des boucles à sa culotte et à ses souliers (Barras, *Mémoires, op. cit.*, t. IV, pp. 315-316; 416-420). Ainsi, une

Quels étaient, cependant, les effets réels de la fable sur le cours des événements? A-t-elle fait pencher la balance du côté de ses propagateurs? Les renseignements sur la diffusion de la fable sont trop lacunaires et la confusion qui régnait cette nuit trop générale pour qu'on puisse être assuré de quoi que ce soit. Rétrospectivement, on serait tenté de croire que les Comités pouvaient bien s'en passer. N'ont-ils pas surestimé les forces de Robespierre et de la Commune et, surtout, sous-estimé les facteurs qui jouaient en leur faveur? Après le 31 mai, quand la Convention avait capitulé en livrant les députés girondins, les organisateurs de cette « journée » avaient tiré la leçon politique de leur propre succès. Le pouvoir montagnard, Robespierre en tête, était parfaitement conscient que l'éventualité d'un nouveau putsch, proclamé au nom du « peuple debout », n'était pas à négliger. Pour parer à un tel danger, tout un dispositif avait été mis sur pied. Suite au décret sur l'organisation du gouvernement révolutionnaire la Commune avait perdu pratiquement l'autonomie d'action dont elle jouissait auparavant. Elle n'était pas seulement placée sous l'autorité d'un agent national, il lui était interdit de convoquer des assemblées de délégués des sections; en outre, les comités révolutionnaires de ces sections avaient l'obligation d'entretenir avec le Comité de sûreté générale des contacts suivis et directs, c'est-à-dire sans passer par l'intermédiaire de la Commune. Ces mesures ont fait leurs preuves pendant la lutte contre les hébertistes et la débâcle de ceux-ci a contribué, à son tour, à entamer l'autorité de la Commune ainsi qu'à renforcer les liens entre les sections et les Comités. Certes, le 9 thermidor, l'agent national Payan, dévoué à Robespierre, s'est retrouvé du côté de la Commune; néanmoins ces mesures, dans leur ensemble, se sont révélées assez efficaces. Dès que la Commune passe à l'action, elle se retrouve dans l'illégalité; sa mise hors la loi ne fait que mettre en évidence et sanctionner le fait de rébellion. Les rapports directs entre les sections et le Comité de sûreté générale ont bien joué en faveur du gouvernement. Une fois la bataille contre Robes-

rumeur relayant l'autre, Robespierre-roi aurait trouvé sa dernière sépulture dans les tombes royales de Saint-Denis...

pierre et ses quelques fidèles gagnée à la Convention, l'autorité de celle-ci, présentée comme « le point de ralliement de tous les républicains », semble l'emporter largement sur celle de la Commune ainsi que sur la popularité de Robespierre et l'influence des Jacobins. L'une et l'autre se sont révélées, dans les faits, beaucoup plus limitées que les « thermidoriens » ne l'avaient imaginé. Ceux-ci avaient également sous-estimé leur propre efficacité, d'autant plus grande que l'action de la Commune relevait d'une improvisation permanente, contrairement à ce qu'elle avait été pendant la journée du 31 mai, soigneusement préparée d'avance. La confusion, qui caractérisait les journées de thermidor, avantageait d'autant plus le pouvoir, s'affirmant comme à la fois légitime et efficace, que la spontanéité révolutionnaire faisait cette fois-ci singulièrement défaut, fatiguée et épuisée qu'elle était par toute l'expérience de la Terreur. Les enjeux politiques de la lutte engagée entre les robespierristes et la Convention étaient, sur le coup, fort confus (nous aurons à y revenir). Ils étaient pourtant sous-jacents au choix effectué par la majorité des sections, et cela dès le début des événements : *pour l'ordre légal*, incarné par la Convention et le gouvernement révolutionnaire, et *contre de nouveaux troubles*, voire une rébellion qui ne se réclamait que des « meilleurs patriotes injustement opprimés ». La représentation du « peuple debout » reprenant sa souveraineté exerçait de moins en moins sa puissance mobilisatrice. Une majorité de plus en plus grande des sectionnaires ne percevait plus ceux qui composaient ce « peuple debout » comme le symbole de la cause révolutionnaire, mais les voyait tels qu'ils étaient en réalité : une minorité qui fondait d'heure en heure, encadrée par des militants radicaux, lesquels étaient autant de membres du personnel des sections et de la Commune. Le rapport des forces était donc dès le début largement favorable à la Convention et cet avantage ne cessait d'augmenter, comme le confirment les procès-verbaux des assemblées des sections et des comités révolutionnaires. Mais au moment précis où la fable de Robespierre-roi fut lancée, il semblait aux acteurs des événements que l'issue du combat ne tenait qu'à un fil.

« Le danger de perdre la tête donne de l'imagination... » La genèse de la fable s'expliquerait donc uniquement par un mouvement de panique d'un Vadier au moment où les canonniers se sont rassemblés face à la Convention. Élan de l'imagination pourtant curieusement partagé. Non pas seulement par ceux qui, à côté de Vadier, étaient les forgeurs de la fable, mais également par leurs adversaires. En effet, nous avons constaté que l' « imagination » de ceux qui se sont réunis à la Maison Commune semblait suivre un schéma à peu près analogue. N'ont-ils pas accusé les « scélérats opprimant la Convention » d'être des « complices de l'étranger », de se livrer à des manœuvres suspectes autour du Temple, de tenter de libérer les « rejetons de Capet » ? Allégations qui n'ont pas eu de prise sur les esprits, bruits avortés, contrairement à la fable lancée par les Comités de la Convention, qui a réussi à s'imposer comme rumeur. Assurément, tout le monde n'a pas prêté l'oreille à cette fable; néanmoins elle a circulé et, pour ainsi dire, bien circulé, en se propageant de plus en plus, créant des remous toujours plus grands.

La calomnie est une arme politique aussi ancienne que la politique. Robespierre a été, tout au long de sa carrière politique, la proie des calomnies et il savait lui-même manier à merveille cette arme. La fable fabriquée le 9 thermidor n'était pas plus diffamante ou injurieuse que les autres calomnies lancées contre « l'Incorruptible » et qu'il avait su rejeter. Cette fois-ci, il ne s'agissait pourtant plus d'une diffamation, d'une surenchère de la violence verbale inséparable des joutes oratoires à l'Assemblée ou aux Jacobins. Par l'ampleur de sa diffusion, la fable calomnieuse a pris la dimension d'une véritable *rumeur publique*. Elle a été conçue et lancée comme un instrument de manipulation à l'échelle de Paris, voire du pays tout entier. Du coup, sa fabrication est révélatrice de la mentalité politique de ceux qui l'ont mise en circulation et qui considèrent comme *manipulables* les destinataires de la fable : les « simples gens », le « peuple », mais également l'opinion publique dans son ensemble y compris la classe politique. Coup d'imagination, soit; mais relayé par toute une technique et instruit par toute une expérience. La fable elle-même était habilement construite, avec une trame à la fois simple et attisant l'imaginaire collectif (le complot, le mystère du Temple, le mariage avec la fille du roi, les négociations secrètes avec l'étranger, etc.); tout un réseau, notamment le réseau policier, a été utilisé pour sa diffusion; un faux a été introduit à la Maison Commune, puis cette « preuve » exhibée à la Convention. Chez ses destinataires, la fable a effectivement trouvé l'audience suffisante pour la transformer en rumeur publique et, du coup, pour réaliser le résultat espéré de l'opération.

Mais la réussite de cette fable s'inscrit également dans l'histoire de l'imaginaire révolutionnaire et, tout particulièrement, de la *rumeur révolutionnaire*. Inséparable de cet imaginaire, elle s'en nourrit et l'attise à son tour. Contexte très vaste, d'autant plus difficile que la rumeur révolutionnaire attend toujours son historien. Histoire combien embrouillée en raison même du caractère spécifique de son objet. La rumeur est protéiforme, à la fois omniprésente et fugitive. Il est pourtant impossible de comprendre les événements révolutionnaires sans tenir compte du rôle qui revient à la rumeur dans les comportements de leurs acteurs et notamment dans l'exacerbation de leurs émotions et passions. En effet, les rumeurs réapparaissent tout au long de la Révolution, mobilisent les esprits, canalisent les fureurs, orientent les peurs. Rumeurs sur l'intervention des troupes et le massacre imminent des Parisiens, le 14 juillet; rumeurs sur les brigands, les aristocrates, les troupes étrangères, anglaises, polonaises et même hongroises, qui menacent les campagnes, pendant la « Grande Peur »; rumeurs sur le « complot des prisons », les agents de l'étranger qui vont massacrer les femmes et les enfants dès que les hommes auront quitté Paris pour combattre sur le front, pendant les massacres de septembre; rumeurs sur les « chevaliers du poignard » qui conspirent pour enlever le roi du Temple, qui se cachent partout, prêts à sortir la nuit et à s'attaquer aux patriotes, pendant le procès du roi; rumeurs sur les agents de l'étranger et les généraux-traîtres, qui surgissent à l'occasion de chaque défaite; rumeurs sur les « affameurs du peuple », cachant le blé ou le détruisant, qui éclatent à l'occasion de chaque crise de subsistances; rumeurs sur les assignats qui seront dévalorisés, retirés de la circulation, annulés, etc. Telles ne sont ici que quelques-

unes des rumeurs les plus connues des historiens. Chacune
demanderait une étude détaillée à l'instar de *La Grande Peur*
de Georges Lefebvre qui demeure un remarquable exemple.
Mais, il faudrait surtout élargir le cadre, passer de l'étude d'un
cas à l'analyse sérielle de rumeurs révolutionnaires. Même leur
simple inventaire fait toujours défaut pour ne rien dire de
l'absence de toute étude de leurs thèmes et structures, de leur
ampleur et de leurs modes de diffusion, de leurs épicentres et
cheminements, de leurs localisations spatiales et sociales, de
leur emprise sur les esprits. En attendant de telles études, ris-
quons quelques observations générales, aussi hypothétiques
que provisoires.

Un survol très rapide permet de dégager un thème répétitif –
celui du *complot* –, inséparable d'un autre, celui de l'*ennemi
caché*. La rumeur est étayée par toute une symbolique, riche et
dense, des forces occultes et menaçantes, des ténèbres où les scélérats trament leurs machinations. Le but précis du complot
varie selon le cas et les circonstances. Il est pourtant frappant
que les grandes vagues de rumeurs populaires ne parlent pas
seulement d'un complot contre la Nation, la Révolution, mais
désignent une conspiration menaçant la substance vitale du
peuple. Les « ennemis » s'attaqueraient à sa santé, à sa vie
même, à ses femmes et ses enfants. Ainsi, la rumeur qui
accompagne la montée de la violence populaire a pour effet
direct que l'exercice de celle-ci soit vécu comme un acte de légitime défense ou de vengeance contre les « scélérats » qui trament des crimes abominables s'ils ne les ont pas déjà commis.
Rumeurs qui se greffent sur des conflits sociaux et politiques
bien réels, mais qui alimentent et surexcitent les passions, les
peurs et les haines, les espoirs et les fureurs, ce matériau dont
sont faits les moments de crise pendant une révolution.
Rumeurs politiques, certes, puisqu'elles sont alimentées par
des conflits et des événements par excellence politiques. Très
souvent, ces rumeurs sont *politisées* par la Révolution mais
elles ne font pourtant que prolonger, dans un nouveau
contexte, des thèmes et fantasmes fort anciens. Ainsi de la
rumeur de « complot de famine », remarquablement étudiée par
Steve L. Kaplan, qui revint tout au long du XVIIIe siècle et qui

connaît plusieurs flambées pendant la Révolution. Preuve, s'il en faut, que la Révolution invente, certes, un espace politique nouveau, et notamment des institutions politiques nouvelles, mais que l'*environnement mental* demeure celui, largement traditionnel, de l'Ancien Régime. On comprend dès lors les résistances aux innovations rationalisatrices de la Révolution, souvent très abstraites et doctrinaires, comme le mélange de modernité et d'archaïsme qui constitue un trait caractéristique des comportements politiques pendant la période révolutionnaire. La crédulité populaire qui assure à la rumeur sa diffusion et son efficacité, représente elle-même un héritage séculaire. Elle est inséparable d'une culture largement orale, dans laquelle l'information est diffusée de bouche à oreille. La période révolutionnaire est marquée, certes, par une explosion de l'écrit politique. N'oublions pourtant jamais que l'écrit est relayé par l'oral; notre fable en est un bon exemple, les journaux sont autant « criés » et commentés oralement, que lus.

Dans une typologie de rumeurs révolutionnaires une place à part devrait être réservée à la rumeur politique au sens le plus étroit de ce terme, à la rumeur politicienne. Les nouveaux lieux de pouvoir – au premier rang desquels les Assemblées composées de plusieurs centaines de députés – et les clubs patriotiques – dont les Jacobins – sont autant d'épicentres des rumeurs inséparables des luttes et des intrigues politiques. La rumeur travaille sans cesse la classe politique, notamment les députés et la bureaucratie gouvernementale, de plus en plus nombreuse, mais aussi les habitués des tribunes. Entre les uns et les autres la communication s'établit facilement et en permanence, de même qu'entre les couloirs du pouvoir et les espaces urbains, les rues et les places, où se forment les « groupes » qui discutent politique et commentent les nouvelles. Le thème du « complot » y est récurrent et devient obsessionnel pendant la Terreur. De cette rumeur politicienne ne citons qu'un exemple, combien révélateur du climat politique dans lequel surgit le 9 thermidor. La bataille à livrer contre Robespierre est soigneusement préparée notamment par le truchement d'une rumeur destinée spécifiquement aux conventionnels. Ce n'est point la fable de Robespierre-roi inventée, comme nous l'avons vu, dans un

« élan d'imagination » et destinée à la rue, au peuple, supposé, simple qu'il est, ne comprendre qu'un « corpus de délit saisissable ». A l'usage des députés, on fabrique un « corpus de délit » non moins saisissable mais d'une tout autre nature qu'un cachet fleurdelisé : on leur parle des listes de proscription des députés établies par le « tyran »; parfois, semble-t-il, on leur montre même ces listes. La veille du 9 thermidor ces listes s'allongeaient de plus en plus; dans les couloirs de la Convention et surtout dans les réunions intimes, la rumeur avançait le chiffre de quelques dizaines, même de plus d'une centaine de nouveaux proscrits qui s'ajoutaient aux soixante-treize députés girondins arrêtés après le 31 mai. Les personnes contactées retrouvaient évidemment leur propre nom sur la liste et la rumeur au service de l'intrigue concrétisait ainsi les menaces vagues et allusives lancées par Robespierre et Couthon aux Jacobins. Sans ce travail de sape qui mobilisait les peurs et les haines accumulées pendant la Terreur et qui, du coup, faisait de la survie de chacun l'enjeu immédiat, le cri unanime de la Convention : *A bas le tyran!* aurait-il été possible?

Le succès de la fable de Robespierre-roi forme ainsi un épisode de l'histoire de l'imaginaire et de la rumeur révolutionnaires. Mais les particularités de cette fable évoquent un contexte plus spécifique, celui de la *Terreur*. En effet, il est aisé de constater que cette fable se rattache à d'autres calomnies, destinées à devenir autant de rumeurs, fabriquées de toutes pièces par le pouvoir montagnard, Robespierre en tête. Hébert n'était-il pas accusé d'avoir organisé la famine, d'avoir arrêté aux barrières le pain dont manquait le peuple? Danton n'était-il pas présenté comme chef d'une conjuration, complice de l'étranger, traître à la Patrie, protecteur des émigrés? Comme ces autres affabulations, la fable de Robespierre-roi est une invention *terroriste*. Terroriste, car fabriquée par toute une machine politique et policière de la Terreur, mais également au sens où elle s'adresse à l'imagination sociale façonnée par la Terreur. Après Michelet parlant de l'avènement de la Révolution, on pourrait dire qu'avec la Terreur, non plus tout, mais n'importe quoi semblait être possible. Dans une atmosphère tendue à l'extrême par les épurations successives, par la délation érigée en vertu civique, par la surenchère sans limites dans les accusations, par les découvertes incessantes de nouveaux complots, personne ne semblait plus pouvoir échapper un jour aux soupçons. Les héros révolutionnaires de la veille ne seraient-ils pas aujourd'hui dévoilés comme autant d'ennemis dont le zèle n'était qu'un masque derrière lequel se cachaient les desseins les plus noirs des lendemains, la complicité avec les aristocrates et les royalistes ? Robespierre lui-même en accusant Danton n'a-t-il pas appelé à ne s'incliner devant aucune idole ? Et sur ce même Danton le bruit n'a-t-il pas couru qu'il voulait devenir régent ? Les hébertistes n'étaient-ils pas accusés par Saint-Just d'avoir ourdi une conjuration pour renverser le gouvernement révolutionnaire et rétablir la monarchie ? Hébert, perfide et ignoble, aurait ainsi préparé sa carrière de futur régent en compromettant l'assemblée par le scandale et par le « dégoût des hommes corrompus ». Aucune calomnie, même ignominieuse, n'était plus exclue. La veille du procès de Marie-Antoinette les gardiens du Temple n'ont-ils pas donné l'alarme à la Commune en l'avertissant que la veuve Capet avait des rapports incestueux avec son fils, lui faisait goûter aux fruits défendus du plaisir solitaire ? Tout cela – qui en aurait douté – à des fins contre-révolutionnaires... Car la santé de l'enfant ainsi ruinée, la responsabilité de sa mort n'aurait pas manqué de retomber sur le pouvoir révolutionnaire et d'achever de le ruiner auprès des puissances étrangères. Les fantasmes qui engendrent cette affabulation, soutenue publiquement par Hébert au cours du procès de la reine, en disent long sur la pathologie de l'imaginaire terroriste.

La Terreur se nourrit de cet imaginaire et le produit à son tour ; elle fabrique des complots qui font confondre tous les ennemis dans la figure globale du « suspect » et s'alimente de la peur et du soupçon qu'elle sécrète. L'imagination sociale façonnée par la Terreur est surexcitée et désaxée, mais elle est aussi, et pour les mêmes raisons, marquée par une sorte de fatigue et d'inertie. Tout, voire n'importe quoi, n'est-il pas devenu acceptable pour elle ? Ceux qui ont fabriqué la fable de Robespierre-roi connaissaient bien cette conjoncture et entendaient en tirer le meilleur profit. L'élan de leur imagination n'était pas si spontané que Vadier voulait le laisser accroire. La panique qui s'est emparée, la nuit du 9 thermidor, des fourriers de la rumeur était, sans doute, réelle. La réponse, pourtant, qu'ils ont trouvée pour parer au danger immédiat était instruite par toute une expérience, acquise lors de l'exercice du pouvoir terroriste, de fabrication de faux complots et de fausses accusations. A l'encontre de la rumeur et de la crédulité populaire, ils ont acquis une attitude en quelque sorte *technique* : l'une et l'autre sont manipulables, l'une et l'autre sont utilisables comme autant d'instruments pour atteindre un objectif politique. Or, le 9 thermidor la situation était telle que tous les moyens furent jugés bons pour réussir. Mais pour réussir quoi ?

UN ÉVÉNEMENT
À LA RECHERCHE DE SA SIGNIFICATION

Ne quittons pas encore cette journée exaltée par les uns comme un soulèvement héroïque contre le « tyran », dénoncée par les autres comme un moment tragique où le ressort même de la Révolution aurait été brisé. On sait bien que la Révolution manifeste tout à son long une forte tendance à théâtraliser ses faits et ses gestes, à s'offrir comme un spectacle contraignant, imposant à ses acteurs des rôles et des costumes. Le 9 Thermidor ne fait, sur ce plan non plus, pas exception et les récits de cette journée s'en sont souvent inspirés. Il faudrait pourtant préciser chaque fois la théâtralité de cette mise en représentation. On se souvient des épisodes, maintes fois contés, qui en font un drame, voire une tragédie à l'antique : les députés qui se lèvent en criant *A bas le tyran!*; ces mêmes conventionnels, menacés par les canons, qui décident de rester dans la salle et de mourir pour la République, à l'instar des sénateurs romains; Robespierre, à la Commune, hésitant à se réclamer du peuple contre la Convention, qui est le pouvoir légitime de la République; la salle du Comité de salut public où Robespierre, blessé, est étendu sur une table, où Saint-Just, impassible, fixe de ses yeux la Constitution, affichée sur le mur, et prononce les paroles : « Voilà pourtant mon ouvrage, et le gouvernement révolutionnaire aussi. » Images d'Epinal, dira-t-on, dont plusieurs ne résistent pas à la critique historique. Nul n'en doutera mais ces clichés sont entrés dans la mémoire historique pour laquelle les représentations engendrées par un événement sont souvent plus importantes que l'événement lui-même. Mais que l'imagerie ne masque pas le mélange de genres : le tragique tourne sans cesse au grotesque. Tallien agite à la tribune de la Convention un poignard dont il n'a guère l'intention de faire usage ni contre Robespierre ni contre lui-même; Hanriot, chef de la force armée parisienne, tour à tour garrotté par quelques gendarmes et libéré par ses fidèles; quelques centaines de Jacobins qui ne se lassent pas d'acclamer Robespierre et de lancer des appels héroïques à combattre les « scélérats » mais dont le nombre ne cesse de fondre, que dix (!) personnes suffisent à disperser et dont la salle, « le bastion invincible de la Révolution » est, tout bêtement, fermée à clé, comme pour marquer la fin du spectacle. Des milliers d'hommes armés, groupés dans leurs bataillons, semblent se livrer à un étrange ballet : les mêmes qui, l'après-midi, sont partis pour soutenir la Commune se retrouvent, le soir, du côté de la Convention. Les canonniers se livrent à un aller-retour, entre place de Grève et place du Carrousel, sans avoir tiré un seul coup de canon. Comme pour ajouter à ce côté grotesque, le personnage à qui il incombe de jouer cette nuit-là le rôle particulièrement dramatique, le gendarme qui tira sur Robespierre, s'appelait Merda. Et cela sentait tellement le ridicule qu'on le rebaptisa vite en Meddat avant de le présenter à la Convention qui l'accueillit triomphalement. Cette nuit où les passions se déchaînèrent, où on ne jura, des deux côtés, que de « vivre libre ou mourir », on n'entendit tirer que deux coups de pistolet : celui du « brave gendarme » Merda et celui de Lebas, qui se suicida. La vraie tuerie ne commença que le lendemain de la victoire, place de la Révolution : vingt-deux guillotinés le 10 thermidor, soixante-six exécutés le 11 thermidor, la plus grande « fournée » qu'avait jamais connue Paris depuis l'avènement de la Terreur. Nous ne saurons jamais quel aurait été le nombre d'exécutés si le parti adverse, Robespierre et ses partisans, l'avait emporté...

L'étrange spectacle qu'offre Paris le 9 thermidor traduit la confusion dans laquelle sont plongés les esprits des milliers de gens qui participent à un conflit qui à tout moment risque de tourner à un affrontement sanglant et dont les enjeux ne ressortent pourtant jamais clairement de l'imbroglio. Comme nous l'avons constaté, la fable de Robespierre-roi ne pouvait peser sur l'issue du conflit qu'en raison de cette confusion. Tout se passe comme si l'événement, demeuré dans l'histoire sous le nom du 9 thermidor, ne fournissait, sur le coup, une signification précise ni à ses propres épisodes qui se succédaient chaotiquement ni aux acteurs qui y participaient. Comme si l'événement était seulement à la recherche de sa signification politique.

On le sait, il n'est aucun événement historique qui n'épuise sa pleine signification au moment où il advient. Celle-ci, ou plutôt celles-ci, quand elles sont multiples et, de règle, contradictoires, viennent l'envahir, au fur et à mesure que ses conséquences se dégagent dans l'histoire. Sur le coup, les acteurs peuvent être plus ou moins conscients des enjeux du conflit dans lequel ils s'engagent. A cet égard la journée du 9 thermidor se distingue nettement de plusieurs autres journées révolutionnaires, notamment de celles du 10 août et du 31 mai. A son moment crucial, le 9 thermidor semble pourtant n'être qu'une simple reprise de ces journées. Quand la Commune proclame que « le peuple est debout » et mobilise les sections contre l'Assemblée, tous ont l'impression de rejouer un scénario déjà bien rodé le 10 août et le 31 mai. La référence à ces journées, notamment à celle du 31 mai, est d'ailleurs explicite dans les proclamations des partisans de Robespierre. Cette ressemblance ne fait pourtant qu'augmenter la confusion. Loin de clarifier la situation, elle l'embrouille d'autant plus que les arguments, – entendez les accusations et les insultes lancées des deux côtés et qui en tiennent lieu – se ressemblent curieusement : les uns et les autres jurent fidélité à la Révolution et à la République; tous dénoncent chez leurs adversaires la conjuration et la collusion avec les «ennemis». Le gouvernement révolutionnaire contre lequel la Commune appelle le peuple «à se mettre debout», comme il l'avait fait le 31 mai, n'est-il pas lui-même issu de cette journée référentielle? Ne proclame-t-il pas sa fidélité à la voie dans laquelle il s'est alors engagé, ne promet-il pas de combattre «énergiquement» toute indulgence? Aucun des partis adverses n'est capable de formuler son projet politique. Paradoxalement la rumeur calomnieuse apporte quelque clarté dans la mesure où elle désigne, avec haine et violence, Robespierre comme le personnage clé du conflit. Du coup surgit l'enjeu politique central et occulté du conflit : *comment sortir de la Terreur?* Question essentielle et pourtant informulée. Elle constitue l'implicite du discours politique qui, des deux côtés, se surpasse dans la rhétorique noble et les injures les plus ignobles.

En cet été finissant de l'an II, deux mois après la loi de Prairial, quand les prisons regorgent des suspects et que le Tribunal révolutionnaire ne chôme que le décadi (il ne fera une exception que le 10 thermidor, pour procéder à l'identification de Robespierre et de ses partisans...), personne n'ose poser publiquement le problème de la sortie de la Terreur (le 9 thermidor, quand fait rage à la Convention la bataille contre Robespierre, la guillotine a accompli sa besogne quotidienne et nul n'a songé à suspendre l'exécution). Pour la *nommer*, pour la «mettre à l'ordre du jour» du gouvernement ou de la Convention, il fallait que la sortie de la Terreur soit déjà amorcée dans les faits. En effet, après le «printemps des victoires», le territoire national une fois libéré, la Terreur fut dépourvue de ce soutien, voire d'une légitimité que lui assurait le discours sur la guerre, sur la nécessité de défendre la République contre la menace extérieure [1] (les rumeurs persistent d'ailleurs sur la paix imminente). Après la liquidation des «factions», des dantonistes et des hébertistes, tout débat politique, aussi timide soit-il, est étouffé par l'exaltation du Peuple unanime et indivisible. La Terreur ne trouve son fondement et sa justification que dans le discours qu'elle tient sur elle-même et qui confond

---

1. Sur les rapports entre la guerre et la Terreur dans le discours révolutionnaire, Mona Ozouf apporte des idées novatrices et pertinentes dans son ouvrage *L'École de la France*, Paris, 1984, pp. 109-128.

en un tout la dénonciation de l'indulgence et l'exaltation de la vertu républicaine. Celle-ci n'appelle-t-elle pas à la vigilance permanente, n'accompagne-t-elle pas les pratiques que la Terreur engendre : les exécutions, les délations, la peur paralysante ? Conjointe à l'exercice du pouvoir, la Terreur occupe tout l'espace politique, bloque d'emblée, dans le cadre de ce pouvoir, tout débat sur la politique à suivre. Les divergences au sein du gouvernement, quels qu'en pussent être les objets et les causes, à commencer par les animosités et querelles personnelles, s'aggravaient en raison de la méfiance et des soupçons mutuels. (Il ne nous appartient pas d'examiner ces discordes multiples; il est pourtant significatif que celle qui porte sur le contrôle de la police soit particulièrement envenimée.) Tout conflit, même de portée limitée, risquait d'être pris dans l'engrenage de la Terreur, d'être tranché par les mécanismes qu'elle offrait. Or, elle ne favorisait qu'un seul instrument... Innommé et innommable, le problème : *que faire de la Terreur ?* était à la fois refoulé et obsessionnel. Problème par excellence politique, celui du pouvoir révolutionnaire, et dont l'enjeu devenait la vie même de ceux qui l'exerçaient. Problème inséparable de la personne de Robespierre. Dans le système du pouvoir issu du projet qui consistait « à radicaliser la Révolution, à la rendre conforme à son discours », Robespierre occupait, le lendemain de la fête de l'Être suprême et de la loi de Prairial, la position charnière où se rejoignaient, dans la même finalité, la Vertu et la Terreur [1]. *Que faire de la Terreur ? Comment en sortir ?* Les réponses passaient par Robespierre. Elles ne pouvaient que venir de lui ou se tourner contre lui. Elles ne pouvaient être formulées qu'en termes détournés et d'autant plus embrouillés qu'il incombait aux terroristes eux-mêmes, aux artisans de la Terreur, d'apporter ces réponses. Et ils ne pouvaient les mettre en œuvre qu'avec des moyens terroristes. Comme le formule Marc-Antoine Baudot, conventionnel montagnard, à la fois observateur pertinent et acteur des événements : « Dans l'état inextricable et sanguinaire où était la République avant le 9 thermidor, on ne pouvait sortir de cette

---

1. Cf. les analyses remarquables de François Furet, dans *Penser la Révolution française*, Paris, 1978, pp. 84 et suiv.

horrible situation que par la mort ou l'ostracisme de Robespierre... *Aussi, dans la lutte du 9 thermidor, il ne fut pas question de principes, mais de tuer* [1].»

Le projet politique de Robespierre entre prairial et thermidor se prête à plusieurs interprétations comme en témoigne le
débat qu'il a suscité et qui dure depuis deux siècles. Voulait-il
amorcer la sortie de la Terreur, voire l'arrêter tout court,
comme l'impliqueraient certains passages de ses discours et,
surtout, sa réprobation des « terroristes » les plus sanguinaires,
notamment des représentants en mission qui se sont distingués
par leurs actes arbitraires et par leur corruption ? Voulait-il, au
contraire, poursuivre la Terreur, la rendre encore plus sanglante, dominer encore plus la Convention, comme le laisse-
raient pressentir d'autres passages de ces mêmes discours et,
surtout, la surveillance vigilante qu'il exerçait sur les activités
du Tribunal révolutionnaire et sur la répression policière ?
Aurait-il manqué de tout projet politique autre que celui
d'affirmer encore plus son pouvoir personnel et de régler les
comptes avec ses adversaires aux Comités et à la Convention ?
Aurait-il été frappé par une sorte de paralysie, hésitant entre
des projets contradictoires, ce qui l'aurait enfermé dans une
situation sans issue ? Débat devenu d'autant plus inextricable
qu'il est grevé par toutes les passions suscitées tant par la Terreur que par la personne de Robespierre. Mais ce débat ne
reproduit-il pas, sur un autre registre, les ambiguïtés et les
contradictions inhérentes à la conjoncture politique du
moment ? Le projet politique de Robespierre ne se prêterait-il
pas à des lectures multiples dès lors qu'il est lui-même travaillé
par ces ambiguïtés qu'il occulte ? Ce projet n'est pas inco-
hérent ; au contraire, c'est en raison de la logique politique qui
lui est propre, mais confronté aux problèmes dont est grosse la
situation thermidorienne, que Robespierre sombre dans l'ambiguïté. Tout se passe comme s'il poursuivait le même projet qui
l'avait porté tout au long de la Révolution, mais qu'il
s'embrouillait singulièrement sitôt qu'il devait répondre à la
question inédite : que faire de la Terreur, de ce système de

---

1. M.-A. Baudot, *op. cit.*, pp. 125 ; 148.

pouvoir révolutionnaire auquel avait abouti la victoire même de ce projet ? A travers les paroles et les actes de Robespierre se dégage l'idée-image d'une *Terreur épurée de son avilissement* et partant, un projet d'action qui impliquait *à la fois plus et moins de Terreur.*

Robespierre se reconnaissait dans la République pure et vertueuse telle que la dessinaient les représentations que la Révolution donnait d'elle-même – à l'instar des représentations que la fête de l'Être suprême offrit au peuple mais également à Robespierre, l'auteur et l'acteur principal de cette fête. Du coup, la République pure et vertueuse devait se confondre nécessairement avec la personne de Robespierre, dans le même temps où celui-ci s'identifiait pleinement à sa noble cause. Le projet de Robespierre impliquait, en quelque sorte, que la Révolution reste Révolution et que Robespierre reste Robespierre, les deux ne faisant qu'un dans l'exercice du pouvoir révolutionnaire. Mais pour être pure et vertueuse, fidèle à ses propres représentations, la République devait nécessairement s'épurer, se débarrasser des « impurs », des traîtres, des intrigants, des carriéristes, des vils profiteurs, éléments indignes d'elle, voire de ses pires ennemis cachés et dissimulés. La Révolution progressait donc nécessairement par l'exclusion. Telle était sa marche majestueuse et Robespierre l'avait faite sienne. Elle guidait son projet politique face aux adversaires successifs. Leurs visages étaient, certes, multiples, mais c'était autant de masques dont se grimait un ennemi qui demeurait pour finir toujours identique à lui-même. Cette vision politique qui s'était révélée politiquement efficace tout au long de sa carrière politique – et dont la Terreur était l'aboutissement –, Robespierre l'applique à la Terreur elle-même, telle qu'il la juge dans les semaines précédant Thermidor. Or, la Terreur, pour reprendre ses dernières paroles à la Convention, lui, « fait pour combattre le crime, non pour le gouverner », il la trouve souillée. Non pas par le sang de ses victimes mais par l'avilissement de ceux qui étaient chargés de la mettre en œuvre et, du coup, de veiller à sa pureté. Robespierre était un homme de cabinet. Il n'avait jamais vu fonctionner la guillotine. Il n'était jamais allé en mission, là où le verbe enflammé du terroriste devenait acte, où la Terreur était inséparable de l'exercice d'un pouvoir illimité, où elle sombrait dans les intrigues et les conflits locaux, où elle engendrait le trafic d'influence. Dans l'expérience politique de Robespierre, la Terreur, c'était des discours aux Jacobins et à la Convention; c'était des décisions à prendre au Comité de salut public, sur le papier, dût ce papier ne porter que des listes de prisonniers à déférer au Tribunal révolutionnaire ou des nominations des juges à ce tribunal. Or, depuis l'hiver de l'an II, les rapports qui affluent vers Robespierre, – tous de délation – prouvent que la Terreur n'est guère conforme aux représentations qui la légitiment (ces rapports, il les sollicite d'ailleurs lui-même, en envoyant des émissaires spéciaux, tel le jeune Julien). A Lyon et à Marseille, à Bordeaux et à Nantes, la Terreur est « souillée » par des actes arbitraires, par des voleurs qui profitent de l'occasion pour s'enrichir, par des « orgies », par des règlements de comptes. N'en est-il pas de même au Comité de sûreté générale et au Comité de salut public, déchirés par les ambitions personnelles et les intrigues ?

Une Terreur, donc, avilie par son propre personnel, trahie, pour ainsi dire, par les terroristes. Homme de cabinet, Robespierre est également homme d'idéologie. Les animosités personnelles n'étaient compréhensibles pour lui qu'à travers une grille idéologique. Par rapport aux « fripons » et aux « assassins », les Tallien, les Fréron, les Fouché, les Vadier (où s'arrêtait cette liste, nous ne le saurons jamais), le Marais gagnait en pureté. Ces gens-là étaient au moins honnêtes, ils n'avaient jamais trempé dans l'ignominie. Le projet robespierriste semblait donc comprendre en lui à la fois *moins* de Terreur et *plus* de Terreur. Moins de Terreur impure, arbitraire, celle exercée par des « fripons »; plus de Terreur, car l'épuration ne pouvait se faire que par des moyens terroristes, qu'en amputant de nouveau la Convention censée livrer les coupables dans ses rangs. Plus de Terreur, car celle-ci n'était jamais et ne pouvait devenir « pure » que dans les discours et sur le papier. Elle ne pouvait s'épurer qu'en s'attaquant à son propre personnel dont elle était pourtant inséparable, à ces « terroristes » qu'elle avait elle-même formés.

Nous ignorerons toujours ce que serait devenue la Terreur « épurée » selon Robespierre. Ceux qui étaient visés par son discours ne pouvaient pas attendre, suivre sa démarche tortueuse, déceler ses ambiguïtés. Pour eux, ce message gagnait en clarté aveuglante et menaçante ce qu'il perdait en subtilité rhétorique : le « moins » et le « plus » de Terreur ne se contrebalançaient pas, mais s'additionnaient. L'enjeu se resserrait singulièrement : ce n'était ni la Vertu ni la Révolution, mais simplement leurs têtes, à eux. Certes, Couthon s'est chargé de préciser aux Jacobins qu'il ne s'agissait d'épurer la Convention que de quelques scélérats. Mais cela voulait dire *combien ?* et surtout *qui ?* Le langage allusif de la Vertu était celui du soupçon. Du coup, il se retournait contre son maître et le désignait désormais comme le maître du soupçon. Au lieu de rassembler autour de lui, il ouvrait une brèche à un rassemblement contre lui de tous ceux – Fouché, Tallien, Vadier, Collot – qui *se sentaient* visés par ce langage. Face à la Vertu immaculée, rares étaient pourtant, parmi les conventionnels qui avaient trempé dans la Terreur réelle, ceux qui pouvaient se sentir au-dessus de tout soupçon. Les comploteurs de la première heure exploiteront d'autant plus habilement le climat de suspicion qu'ils étaient précisément des *terroristes*. Non pas seulement au sens politique et moral de ce mot, mais également au sens *technique* que nous avons déjà évoqué. Ce « métier », ils le connaissaient bien ; de la Terreur, de ses mécanismes et rouages, ils avaient acquis l'expérience. Son langage, ils l'avaient manié eux-mêmes, savaient s'en servir et le décrypter. La Terreur « épurée », ce n'était que de la guillotine pure, c'est-à-dire un peu plus soigneusement nettoyée et huilée. Quel que soit le vocabulaire du langage de la Terreur – qu'il dénonce les fédéralistes, les factions ou les fripons –, il ne se renouvelle guère car il débouche toujours sur un amalgame et son résultat est toujours le même. La vertu n'y ajoutait donc qu'un terme de plus, singulièrement tranchant et pointu. D'artisans de la Terreur, ces terroristes se voyaient transformés en ses victimes. Toute leur habileté technique, acquise pendant la Terreur et étayée par une peur combien réelle, fut requise pour former une coalition et la consolider autour d'un seul objectif, *abattre le tyran*. A l'instar de Robespierre, ils découvrirent dans le Marais des gens purs, des victimes d'une « tyrannie », avec lesquels, alors qu'hier encore ils les méprisaient, existait une solidarité. Les mystérieuses listes de proscription des députés, mises en circulation, marquent un coup double; elles soudent les liens de solidarité avec les Montagnards qui y découvrent leurs noms; le nombre important de proscrits, avancé par ces listes, transforme en une affaire touchant l'Assemblée dans son ensemble, ce qui pouvait paraître comme un règlement de comptes entre les « terroristes ». Amputée de nouveau, dénonçant une fois encore ses propres membres, l'Assemblée ne se livrait-elle pas à la merci de celui qui s'érigerait ainsi en son maître absolu ? *Abattre le tyran!* C'était à la fois un slogan et un objectif précis qui permettait d'aller au plus vite et de la façon la plus efficace, en escamotant toutes les divergences potentielles entre ceux qui ignoraient qu'ils seraient bientôt des « thermidoriens ». C'était également un moyen d'éluder le *problème politique central, celui de la sortie de la Terreur,* de le laisser dans l'informulé, dans l'implicite de la clameur unanime de la Convention proclamant, au cours de sa séance matinale du 9 thermidor, l'arrestation de Robespierre et de ses acolytes. La suite des événements, notamment l'insurrection improvisée de la Commune, qui n'avait guère de place dans le projet de Robespierre, déplace les enjeux de cette journée et, du coup, les clarifie. En effet, elle imposait de choisir entre deux légitimités : celle qui se réclamait du « peuple debout », de la souveraineté directe, et celle de la Convention incarnant le système représentatif [1]. Mais même rendus plus clairs, les termes de ce choix n'assuraient pas mieux la victoire. L'issue du combat semblait être, à ce moment crucial, particulièrement incertaine. L'habileté technique, politique et policière vola alors au secours de la victoire. Pour faciliter au bon peuple son choix, pour lui expliquer où est sa juste cause, pour le convaincre de ne pas « se mettre debout », pour lui simplifier toute cette affaire compliquée d'un « tyran » qui pourtant incarnait, hier encore, la Révolution et la Vertu, on inventa un complot, on lança une rumeur, on cacha puis on découvrit un faux. Quels que fussent les auteurs directs de cette diversion, elle était, comme nous l'avons constaté, le produit d'une expérience politique collective, elle résumait parfaitement tout un imaginaire et toute une pratique terroriste. La peur et la panique ajoutaient au cynisme de cette manœuvre une touche de spontanéité.

Parade à un danger immédiat, la fable de Robespierre-roi ne donnait à l'événement qu'une signification d'un jour. Elle ne réglait en rien le problème politique central de la Terreur, elle l'embrouillait encore plus. Au lendemain de la victoire, avec l'exécution des députés mis hors la loi et des membres de la Commune, avec la réforme du Tribunal révolutionnaire et les premières libérations des « suspects », les choses iraient en s'accélérant. Le sens du 9 thermidor, cette révolution faite par la Convention et non pas par le peuple, pour reprendre la formule de Barère, excédera donc le simple renversemenr d'un tyran. D'ailleurs, la fable de Robespierre-roi ne recelait-elle pas déjà plus que ce qu'en révélait son utilisation immédiate ? Si l'on dissocie les termes qu'elle amalgame – la Terreur et le Roi – elle semblait esquisser grossièrement la sortie de la Terreur qu'emprunterait le pouvoir républicain après le 9 thermidor. Voie étroite et périlleuse, définie négativement : ni Robespierre, ni roi, ni Terreur, ni monarchie. Voilà qui n'empêcherait pas, au contraire, ce pouvoir thermidorien de recourir de nouveau à l'amalgame pour combattre ses adversaires. Instruit qu'il était par l'expérience, il le ferait avec beaucoup moins de panique et avec beaucoup plus de cynisme.

CHAPITRE II

La fin de l'an II

Le 24 fructidor an II, quarante-cinq jours après le 9 thermidor et dix jours avant la fin de l'an II, au cours d'un débat orageux où se déchaînent les divisions qui déchirent la Convention, Merlin (de Thionville), après avoir attaqué les « terroristes », ces « chevaliers de la guillotine », formule trois problèmes essentiels pour la République et auxquels la Convention doit répondre sans équivoque : « *D'où venons-nous?, Où sommes-nous?, Où allons-nous?* » Ces questions sont d'une importance capitale; elles traversent en profondeur le débat politique dans son ensemble. Le Comité de salut public reprend à son compte ces questions et leur apporte ses réponses. A une date symbolique, le jour de la quatrième sansculottide, qui clôt l'an II, Robert Lindet, dans un long discours, présente, au nom du Comité, une sorte de rapport sur l'état de la Nation. Ce rapport, accepté par la Convention, ne mettra pas pourtant fin aux divisions déchirantes; ses réponses, censées constituer le « point de ralliement » et restaurer l'unité perdue, se révèlent provisoires; elles seront très rapidement contestées et dépassées.

La dramatisation de ces questions marque bien le sentiment de se trouver à un tournant, où le passé, le présent et l'avenir ne se distinguent plus clairement, comme si le temps de la Révolution avait perdu cette magnifique transparence, exaltée tout au long de l'an II. A la fin de cette année, le passé même est devenu opaque. On attend du Comité de salut public le double bilan du chemin parcouru depuis la « révolution du 9 thermidor » mais aussi du passé plus lointain de « la terreur » et de la « tyrannie » dont cette « heureuse révolution » a délivré la République. Le présent, lui, est encore plus trouble. Les questions de Merlin mettent en évidence que le 9 thermidor constitue un point de non-retour mais que le problème de la sortie de la Terreur n'est point résolu. Le 10 thermidor, la Convention annonça triomphalement la victoire de « sa révolution »; avec la chute du « tyran » et de ses acolytes la République était sauvée et l'oppression terminée. A la fin de l'an II le constat est évident : *sortir de la Terreur* n'est pas un *acte* mais un *processus* angoissant à l'issue incertaine. La sortie de la Terreur ne s'est pas achevée avec la chute de Robespierre; c'est un chemin à découvrir et à parcourir.

L'expérience était inédite. On sait que l'histoire politique de la Révolution présente cet intérêt tout particulier d'offrir, dans un laps de temps relativement court, les expériences de plusieurs régimes et situations politiques : la monarchie constitutionnelle, la Terreur, la république fondée sur un système représentatif et censitaire, la dictature plébiscitaire, etc. [1]. Il en est de même pour la *sortie de la Terreur,* expérience particulièrement complexe. Amorcée le 9 thermidor, cette expérience devait s'effectuer dans un cadre, politique et symbolique, institutionnel et social, issu de la Terreur et modelé par elle. Aussi, nombre de questions se posaient-elles inévitablement. Que faire de l'héritage légué par la période de la Terreur? Que retenir, et selon quels critères, de cet héritage politique qui était à la fois celui de la Terreur mais également celui de la République, voire de la Révolution? Que faire des séquelles multiples de la Terreur, à commencer par les geôles qui regorgent de « suspects » en attente de leur jugement? Comment démanteler les institutions et le personnel, politique et administratif, issus de la Terreur et formés pour la servir et assurer son fonctionnement? Comment définir l'espace politique de l'après-Terreur? Questions complexes puisque la sortie de la Terreur était effectuée par un pouvoir et un personnel

---

1. Cf. F. Furet, *Marx et la Révolution française*, Paris, 1986, pp. 86 et suiv.

politiques qui avaient été des agents de la Terreur, qui l'avaient activement et vigoureusement mise en place. La « révolution du 9 thermidor » devait donc être pensée à la fois comme une *rupture* dans l'histoire de la Révolution et comme l'assurance de la *continuité* de celle-ci. Au-delà de la Terreur, la Révolution affirmerait ainsi sa fidélité à elle-même et à ses principes fondateurs. Le rapport entre la rupture et la continuité ne se plaçait pas uniquement au plan politique et collectif; il était également vécu en tension au plan individuel par chacun.

Insister sur le caractère inédit et complexe de cette expérience *politique* par excellence est d'autant plus nécessaire que les particularités et l'originalité de la période thermidorienne sont trop souvent négligées par l'historiographie. Il est une tradition « jacobine » de l'historiographie révolutionnaire aux yeux de laquelle la période héroïque de la Révolution, symbolisée par l'an II, l'année des sans-culottes, des Jacobins, de la Montagne, de l'élan révolutionnaire pur et dur, se brise irrémédiablement le 9 thermidor. Après, il n'y aurait plus que « réaction » et, pour finir, le vain combat héroïque des derniers sans-culottes et des derniers Montagnards, défendant contre les « réacteurs » l'héritage exaltant de l'an II. Comme si les « derniers Montagnards » et les « derniers Jacobins » n'étaient pas eux-mêmes des « thermidoriens » : non seulement ils approuvaient et exaltaient les bienfaits de la « révolution du 9 thermidor » mais ils participaient, à leur façon, à l'expérience, commune aux autres « réacteurs », de la *sortie de la Terreur*.

Car l'an II, au sens symbolique de ce terme, ne se termine pas, à l'instar d'une tragédie antique, le 10 thermidor, place de la Révolution, lorsque le couperet de la guillotine tranche la tête de l'Incorruptible. L'imaginaire social engendré par l'an II, et qui lui donnait son sens symbolique, connaît une fin moins héroïque et théâtrale. Beaucoup plus prosaïquement, l'expérience politique nouvelle de la sortie de la Terreur, entraîne la désintégration assez rapide de cet imaginaire. Effacer cette expérience, son originalité et sa complexité, c'est occulter les séquelles politiques, sociales et morales de la Terreur et, par contrecoup, enfermer celle-ci dans une légende héroïque qui ne peut que la légitimer a posteriori. Effacer les particularités de cette expérience, c'est aussi courir le risque d'un autre anachronisme : réduite à une « réaction », la période thermidorienne, sinon toute la période du Directoire, devient en quelque sorte la simple transition du 9 thermidor au 18 brumaire. La légende héroïque de la Terreur ne pourrait-elle trouver une fin qui lui fût digne que dans un autre légendaire, celui de Napoléon ? Rien n'est cependant plus faux historiquement. Comprendre les problèmes soulevés dans la période thermidorienne, c'est mettre en lumière le caractère relativement ouvert de l'expérience qui commence le 9 thermidor an II. Aucune logique de l'histoire n'a jamais voulu que le 18 brumaire fût porté monstrueusement par la chute de Robespierre. Penser la période thermidorienne, c'est s'interroger d'abord sur les *problèmes* politiques que ses acteurs politiques devaient définir et résoudre, c'est examiner, ensuite, les conflits et les mécanismes politiques à travers lesquels fut choisie, très empiriquement, une certaine manière de sortir de la Terreur.

Cinquante-six jours seulement séparent la cinquième sansculottide qui clôt l'an II du 9 thermidor de la même année. Période très courte mais particulièrement dense, riche en événements et en phénomènes politiques nouveaux. Une mutation politique est déjà engagée mais les jeux sont loin d'être faits. Les acteurs politiques occupent un espace largement ouvert. Nous avons choisi précisément la fin de l'an II pour clore la chronologie et tenter d'analyser le chemin parcouru depuis le 9 thermidor. Le choix est assurément arbitraire. Cette date est symbolique : l'an II, celui du calendrier révolutionnaire et non pas de la légende révolutionnaire, s'achève péniblement à l'heure où les acteurs politiques ressentent eux-mêmes le besoin de répondre aux questions : *d'où venons-nous?, où sommes-nous?, où allons-nous?* Elle se prête donc à ce que l'historien reprenne les mêmes questions, s'attachant particulièrement aux concepts et aux valeurs, aux représentations et aux symboles, au champ d'expérience et à l'horizon d'attentes, d'un peuple, de ses représentants, de son ébranlement historique.

« D'OÙ VENONS-NOUS ? »

Le 9 thermidor, la révolution opérée par la Convention, n'est contestée par personne. Nul ne défend Robespierre, ou les triumvirs, ni ne doute de leurs crimes et de leurs projets perfides. En ce sens, toutes les sociétés populaires, toutes les autorités constituées, toutes les armées, bref, la France tout entière s'est réveillée le 10 thermidor anti-robespierriste, voire « thermidorienne ». Cette unanimité a frappé les historiens. Ainsi Michelet évoque les lendemains du 9 thermidor comme autant de jours de joie et de soulagement communément partagés; cette description de l'unanimité retrouvée semble reprendre le récit de la fête de la Fédération de 1790, symbole même de l'unité et de l'espoir révolutionnaire [1]. A la scruter pourtant de plus près, cette belle unanimité qui s'installe au lendemain du 9 thermidor se révèle assez troublante : elle cache difficilement une réalité fort complexe.

L'unanime approbation du 9 thermidor ne s'exprime nulle part mieux que dans plus de sept cents adresses solennelles de félicitations qui, après la « chute du tyran », affluent à la Convention du pays tout entier, des autorités constituées, des sociétés populaires, des armées. (Pendant les séances de l'Assemblée une partie seulement de ces adresses a été lue; souvent on se contentait de les résumer, en accordant une « mention honorable », dans le *Bulletin* [2].) Textes soigneusement calligraphiés sur du bon papier la plupart du temps, réservé aux occasions exceptionnelles, leur lecture est particulièrement instructive malgré la monotonie de leur grandiloquence. Ou plutôt, *en raison même* de cette monotonie.

1. Cf. J. Michelet, *Histoire du dix-neuvième siècle*, in *Œuvres complètes*, éditées par P. Viallaneix, t. XXI, Paris, 1982, pp. 80 et suiv.; cf. aussi R. Levasseur, *Mémoires*, t. II, Paris, 1829, pp. 3-5.
2. AN C 314, C 325, C 316. Gabriel Monod a été le premier à attirer l'attention sur l'intérêt présenté par cette série de documents. Cf. G. Monod, « Adresses envoyées à la Convention après le 9 thermidor », *Revue historique*, t. XXXIII, 121.

Prenons, à titre d'exemple, l'adresse de la société populaire de Granville-la-Victoire envoyée à la Convention le 15 thermidor (le texte en est lu à la barre de la Convention le 22 thermidor et mention honorable lui est accordée) :

> « Un nouveau Cromwell veut s'élever sur les débris de la Convention nationale; la surveillance active pénètre ses projets; la prudence les déconcerte; une fermeté digne des premiers Romains fait arrêter l'audacieux conspirateur et ses lâches complices; leurs têtes vouées à l'infamie tombent ignominieusement sous le glaive vengeur de la loi qui frappe sans rémission les coupables; la République est sauvée. Grâces te soient rendues, Être suprême qui veilles sur les destinées de la France; et vous, vertueux représentants d'un peuple souverain et libre, quels que soient vos pénibles travaux, que l'amour de la patrie vous retienne au poste où la confiance vous a placés et que vous remplissez si dignement.
> « Tels sont les vœux de la Société populaire de Granville, qui y ajoute le serment de vivre libre ou de mourir, de soutenir la République une et indivisible, de combattre les tyrans et de dénoncer tous les traîtres. Vive la République! Vive la Convention! »

La société populaire régénérée des sans-culottes de la commune de Montpellier envoie le 16 thermidor son adresse qui sera présentée à la Convention le 26 thermidor :

> « Citoyens représentants! Depuis que le peuple vous a élus et vous a confié le mandat sublime que vous avez su remplir, vous avez marché constamment à la conquête de la liberté et de l'égalité. Vous vous êtes montrés grands et dignes du peuple dans tous les événements importants qui ont mis la patrie en danger. Mais il ne fut jamais de circonstance semblable à celle sur laquelle nous venons vous exprimer nos sentiments; un nouveau Catilina, dominateur audacieux du peuple et de ses représentants, après avoir longuement égaré l'opinion publique trompée par ses adroites séductions, a osé enfin jeter le masque et vous proposer le choix entre la soumission à ses volontés et la mort. Vous n'avez point balancé. Entourés des satellites du tyran vous avez prononcé sa condamnation et lorsque l'on vous a annoncé les dangers personnels qui s'accumulaient sur vos têtes, vous avez répondu par ce mot sublime, expression de l'unanime dévouement : nous mourrons tous ici pour la liberté. Grâces vous soient rendues!...

La société agricole et révolutionnaire composée de sans-culottes des 22 communes du canton d'Aurillac rend ainsi compte de ses émotions lors de sa séance du 17 thermidor :

« Des grandes nouvelles apportées hier par le courrier ont donné lieu à une séance extraordinaire. Un membre en a fait la lecture; au récit de l'atroce conspiration de Robespierre, tous les membres de la Société ont été saisis d'horreur et d'indignation; mais quelle donc joie, quel calme consolant s'est emparé de toutes les âmes, lorsque la suite des nouvelles a annoncé que les traîtres avaient déjà subi le sort si bien dû à leurs forfaits; quelle admiration pour le vertueux peuple de Paris, aux 48 sections qui ont su résister aux séductions atroces de ces scélérats. »

La société populaire d'Inzières a vécu de semblables sentiments :

« A la nouvelle que nous avons eue des trames perfides que l'infâme Robespierre et ses complices projetaient pour parvenir à son règne imaginaire, nous avons frémi d'horreur. Mais aussitôt, apprenant la fermeté et la sagesse que la Convention a employées et déployées dans ce moment dangereux pour elle et la liberté, nous nous sommes écriés : Vive la République et périssent à jamais tous ses ennemis! Que leurs infâmes mémoires soient vouées à l'exécration universelle de tous les peuples de la terre! »

Citons pour finir l'adresse de la société populaire de Montauban qui se tourne vers les Jacobins (l'adresse est lue à la Société des Jacobins le 26 thermidor) :

« Voilà donc Robespierre, ce tigre altéré de sang, de celui surtout qui circule pour la liberté, *le voilà disparu en un clin d'œil* de ce lieu où le scélérat venait se repaître. Il est disparu pour porter sa tête sous le glaive vengeur de la République. Les républicains n'auront donc plus l'amertume d'entendre ses accents machiavéliques désigner partout, dans les groupes les plus purs, des conspirateurs, des intrigants, des traîtres. Ah! grâces soient rendues à ceux qui ont en effet conspiré, intrigué contre lui et ses coupables conspirateurs. Ceux-là ne trahissaient point la République, qui avaient ourdi la trame qui l'a démasqué, anéanti; ceux-là... ont porté à leur comble la reconnaissance publique. »

Presque toutes les adresses reprennent les mêmes clichés, combinent les mêmes éléments rhétoriques; elles se ressemblent tellement qu'elles donnent l'impression de s'inspirer d'un modèle commun. Elles se surpassent dans la dénonciation de Robespierre. « Nouveau Catilina », « Cromwell moderne », ces épithètes reviennent sans cesse au long de centaines de pages. Parfois, d'autres s'y ajoutent : « monstre vomi par le crime [qui] voulait un trône pour dominer la République et donner des fers aux Français » (société populaire de Charolles); « un monstre, un fourbe, protecteur caché des ennemis de la République » (municipalité de Grave-Libre); « l'hypocrite, l'infâme, l'astucieux » (société populaire de Segonzac); rejeton « de la race hermaphrodite de nouveaux Cromwell » (section du Panthéon); « un monstre dont les faîtes de l'histoire ne nous fournissent pas d'exemple » (IIIᵉ bataillon de la Nièvre); « pygmée téméraire » (les sans-culottes d'Ernée, département de Mayence). On retrouve aussi, assez sporadiquement d'ailleurs, l'écho de la rumeur de Robespierre-roi (« Robespierre, ce scélérat... qui avait formé l'horrible projet de rétablir la royauté en France pour s'emparer du trône » clame la société populaire d'Anse).

Les adresses se surpassent aussi dans l'exaltation de la Convention, de son courage admirable, digne des anciens Romains, face aux dangers terribles qui la menaçaient. « Citoyens représentants! Nous finissons par admirer votre énergie, ce courage, cette mâle intrépidité qui vous caractérisent au milieu des plus pressants dangers. Toujours fermes à votre poste continuez à braver le poignard des factieux, des traîtres, des ambitieux » (société populaire de Pont-sur-Rhône). « Restez à votre poste! Que l'univers qui vous contemple apprenne que le peuple français vous doit et son salut et son bonheur » (société populaire, les autorités constituées et tout le peuple de Charli-sur-Marne). « A la Convention nationale siégeant au haut de la Montagne sainte : Montagne admirable, Montagne divine, Montagne sainte et sublime veille sans cesse à la liberté du peuple et lance des foudres vengeurs contre ses ennemis, reçois nos félicitations et notre enthousiasme. Encore une fois ton énergie, ton courage, ta sagesse et ta fermeté ont sauvé la Patrie » (société des défenseurs de la Constitution républicaine, Vic-la-Montagne).

Aucun doute, aucune réserve ne troublent apparemment cet

enthousiasme dont débordent ces adresses en bas desquelles figurent parfois des centaines de signatures.

Pourtant, les félicitations des localités provinciales, notamment de petites communes, arrivent en masse à la Convention entre le 16 et le 20 thermidor et ne cessent d'affluer au long du mois de fructidor. Ce décalage n'est point dû aux hésitations politiques; nous avons observé que plusieurs adresses soulignent que leur envoi a été décidé « sur-le-champ », dès que les nouvelles de Paris sont parvenues. Mais ces nouvelles cheminent lentement, tout au plus à la vitesse d'un cheval; il faut encore convoquer la réunion, rédiger le texte, le faire calligraphier et l'envoyer à Paris. La lenteur de communication explique également le fait que dans les dossiers où les secrétaires de la Convention classent la correspondance, on retrouve, entre deux adresses félicitant les « pères de la patrie » d'avoir abattu « le monstre et le tyran abominable », d'autres félicitations : « Restez à votre poste, montagnards inébranlables! Tous vos décrets frappés de la Justice annoncent à l'univers étonné que toutes les vertus à l'ordre du jour président à votre gouvernement. Les cœurs des citoyens se sont sentis frappés du coup porté sur Collot d'Herbois, des entreprises des *assassins envoyés par Pitt contre la personne sacrée de Robespierre* » (société populaire à Caudecoste, district de Valence). « Si la société de Sollès (département du Var) ne vous a fait entendre de nouveau sa voix, si plutôt elle ne vous a offert le juste tribut d'hommage que vous méritez de plus en plus, c'est que pénétrée d'horreur et d'indignation sur l'assassinat commis sur les personnes de deux d'entre vous, Collot d'Herbois et Robespierré, sa voix ne pouvait éclore. Aujourd'hui, que le glaive de la loi est tombé sur la tête des assassins, aujourd'hui que Collot d'Herbois et Robespierre sont vengés et qu'il n'y a plus à craindre pour leurs jours de la part de ces infâmes parricides, elle s'empresse plus que jamais de vous féliciter sur votre inébranlable fermeté. »

Ces adresses, arrivées vers la fin de thermidor, ont été soigneusement classées, mais on ne les a pas présentées à la Convention pour qu'elle leur accorde la mention honorable... L'assassinat de la « personne sacrée de Robespierre » auquel elles font allusion, ce n'est pas, certes, le 10 thermidor, mais la trouble histoire de Cécile Renault, jeune fille de vingt ans, qui fut trouvée porteuse d'un petit canif alors qu'elle essayait d'approcher Robespierre. Accusée d'avoir voulu attenter à sa vie, elle fut condamnée à mort et conduite à l'échafaud, le 29 prairial, revêtue de la chemise rouge des parricides. Les adresses, l'expression de l'indignation et de l'enthousiasme unanimes, sont parvenues à Paris avec un trop grand retard; mais les clichés employés étaient largement réutilisables pour condamner le « nouveau Catilina ».

L'utilisation répétée des mêmes épithètes : « nouveau Catilina », « nouveau Cromwell », dans des centaines d'adresses ne lasse pas d'étonner. Les adresses, nous l'avons dit, sont souvent revêtues de centaines de signatures. Plusieurs de ces dernières sont péniblement et maladroitement tracées par des mains qui ne savent pas trop manier la plume; on trouve, parfois, des croix à la place des signatures et à la suite de certaines adresses de longues listes des noms des citoyens qui « étant illettrés ont demandé que les secrétaires signassent pour eux » (société populaire d'Orange, le 18 thermidor). La présence de ces analphabètes et semi-analphabètes aux réunions des sociétés populaires témoigne, certes, de l'accès de nouvelles couches sociales à la politique pendant la Révolution, et notamment en l'an II. Mais étaient-ils tellement versés dans l'histoire antique, savaient-ils tous qui était l' « ancien Catilina »? La « légende noire » de Cromwell a-t-elle vraiment connu une telle diffusion que son nom vînt spontanément à l'esprit des illettrés pour condamner le « nouveau tyran » abattu à Paris? Et que penser de ces adolescents de quinze ans de la compagnie des Jeunes Républicains de la commune d'Angoulême qui, très spontanément, expriment leurs émotions en ces termes : « Qu'elle était grande la Montagne dans ces moments terribles! Oui, l'univers apprendra qu'elle est au-dessus de toutes les conjurations! Pères de la Patrie, vous êtes immortalisés, vous avez bien mérité du genre humain! Restez à votre place jusqu'à ce que tous les scélérats, tous les tyrans, les Catilina, les Cromwell, les dictateurs, les triumvirs, soient détruits »?

Ces adresses ne sauraient uniquement témoigner des sentiments spontanés de leurs rédacteurs et de leurs signataires. Leur langage même renvoie aux *conditions de possibilité* de l'expression de la belle unanimité qu'elles affichent. Les clichés et les stéréotypes suggèrent un modèle commun repris par toutes ces adresses. Il est d'ailleurs assez facilement repérable; en effet, ce sont les appels de la Convention ainsi que les comptes rendus de ses séances qui véhiculent ces clichés et constituent, de toute évidence, la source première d'inspiration. *Les adresses parlent la « langue de bois »* de l'an II, la même, quelques épithètes en plus, qui avait été utilisée pour célébrer la préservation de l'intégrité de la « personne sacrée de Robespierre ». Quelle que soit la part du réel soulagement à l'annonce de la « chute du tyran », les adresses témoignent de l'uniformité du langage opérée par la Terreur, de l'unanimité commandée d'en haut, du conformisme et de l'opportunisme acquis et intériorisés comme un comportement politique pendant la Terreur. Ceux qui rédigent et signent ces adresses sont les mêmes qui ont déjà condamné le fédéralisme, les « horribles conspirations » de Danton ou l' « ignoble Hébert ». (Certaines adresses font d'ailleurs le rapprochement entre la « nouvelle conjuration » et les autres, plus anciennes...) Ils ont bien appris que face aux « conspirations » démasquées à Paris il est très risqué d'exprimer des doutes; se ranger du côté des vainqueurs relève de la prudence la plus élémentaire. Le monopole de l'information et la mainmise du pouvoir central sur l'opinion publique ne laissent à celle-ci qu'un seul espace d'expression, celui de la surenchère rhétorique, des louanges et des condamnations.

Il est d'ailleurs frappant que les adresses présentent la « terrible conjuration » comme une affaire lointaine qui s'est jouée à Paris. Après l'exécution des « triumvirs » le danger est passé; le peuple unanime entoure la Convention, son « centre de ralliement »; la Révolution a emporté encore une victoire, la plus grande (c'est toujours la dernière victoire qui est la plus grande, et la dernière conspiration qui est la plus « horrible »); les « pères de la Nation » restent à leur place. Le peuple de Paris a encore une fois mérité de la patrie. les adresses passent sous silence les hésitations des sections parisiennes, auxquelles

Barère a fait pourtant allusion dans son rapport. Très rares sont les adresses qui s'aventurent à sortir des cadres tracés par les messages de la Convention et, notamment, à dénoncer les complices locaux de Robespierre. Encore, dans ce cas, n'est-il question que des conventionnels déjà « démasqués », comme Lebon à Arras, ou Couthon à Clermont-Ferrand. Une seule fois, dans la Commune-Affranchie (ci-devant Lyon) la société populaire a joint à son adresse (qui porte quelque 700 signatures) où elle se félicite de la dissipation du « nouvel orage liberticide » l'extrait du procès-verbal de sa réunion exprimant une certaine préoccupation : « Ce qu'il importe d'empêcher, c'est que l'aristocratie ne profite de nos divisions. Déjà aujourd'hui [le 14 thermidor] une quantité de figures étranges se promenaient dans nos rues et leurs regards étaient sinistres... Cela est vrai!, s'est écriée toute l'Assemblée. »

Ces adresses d'allégeance rendent bien involontairement, au détour d'un cliché, un hommage à Robespierre. En effet, elles évoquent parfois l'énorme prestige dont il a joui. Avec indignation, évidemment, contre cet « hypocrite » qui a réussi, avec une habileté incroyable, à porter le masque du patriote vertueux et incorruptible, et, partant, à tromper le peuple qui lui faisait confiance. « Notre amour pour ces hommes que nous regardions comme les fermes colonnes de la République s'est changé en une horreur profonde à la nouvelle de leur conjuration mille et mille fois trop audacieuse » (société populaire de Guéret, département de la Creuse, 14 thermidor). « Tous les républicains eussent versé naguère des torrents de larmes sur le tombeau d'un homme qui aujourd'hui est reconnu plus criminel que les Cromwell, les Catilina, les Néron, et qui a surpassé par des crimes dans un instant découverts tous les monstres que la nature avait enfantés pour les malheurs des peuples » (citoyens de Traignac-la-Montagne, département de la Corrèze).

Que sont, au lendemain du 9 thermidor, les « terroristes », les fervents partisans de Robespierre devenus? Nulle raison de supposer qu'ils se sont tus; leurs voix se confondent avec les autres dans la clameur des sociétés populaires et des administrations locales, de ce personnel politique qui convoque les réunions, formule les adresses, etc. S'indigner de leur opportunisme serait trop facile (d'ailleurs, peu après l'envoi de ces adresses des dénonciations ne manqueront pas sur place, dans leurs propres communes). Cet opportunisme et cette uniformité des comportements et du langage sont aussi un des visages de la Terreur. Les adresses de félicitation à la Convention mettent en évidence une particularité de la période qu'ouvre le 9 thermidor, et que nous avons déjà évoquée : la sortie de la Terreur s'amorce avec un langage, des comportements politiques et des imaginaires sociaux moulés pendant la Terreur et légués par celle-ci. La désintégration de cette unanimité commandée, la mise à nu des conflits et des haines accumulés pendant la Terreur mais qui étaient demeurés étouffés par elle, c'était une condition de la sortie de la Terreur ainsi que son effet inévitable.

A la fin de l'an II, personne ne remet en question les bienfaits de la « chute du tyran » et les mérites de la « révolution du 9 thermidor »; comme nous l'avons observé, celle-ci constitue une référence commune, elle est reconnue comme un point de non-retour. Même ceux qui commencent à critiquer le tour pris par les événements, notamment la « persécution des patriotes », le font *au nom du 9 thermidor* et *contre la « tyrannie de Robespierre »*. Comment pouvait-il en aller autrement ? Défendre Robespierre serait non pas seulement un suicide politique mais un suicide tout court, un crime contre-révolutionnaire. Sur ce fond d'unanimité combien exemplaire, une question sème la division : *comment cela s'est-il donc fait ?* pour reprendre la formule d'Edme Petit dans son discours à la Convention, le 29 fructidor. Le débat ainsi soulevé est, par excellence, politique : l'évolution de la société et, surtout, du pouvoir révolutionnaire, constitue son enjeu central; mais aussi passionnel : comment pouvait-on établir les responsabilités des faits de la Terreur sans nourrir des sentiments de vengeance à l'encontre des agents de la Terreur. Il s'agit là, malgré tous les arguments *ad hoc* et *ad personam,* qui glissèrent rapidement vers des règlements de comptes, du premier grand débat historique sur la Terreur. Plusieurs thèses formulées lors de ce débat seront ensuite, notamment au XIXe siècle, reprises par des historiens et plus solidement étayées, mais aussi plus posément

développées. Aux arguments échangés se mêlaient souvent les
témoignages tant de ceux qui avaient été les artisans de la Terreur que de ceux qui en furent les victimes. L'esprit des
Lumières et la rhétorique révolutionnaire aidant, les arguments politiques de circonstance furent lestés de réflexions
« philosophiques », d'essais d'analyse sous forme d'interminables discours dont la Convention s'était fait une spécialité.
Ce débat ne se limita pas à la Convention et déborda dans la
presse qui y gagna en liberté; il s'instaura à l'échelle du pays
tout entier : quelle commune n'avait pas eu ses « terroristes » et
n'avait pas de comptes politiques et personnels à régler avec
eux ? La Convention, « centre de ralliement et de Lumières »,
demeurant tout naturellement le lieu privilégié de la lutte pour
le pouvoir, les discours sur la Terreur y furent les plus nombreux. A les étudier, apparaissent rapidement, sur le *pourquoi*
et le *comment* de la Terreur, quelques schémas :
    — la Terreur était l'œuvre et la faute à Robespierre; les ori-
gines de la tyrannie se trouvent dans le caractère monstrueux
du tyran lui-même;
    — la Terreur n'était qu'un accident de parcours dans la
marche glorieuse de la Révolution en lutte contre ses ennemis;
    — la Terreur formait un système de pouvoir spécifique dont
les rouages et les origines attendent qu'on les dévoile.
    On pourrait classer ces réponses en deux groupes : celles qui
relativisent la Terreur par rapport aux *circonstances* et, par là
même, *dépersonnalisent* les responsabilités; celles qui n'y voient
qu'un crime monstrueux, cherchent à établir les responsabilités
personnelles pour les actes criminels impardonnables, quelles
qu'en fussent les motivations.
    Cette « typologie » ne peut cependant pas être systématisée.
Le débat n'est, en effet, guère académique; ses enjeux sont le
pouvoir, la revanche et, tout simplement, les *têtes* de ceux qui
sont dénoncés comme « terroristes ». Les réponses que nous
avons distinguées ne s'excluent guère mais elles se chevauchent
et se combinent. Aucune position n'est figée, tout est encore en
mouvement, se cherche : *l'expérience politique est inédite et la
conjoncture politique instable.*

« *La faute à Robespierre.* » Il conviendrait de dresser d'abord un catalogue des injures dont regorgent les adresses de félicitations à la Convention : « nouveau Catilina », « nouveau Cromwell », « nouveau Néron », « monstre abominable », « misérable scélérat », etc. Autant de clichés qui font partie du langage politique thermidorien; ainsi, évoquer le « dernier tyran » ne peut signifier que Robespierre. Ne sous-estimons pas cependant l'importance de ces injures car leur violence même traduit le climat politique de l'époque. L'emploi de ces clichés est une sorte de rituel, on dirait même d'exorcisme collectif. Le « nouveau Catilina » le « monstre », l' « hypocrite », autant d'épithètes qui, en quelque sorte, déchiffrent cette figure énigmatique et expliquent ses actions et son influence néfaste comme une sorte de calamité historique et morale. Robespierre apparaît comme une figure à la fois connue et extraordinaire, et le 9 thermidor est donc présenté comme un dévoilement et une délivrance. Lui mort, la République est sauvée, répètent d'innombrables adresses [1].

Cela dit, le personnage de Robespierre fascine et inquiète. Un texte, *Portrait de Robespierre,* jouit d'un énorme succès : publié en brochure, il est repris par plusieurs journaux. Portrait physique :

1. Retenons cependant l'adresse de la section Poissonnière, du 13 thermidor, qui prend la forme d'une savante dissertation. Le parallèle entre Robespierre et Cromwell se prolonge par un commentaire : « On compare Robespierre à Cromwell. Mais ce Cromwell était bien brave, grand général, profond politique, il ne versait le sang humain que pour assurer sa tyrannie; il fit fleurir le commerce, la navigation de son pays. Robespierre au contraire était lâche et poltron, intrigant et sans génie, ignorant en politique et en administration. Il versait le sang pour le plaisir de le reprendre. Le temps nous fera connaître ses victimes. Cromwell et lui n'ont qu'un trait de ressemblance : c'est le fanatisme et l'hypocrisie. Cromwell et ses soldats partaient la Bible à l'arçon de la selle; il l'a citée continuellement. Robespierre parlait sans cesse religion, vertu, justice. Ses égards pour la prétendue Mère de Dieu et pour Dom Gerle prouvent son penchant pour ces illuminés. Peut-être ambitionnait-il l'honneur d'être chef de secte afin de consolider son despotisme par la religion. Robespierre a eu la satisfaction d'être adoré par ses nombreux disciples. Rien n'égale leur respect imbécile, leur dévouement sans borne pour leur détestable maître, *Robespierre l'a dit* : quand ils avaient prononcé ces mots il fallait se taire et soumettre sa raison. Douter était un crime digne du dernier supplice » (AN C 314; CII 12158). Aux Jacobins on s'opposa également à la comparaison de Robespierre à Cromwell ou à Catilina, c'eût été lui faire trop d'honneur : « Que l'on ne compare plus ce scélérat à Catilina ou à Cromwell, parce que par sa lâcheté il ne méritait pas d'être placé à côté de ces deux fameux ennemis de la liberté » (intervention de Mittié fils, séance du 1er fructidor an III); A. Aulard, *La Société des Jacobins*, Paris, 1897, vol. VI, p. 356.

« Sa taille était de cinq pieds, deux ou trois pouces; son corps jeté d'aplomb; sa démarche ferme, vive et un peu brusque; il crispait souvent ses mains comme par une espèce de contraction de nerfs; le même mouvement se faisait sentir dans les épaules et dans son cou, qu'il agitait convulsivement à droite et à gauche; ses habits étaient d'une propreté élégante et la chevelure toujours soignée; ... son teint était livide et bilieux, ses yeux mornes et éteints; un clignement fréquent semblait la suite de l'agitation convulsive dont je viens de parler. »

Portrait moral et intellectuel :

« Avec tous ses grands mots de *vertu et de patrie,* il ne pensait qu'à lui. L'orgueil était le fond de son caractère, la gloire littéraire était un de ses vices; il ambitionnait encore plus la gloire politique... A la fois audacieux et lâche, il couvrait ses manœuvres d'un voile épais, et souvent il désignait ses victimes avec hardiesse... Faible et vindicatif, chaste par tempérament, et libertin par imagination, les regards des femmes n'étaient pas les derniers attraits de son pouvoir suprême; il aimait à les attirer; il mettait de la coquetterie dans son ambition; [...] il exerçait particulièrement son prestige sur les imaginations tendres [...] Il avait calculé le prestige de sa déclamation et, jusqu'à un certain point, il en possédait le talent; il se dessinait assez bien à la tribune; l'antithèse dominait dans son discours, et il maniait souvent l'ironie; son style n'était point soutenu; sa diction, tantôt harmonieuse, modulée, tantôt âpre, brillante, quelquefois et souvent triviale, était toujours cousue de lieux communs et de divagations sur la *vertu,* le *crime,* les *conspirations...* Sa logique était toujours assez pure, et souvent adroite dans ses sophismes; mais en général sa tête était stérile et la sphère de sa pensée étroite, comme il arrive presque toujours à ceux qui s'occupent trop d'eux-mêmes. »

Portrait politique, enfin :

« L'astuce était après l'orgueil le trait le plus marqué de son caractère. Il n'était environné que de gens qui avaient de graves reproches à se faire. D'un mot il pouvait les placer sous le glaive. Il protégeait et faisait trembler une partie de la Convention. Il transformait les erreurs en crimes, et les crimes en erreurs. Toutes les fois qu'il était attaqué, c'est la liberté qu'on attaquait... il craignait les ombres mêmes des martyrs; il affaiblissait leur influence; il aurait fait guillotiner les morts eux-mêmes. Pour le peindre d'un trait, Robespierre, né sans génie, ne savait point créer les circonstances, mais il en profitait avec adresse. Cela ne suffit pour un tyran, aussi les circonstances l'ont perdu, parce qu'elles l'ont .dévoilé... et le voilà confondu dans la classe abhorrée des tyrans de l'humanité qui ont voulu opprimer un moment leurs semblables, et qui ont dévoué leur mémoire à la longue exécration des siècles [1]. »

Tous les tyrans et toutes les tyrannies se ressemblent au fond ; ce que démontre le parallèle *entre Capet et Robespierre.* Le texte prend, pour ainsi dire, le relais de la rumeur sur Robespierre-roi, tout en abandonnant des éléments de la fable (le cachet fleurdelisé, le mariage projeté). Robespierre s'était érigé *de fait* en roi et en tyran (le surnom injurieux de *Maximilien Ier* revenait assez souvent dans les discours à la Convention ainsi que dans la presse).

« En 1789, il y avait en France un roi revêtu d'un pouvoir sans bornes dans la réalité, limité seulement en apparence, soutenu par d'anciens préjugés et bien plus par la faculté qu'il avait de disposer de tout l'argent et de toutes les places de l'État... L'an II, il y avait aussi en France un homme dont le pouvoir était absolu dans la réalité, limité seulement en apparence, soutenu par une popularité acquise on ne sait pas comment et à qui l'on avait fait une réputation factice de probité et de capacité comme à tant d'autres princes. Cet homme disposait de toutes les places et de l'argent de la République. Il avait par conséquent pour soutien, tous ceux qui voulaient recevoir de l'argent sans le gagner, et de places sans les mériter. »

Le « tyran de 1789 » avait ses bastilles, où il enfermait tous ceux dont il redoutait les lumières :

« Le tyran de l'an II emprisonnait tous ceux qui ne voulaient pas lui obéir, il les traitait en hommes suspects, il ne permettait ni d'écrire ni de parler... Tous deux s'enveloppaient de ténèbres. Le *secret d'État* était leur mot, et la *sûreté* publique le prétexte banal de tous leurs crimes, de tous leurs assassinats... Tous deux faisaient descendre du ciel la sanction d'une autorité qui désolait la terre. L'un parlait de Dieu et de la vie future, l'autre de *Dieu suprême et*

---

1. *Portrait exécrable du traître Robespierre*, Paris, s.d. (1794), BN Lb [41] 3976, attribué à J.-J. Dussaulx. On trouve plusieurs variantes de ce texte dans les journaux de l'époque. L'orgueil, l'ambition et la médiocrité de Robespierre expliqueraient également sa haine pour les lettres et les savants.

de l'immortalité de l'âme... Il était défendu de mal parler du roi en 1789, de sa maîtresse, ou des maîtresses de ses commis. Quiconque doutait de la divinité du roi de l'an II, de celle de ses commis ou de Cornélie Copeau était puni de mort [1]. »

L'accumulation de ces accusations, calomnies, injures et épithètes permet de prendre la mesure de la haine contre Robespierre; c'est également une sorte de revanche prise sur les mois où régnait le culte de Robespierre, l'exaltation de sa vertu et de ses talents. Cela dit, à la fois attribuer à Robespierre la responsabilité de la Terreur et le présenter comme une médiocrité et un « infâme scélérat », était pour le moins contradictoire. Plus Robespierre était avili, moins le passé immédiat devenait déchiffrable; comment expliquer sa popularité (« acquise on ne sait pas comment », disait, très embarrassé, Merlin) son ascension au pouvoir illimité, s'il n'était qu'un simple ambitieux, dépourvu de tout talent? Et que dire alors de tous ceux qui se sont laissé subjuguer par ce médiocre?

« *Un orage révolutionnaire.* » Pour Lindet, répondre à la question « ce que nous avons été » en l'an II, et rendre ainsi « un compte à la nation », c'est d'abord et surtout mettre en évidence l'œuvre grandiose effectuée par la Nation et les victoires qu'elle a emportées. L'an II était une période héroïque, marquée par l'effort de tous les citoyens et surtout par le courage et les sacrifices des armées, une année où la République est parvenue à « ce degré de gloire et de puissance » que personne, même ses pires ennemis ne peuvent lui « ravir la confiance et l'estime des nations ». Par l'organisation de ses armées, par les victoires qu'elle a emportées, la République a démontré à l'Europe tout entière que les Français ne veulent pas seulement être libres mais que la Nation est assez puissante pour défendre sa liberté

---

1. *Capet et Robespierre,* Paris, s.d. (1794). BN Lb [41] 1155. Texte signé par Merlin (de Thionville) mais rédigé, probablement, par Roederer. « Cornélie Copeau », c'est, évidemment, la fille de Duplay, le menuisier qui avait été le logeur de Robespierre. Le parallèle entre Robespierre et Louis XVI se prolonge par la comparaison des anciens aristocrates avec « les aristocrates de l'an II », les robespierristes qui défendent à la fois leurs « places » et la Terreur.

contre les tyrans coalisés. Du coup, la France a démenti les clameurs hypocrites et calomnieuses de ses ennemis qu'elle ne sait
pas se gouverner et qu'elle sombre dans l'anarchie. « Vous avez
conquis l'opinion des peuples. Ils ne demandent plus si vous
avez un gouvernement; ils savent qu'entretenir les plus nombreuses armées de la terre, couvrir la mer des vaisseaux,
combattre et vaincre par terre, et par mer, appeler le commerce
du monde, c'est savoir se gouverner. »

Sur le fond de ce bilan global et dans le contexte de ces *circonstances*, celles d'une nation combattant pour sa liberté, s'inscrivent les difficultés rencontrées et les erreurs commises. « Les
représentants du peuple ne doivent pas seulement transmettre à
la postérité leurs actions, leurs gloires et leurs succès, ils
doivent lui transmettre la connaissance des dangers, des malheurs et des fautes; ainsi les premiers navigateurs ont marqué
les écueils qu'ils ont su éviter, et ils ont appris à leurs succes-
seurs à tenir une route sûre entre ses écueils que nul art ne
peut faire disparaître, mais que l'expérience a appris à s'approcher ou à s'éloigner sans danger. » La Terreur n'était qu'un de
ces écueils, un accident de parcours en quelque sorte. Aux circonstances qui demandaient des mesures exceptionnelles de
sécurité et qui enflammèrent les passions, s'est ajoutée l'activité
des traîtres et des conspirateurs.

> « On tenta de diviser les Français, d'inspirer le découragement,
> la terreur et le désespoir, d'atténuer le sentiment de la reconnais-
> sance due aux défenseurs de la patrie, et de répandre des doutes
> sur leurs victoires; on se prévalait d'une grande réputation de
> talent, d'énergie et de civisme... Les mesures de sûreté générale
> avaient pris un caractère de force et de sévérité qui portait l'effroi
> dans l'âme des citoyens et qui privait la France de bras et de res-
> sources; les traîtres que vous avez punis en avaient changé l'objet et
> la direction. Vous avez voulu frapper les ennemis de la Révolution;
> ils s'étaient servis de vos armes et de vos mesures pour frapper
> l'homme faible et l'homme utile; ils n'avaient pas épargné le culti-
> vateur et l'artisan; ils ne pouvaient pas vous détruire ou vous faire
> haïr, ils avaient voulu vous faire craindre. »

En fin de compte pourtant, la « révolution du 9 thermidor »
et ses conséquences positives et encourageantes ont plus

d'importance que cet épisode terroriste. Dans les annales de la Révolution, le 9 thermidor aura sa place dans la suite glorieuse des journées du 14 juillet, du 10 août et du 31 mai ainsi que des victoires militaires. La conjuration de Robespierre était, peut-être, la plus dangereuse et la plus perfide, mais sa perfidie même et la fin qui lui fut réservée, prouvent les progrès réussis par la Nation et la Révolution. « La journée du 9 thermidor apprendra à la postérité qu'à cette époque la nation française avait parcouru toutes les périodes de la révolution; qu'elle était parvenue à ce terme et l'on ne pouvait tenter de l'égarer que par l'éclat d'une grande réputation et l'apparence du civisme, de la probité et des vertus, qu'elle avait appelées à l'ordre du jour. » Il suffit en conséquence de « déchirer le voile », d'avertir le peuple, avec lequel la Convention ne pouvait pas pourtant communiquer librement, de lui donner l'exemple de courage en frappant les traîtres, et c'en fut fini des conspirateurs. La conduite « sage, grande et sublime du peuple a justifié qu'il était impossible de l'égarer ». Tout au plus quelques citoyens étaient séduits; les conspirateurs démasqués se sont trouvés complètement isolés et « le peuple entier, attaché aux principes et à la représentation nationale, a condamné Robespierre et ses complices ». Aussi, ce « dernier événement » était-il « utile à la liberté ».

Il faut savoir distinguer dans le passé ce qui était juste et imposé par les circonstances des erreurs, des abus et des crimes. La Convention a mis en œuvre « un plan de surveillance » dont l'exécution demandait, pour former les comités révolution-naires, « un nombre si prodigieux de fonctionnaires, que l'Europe entière ne pourrait pas fournir assez d'hommes ins-truits pour remplir toutes les places ». Le projet se justifiait pleinement; cependant les « ennemis de l'intérieur » étaient en si grand nombre qu'ils s'infiltrèrent partout, dans l'administra-tion et dans les sociétés populaires. Du coup, chaque citoyen dut se regarder « comme une sentinelle chargée de surveiller un poste ». Il ne faut pas donc condamner en bloc les institutions dont on a abusé comme c'était parfois le cas des comités de sur-veillance. Surtout, il ne faut pas s'arrêter aux abus et aux malheurs qui appartiennent déjà au passé. Certes, « la Révolution a eu ses taches » mais il ne faut pas exagérer les erreurs commises dont une partie était inévitable.

« Ne nous reprochons ni nos malheurs ni nos fautes. Avons-nous toujours été, avons-nous pu être ce que nous aurions voulu être en effet? Nous avions tous été lancés dans la même carrière; les uns ont combattu avec courage, avec réflexion; les autres se sont précipités, dans la bouillante ardeur, contre tous les obstacles qu'ils voulaient détruire et renverser... Qui voudra nous demander compte de ces mouvements qu'il est impossible de prévoir et de diriger? La révolution est faite; elle est l'ouvrage de tous. Quels généraux, quels soldats n'ont jamais fait dans la guerre que ce qu'il fallait faire, et ont su s'arrêter où la raison froide et tranquille aurait désiré qu'ils s'arrêtassent? N'étions-nous pas en état de guerre contre les plus nombreux et les plus redoutables ennemis? Quelques revers n'ont-ils pas irrité notre courage, enflammé la colère? Que nous est-il arrivé, qui n'arrive à tous les hommes jetés à une distance infinie du cours ordinaire de la vie? Ne fallait-il pas que les uns fissent aimer les charmes de l'égalité; que les autres portassent la Terreur et l'effroi au milieu de nos ennemis? »

Ainsi, la Terreur est à la fois condamnée et éclipsée; l'évocation de ses douloureux souvenirs va de pair avec l'appel à les faire oublier. Elle ne forme pas une véritable « époque » de l'histoire de la révolution ni un système de pouvoir. C'est une *série,* disparate et discontinue, d'événements particuliers dont chacun devrait être examiné à part pour connaître ses origines, notamment les circonstances qui l'ont engendré. On distinguera alors les erreurs des crimes, les passions exagérées des intentions criminelles, et tout pourrait ainsi être ramené à des justes proportions. Un tel examen est-il pourtant nécessaire et utile pour la Révolution? Celle-ci n'exige-t-elle pas de ne jamais regarder en arrière? Le texte de Lindet abonde en métaphores qui sont autant de périphrases, lorsqu'il aborde des sujets particulièrement épineux, la Terreur et ses agents. « Le navigateur surpris par la tempête s'abandonne à son courage, à ses lumières, que le danger rend plus vives et plus fécondes en ressources, pour sauver le vaisseau qui lui est confié. Lorsqu'il est arrivé sans naufrage au port, on ne lui demande pas compte de ses manœuvres. On n'examine pas s'il a suivi les instructions. Quand il faut lancer si fréquemment la foudre, peut-on répondre d'atteindre toujours le vrai but, et que des éclats ne s'écarteront pas de la direction donnée [1].»

« *Un système de la Terreur.* » L'expression « système de la terreur » a été utilisée par Barère le lendemain de l'exécution de Robespierre, mais c'est Tallien qui proposera, un mois plus tard, dans son discours du 11 fructidor, d'aborder la Terreur précisément comme un *système*. Encore faut-il souligner l'ambiguïté de ce discours : Tallien se lançait dans une analyse de la Terreur philosophique et abstraite, mais nul, à la Convention, ne fut dupe : tous n'y virent qu'une manœuvre politique. Personne ne prit au sérieux Tallien « philosophe » (quand il terminera son discours, on lui répliquera ironiquement sur le coup : « il faut bénir sans doute la philosophie dont l'étude rend les hommes meilleurs et justes, mais j'observe que tel qui, dans ce moment, déclame à cette tribune contre le système de Terreur, vantait jadis à cette même tribune l'utilité de ce système »). Tallien, qui avait été un des artisans du 9 thermidor était, en effet, le type même de représentant en mission corrompu; à Bordeaux, entouré de toute une cour, il n'avait hésité ni à envoyer à la guillotine des « conspirateurs » ni surtout à trafiquer la survie ou la mise en liberté des « suspects ». Rappelé à Paris, il avait cherché à retrouver les grâces de Robespierre, sans succès cependant : « l'Incorruptible » ne cachait pas son mépris pour celui qui, à ses yeux, avait avili la Terreur. Après la chute du « tyran », il était devenu l'exemple même de la « girouette », un *transfuge politique,* cette figure très caractéristique du paysage politique thermidorien. Il était au premier rang de ceux qui réclamaient désormais « la justice à l'ordre du jour » ainsi que le châtiment exemplaire des « terroristes ». Son salon, où règne la Cabarrus (qu'il a fait libérer de la prison après le 9 thermidor), était un lieu où se tramaient sans cesse des intrigues politiques. Bien que son discours du 11 fructidor fût perçu par les contemporains comme une

---

1. Robert Lindet, rapport présenté, au nom du Comité de salut public, le jour de la quatrième sans-culottide an II, *Moniteur*, l.c., t. XXII pp. 18-25.

manœuvre politique grimée de considérations philosophiques, ses réflexions sur la Terreur méritent de notre part une attention certaine; parfois confuses, elles apportent néanmoins une ébauche d'analyse assez précieuse et un témoignage remarquable sur la Terreur. Car Tallien était bien placé pour la connaître : n'avait-il pas été un de ses artisans avant d'en devenir une de ses victimes potentielles?

La Terreur, selon Tallien, constitue un *système de pouvoir* – ce « système que Robespierre a mis en pratique » –, et non pas une suite d'actes monstrueux. Analyser ce système, c'est le comprendre dans ses rapports avec le *gouvernement révolutionnaire,* avec la *peur* qu'il sécrète et sur laquelle il repose, enfin avec la *dynamique de la répression* qu'il engendre.

Le problème essentiel est donc de cerner « ce qui est révolutionnaire, sans être tyrannique » et de « déterminer nettement ce qu'on entend par *gouvernement révolutionnaire...* Entend-on, par gouvernement révolutionnaire, un gouvernement *propre à achever la Révolution* ou bien *agissant à la manière de la Révolution* ». Confondre ces deux sens, c'est risquer de dénaturer la Révolution elle-même. La Révolution, « c'est le mouvement de retourner en dessus ce qui était en dessous »; ainsi, la Révolution française a reconstitué la souveraineté du peuple en renversant la monarchie. Mais c'était, du coup, engager une action insurrectionnelle, une guerre ouverte contre la tyrannie, un combat qui a eu « tous les citoyens pour armée, et tout l'État pour champ de bataille ». Malgré sa violence, un « acte révolutionnaire » n'est pourtant pas arbitraire, car c'était une bataille ouverte et le « peuple ne pouvait agir que pour la liberté ». Il en est tout autrement de gouvernement installé pour *achever* la Révolution; il ne peut, en aucun cas, « continuer à traiter la France comme un champ de bataille ».

« Pour qu'un gouvernement achève sûrement et nécessairement la révolution, il faut d'abord qu'il ne puisse pas être lui-même un moyen de contre-révolution; une tyrannie, même passagère, ne peut être comprise parmi les moyens d'établir la liberté, puisque pour l'exercer sûrement et impunément, un an, un mois, un jour, elle a besoin d'être, au moins pendant cet intervalle, au-dessus de toute opposition... Ce gouvernement-là sera propre à achever et à garantir la révolution qui saura la faire aimer, et se faire craindre de ceux qui la trahissent. »

Le gouvernement de la Terreur ne se contente pas de « surveiller les mauvaises actions, de les menacer, de les punir de peines proportionnées; il consiste à *menacer les personnes, à les menacer toujours et pour tout, les menacer de tout ce que l'imagination peut concevoir de plus cruel* ». L'allusion est plus que transparente; pour Tallien la Terreur ne commence pas avec la loi du 22 prairial, déjà abolie, mais avec celle du 17 septembre 1793, la loi sur les suspects qui restait toujours en vigueur. Or, le concept de *suspect* était la pierre angulaire de la Terreur comme système.

La Terreur menace et punit les gens *pour ce qu'ils sont* et non pas *pour ce qu'ils ont fait*; du coup, en introduisant le concept de « classes suspectes », elle substitue *l'arbitraire* à la *justice*. « Le système de la Terreur suppose l'exercice d'un pouvoir arbitraire dans [*sic*] ceux qui se chargent de la répandre. Il suppose aussi le pouvoir absolu, et j'entends par pouvoir absolu celui qui ne doit d'obéissance ni de compte à personne, et qui en exige de tout le monde... Le système de la Terreur suppose le pouvoir le plus concentré, le plus approchant de l'unité et tend nécessairement à la royauté. » La France sous ce système a été divisée en « deux classes : *celle qui fait peur et celle qui a peur*, en persécuteurs et persécutés ». Contrairement aux déclarations du pouvoir qui était une « agence de la Terreur » celle-ci ne se déployait pas uniquement contre les « classes suspectes », car « il faut que la terreur soit partout, ou qu'elle ne soit nulle part ». Elle implique la peur généralisée et poussée à ses extrêmes. Elle abolit l'État de droit.

Quand Tallien esquisse ainsi une sorte de phénoménologie de la Terreur et de ses moyens politiques, il puise incontestablement dans son expérience redoublée de celui qui « a fait peur » et de celui qui « a eu peur ». La Terreur « dégrade l'homme et l'assimile à la brute; c'est l'ébranlement de toutes les forces physiques, la commotion de toutes les facultés morales, le dérangement de toutes les idées, le renversement de toutes les affections; ... la terreur étant une affection extrême n'est susceptible ni de plus ni de moins ». Or, un gouvernement

ne peut répandre la Terreur, « faire trembler tout le monde »,
qu'en menaçant d'une seule peine, la peine capitale, « qu'en en
menaçant sans cesse, qu'en en menaçant tout le monde, qu'en
en menaçant par des excès sans cesse renouvelés et sans cesse
croissants ; qu'en menaçant pour toute espèce d'action, et même
pour l'inaction... qu'en en menaçant par l'aspect toujours frappant d'un pouvoir absolu et d'une cruauté sans frein ». La Terreur, système de peur généralisée, en appelle un autre, celui de
suspicion et de délation : « Il faut placer sous chaque pas un
piège, dans chaque maison un espion, dans chaque famille un
traître, sur [*sic*] le tribunal des assassins. »

Le système de la Terreur engendre ainsi sa propre dynamique : il tend à se perpétuer. Certes, on l'a présenté comme
un pouvoir passager, comme une mesure transitoire, indispensable pour assurer le triomphe définitif des principes et valeurs
de la Révolution. Cependant, la Terreur, une fois installée, a
tendance à s'affirmer non pas seulement comme pouvoir arbitraire et absolu, mais aussi comme un système perpétuel. Comment, en effet, s'attendre à ce que ceux qui l'ont exercée,
« rentrent dans la foule, après s'y être fait tant d'ennemis.
Comment ne pas craindre des vengeances après avoir commis
tant de crimes ? Comment ne pas profiter de la Terreur qu'on a
répandue par la tyrannie, pour perpétuer la tyrannie ? ». Ainsi
« l'agence de la Terreur est réduite à trembler elle-même » ; en
fin de compte, personne n'échappe à la peur. Mais à supposer
même que l'oppression et la Terreur ne viseraient qu'à garantir la liberté, un tel pouvoir produit toujours des effets pervers,
il déprave à la fois ceux qui l'exercent et ceux qui le subissent.
Quand ce pouvoir serait en état de rendre la liberté à la Nation,
il se peut que celle-ci soit hors d'état de la recevoir.

> « Quand c'est au nom de la liberté que la Terreur est répandue,
> elle fait plus que de rendre indifférent à la liberté ; elle la fait haïr ;
> et elle fait de cette haine non seulement une maladie incurable mais
> aussi une maladie héréditaire, et les pères transmettent, sous le
> nom de prudence, la lâcheté et la servitude aux enfants [1]. »

---

1. Toutes les citations puisées dans le discours de Tallien à la séance du 11 fructidor
an II, *Moniteur*, l.c., t. XXI pp. 612-615.

Lu hors de son contexte le discours de Tallien se présente comme l'amorce d'une réflexion sur la Terreur en tant que *système de pouvoir*, de ses mécanismes politiques et de ses ressorts psychologiques. Le discours frappe par son caractère abstrait : aucune référence aux événements précis de la Révolution qui expliqueraient l'avènement de la Terreur. Le texte est pourtant parsemé d'allusions : la loi sur les suspects est évoquée, sans être explicitement nommée; il est question des « hommes sanguinaires » sans les désigner; le problème de la responsabilité personnelle des faits et crimes de la Terreur semble être éludé. Les touches de sensiblerie (la Terreur a dégradé les « rapports mutuels entre les sexes... L'art de faire trembler les hommes est un moyen infaillible de corrompre et d'avilir les femmes ») allaient de pair avec des propositions positives assez vagues (confirmer le maintien du gouvernement révolutionnaire jusqu'à la paix mais condamner « la terreur qui pèse sur tous » comme l' « arme la plus puissante de la tyrannie » et proclamer « la justice à l'ordre du jour »). A la Convention pourtant, tous comprirent ce discours dans son contexte et sa portée véritable. Tallien, une « âme sensible » ? Comment y croire : voilà quelques jours à peine, n'appelait-il pas la Convention à faire un 10 fructidor contre les « robespierristes », à l'instar de la « journée » qu'elle avait su faire contre Robespierre lui-même ? « La justice à l'ordre du jour », personne n'en conteste le principe; mais Tallien ne vise-t-il pas l'abolition de la loi sur les suspects ? Que resterait-il alors de ce gouvernement révolutionnaire dont il se réclame ? Relier les crimes et les horreurs de la Terreur à cette loi, toujours en vigueur, n'est-ce pas suggérer furtivement que « l'heure où le tyran a péri sur l'échafaud » n'a pas mis un terme à la Terreur ? N'est-ce pas là une manœuvre permettant de rouvrir le dossier de la Terreur et, partant, d'en faire le procès ? Assurément, Tallien n'a nommé personne; il a vaguement évoqué les « robespierristes » et il a été assez prudent pour souligner que « la Convention a été victime du système de la Terreur, jamais complice ». Cependant, Tallien a pris la parole juste *après* une déclaration de Lecointre demandant que la parole lui soit accordée le lendemain afin de dénoncer « sept de nos collègues; dont trois membres du Comité de

salut public, et quatre de celui du Comité de sûreté générale ».
Le « grand coup » était donc pour le lendemain. Manipulateur,
intrigant, « girouette », cette image convenait, certes, mieux à
Tallien que celle du philosophe et de l'analyste politique. Et
pourtant son discours du 11 fructidor (bien qu'il ne soit pas
tout à fait certain qu'il l'ait lui-même rédigé) posait des problèmes qu'aucune réflexion sur la Terreur ne pouvait désormais éluder.

« *La Queue de Robespierre.* » « Il n'était pas possible que
Robespierre eût fait tout le mal tout seul », affirmait le pamphlet *La Queue de Robespierre* dont le titre s'inspirait de
l'anecdote circulant à Paris et selon laquelle Robespierre aurait
dit, avant sa mort : « Vous pouvez couper ma tête mais je vous
ai laissé ma queue [1]... » Le procès de Robespierre a été jugé le
10 thermidor mais le procès du *robespierrisme* restait à faire :
« Vous avez précipité Robespierre, mais vous n'avez encore rien
fait pour détruire le robespierrisme », affirmait, à son tour,
Babeuf [2].

La Queue de Robespierre qui connut des tirages énormes
pour l'époque, quelques dizaines de milliers d'exemplaires,
énonçait avec fracas les noms de ceux qui formaient la
« queue » de ce reptile sanguinaire : Barère, Collot d'Herbois,
Billaud-Varenne, membres du Comité de salut public *avant* le
9 thermidor et qui continuaient d'y siéger *après* la « grande

1. *La Queue de Robespierre,* par Felhémési. Brochure publiée le 9 fructidor an II.
Son auteur, Jean-Claude Méhée (l'anagramme était facile à déchiffrer), était un personnage curieux, un de ces aventuriers de la politique qui prospérèrent sous la Révolution. Né vers 1760, ce fils d'un chirurgien assez connu devint une mouche de la police
probablement en 1789. Il espionna les milieux des premiers émigrés. Revenu en
France, il fut en 1792 secrétaire greffier adjoint de la Commune de Paris où, semble-
t-il, il encouragea les massacreurs de septembre. De cette époque auraient daté ses
contacts avec Tallien; sous son égide et pour son compte, il publia après le 9 thermidor
des brochures et pamphlets violemment antiterroristes. (Aurait-il même écrit le discours de Tallien du 11 fructidor? L'hypothèse n'est pas à exclure.) Il occupera par la
suite divers postes au service de Fouché et de Napoléon, infiltrera les milieux néo-
jacobins, babouvistes et royalistes. Il trempera également dans la préparation de l'assassinat du duc d'Enghien. Cf. O. Lutaud, *Révolutions d'Angleterre et la Révolution française,* La Haye, 1973, pp. 264 et suiv.
2. *Journal de la liberté de la presse,* n° 10. Nous reviendrons sur Babeuf « thermidorien » et sa campagne contre les « terroristes » et « buveurs de sang ». Les premières
occurrences des termes *robespierrisme* et *robespierristes* datent de la fin thermidor et du
début fructidor.

révolution ». Or, par une coïncidence que nul ne songeait à attribuer au hasard, c'était à peu près les mêmes noms qu'égrena deux jours plus tard la dénonciation de Lecointre.

Le problème de la *responsabilité* des agents de ce « système » était inéluctable : le 9 thermidor s'était opéré par « en haut », par une scission de l'équipe au pouvoir qui avait installé et géré la Terreur, c'était également un problème de justice et de morale : établir les *responsabilités,* c'était désigner les *coupables* des exécutions, des emprisonnements, des délations, etc.

Tout au long de sa marche sinueuse, et notamment à chaque grand tournant, la Révolution avait engendré des soupçons et s'en était alimentée à son tour. La Terreur représenta, sans doute, le point culminant de cette tendance qui allait de pair avec l'exigence de punir les « coupables ». Pendant la Terreur, le « suspect » devient une catégorie à la fois politique et juridique, vaguement définie par la loi du 17 septembre tandis que la « surveillance », voire la délation, est considérée comme l'expression même de l'esprit révolutionnaire qui conjugue la vertu et la vigilance. Le 9 thermidor ne met pas fin au « temps des soupçons » mais il y ouvre une nouvelle étape. La suspicion se nourrit désormais des ressentiments, des haines et des volontés de vengeance refoulés pendant la Terreur et qui se donnent enfin libre cours.

Le débat sur les responsabilités personnelles et collectives de la Terreur est aussi inextricable que confus et interminable. Comment démêler la part des responsabilités *personnelles* de celle qui incombe *anonymement* à la Terreur comme système de pouvoir ? Selon quels critères légaux et moraux établir les responsabilités pour les actes qui étaient hier encore légitimés par la morale et la justice révolutionnaires ? Comment distinguer les « chefs » de simples « exécutants » et où s'arrêter dans la recherche et le châtiment des « coupables » ? Un système de pouvoir ne définissait-il pas, et, le cas échéant, n'imposait-il pas des comportements individuels ? Le débat, s'il glissait inévitablement vers les vengeances personnelles, les règlements de comptes et la désignation de boucs émissaires, débouchait nécessairement sur les problèmes du fonctionnement de la Terreur, de ses institutions, de ses mécanismes et de son personnel.

Tous ces problèmes se retrouvent, pour ainsi dire, *in nuce* dans la dénonciation de Lecointre ainsi que dans le débat particulièrement orageux qu'elle suscitera au cours des deux journées suivantes. Lecointre n'était sans aucun doute pas une « tête politique » (lorsque au cours du débat on l'accusera d'être un contre-révolutionnaire, Collot d'Herbois répondra ironiquement qu' « un contre-révolutionnaire n'aurait pas été assez bête pour se charger d'une pareille dénonciation »). Aux questions nécessairement confuses sur les responsabilités individuelles, Lecointre ajoutait la confusion de ses propres idées. Sa dénonciation englobait sept personnes : Billaud-Varenne, Collot d'Herbois et Barère, tous membres du Comité de salut public ; Vadier, Amar, Voulland et David, tous membres du Comité de sûreté générale. Lecointre était un homme facilement influençable, et derrière lui se cachaient assurément Tallien et Fréron. La dénonciation de Lecointre était bâclée et mal documentée ; elle mélangeait des accusations très générales et des faits très précis. Sommairement, on pourrait résumer ses accusations en les classant en quatre classes de griefs :

a) Lecointre dénonçait les sept membres des Comités comme les artisans de la Terreur dans son ensemble : ils avaient « comprimé par la terreur tous les citoyens de la République, en signant et en faisant mettre en exécution des ordres arbitraires d'emprisonnement, sans qu'il y ait contre un grand nombre d'entre eux aucune dénonciation, aucun motif de suspicion, aucune preuve de délits énoncés dans la loi du 17 septembre ; [...] couvert la France de prisons, de mille bastilles, [...] rempli de deuil la République entière par l'incarcération injuste et même sans motif, de plus de cent mille citoyens, les uns infirmes les autres octogénaires, d'autres enfin pères de famille, et même, les défenseurs de la patrie ; [ils s'étaient] entourés d'une foule d'agents, les uns perdus de réputation et les autres couverts de crimes ; [ils leur avaient] donné des pouvoirs en blanc [et] réprimé aucune de leurs vexations et au contraire soutenues. »

b) Les sept étaient accusés de complicité avec Robespierre dans la « tyrannie et l'oppression » exercées sur la Convention et « d'avoir étendu le système de terreur et d'oppression jusque sur les membres de la Convention nationale, en souffrant et en appuyant par un silence affecté le bruit que le Comité de salut public avait une liste de trente membres de la Convention nationale désignés pour être incarcérés, et ensuite *victimés;* d'avoir, de concert avec Robespierre, anéanti la liberté d'opinion dans le sein même de la Convention nationale, en ne permettant la discussion d'aucune des lois présentées par le Comité de salut public »; d'avoir, enfin, imposé à la Convention la loi du 22 prairial, à l'élaboration de laquelle ils avaient contribué.

c) Les sept seraient coupables d'avoir retardé la délivrance de la Convention de la tyrannie de Robespierre par leur *silence,* car ils avaient caché son absence, pendant deux mois, au Comité de salut public ainsi que « les manœuvres que ce conspirateur avait employées dans la vue de tout désorganiser, se faire des partisans, et ruiner la chose publique ». D'autre part, ils n'avaient pas pris le 8 et le 9 thermidor les mesures qui s'imposaient pour frapper tous les conspirateurs, et notamment la Commune.

d) Suivait une longue énumération des affaires particulières où avaient trempé les sept : avoir ordonné ou couvert de nombreux abus dans le fonctionnement du Tribunal révolutionnaire (les manipulations lors du jugement de Danton; l'invention de la « conspiration des prisons », les faux témoignages des « moutons », etc.); avoir sauvé des « coupables », notamment certains hébertistes; avoir employé des hommes reconnus comme contre-révolutionnaires (entre autres, Beaumarchais).

Le débat qui s'ensuivit fut encore plus chaotique que la dénonciation. Le 12 fructidor, après quelques réfutations globales, la Convention décida de passer à l'ordre du jour sur la dénonciation et « de la rejeter avec indignation ». Motion vite rapportée, sur la demande des accusés eux-mêmes qui réclamaient la présentation par Lecointre de toutes les « pièces » de sa dénonciation ainsi que le droit de s'expliquer eux-mêmes sur chaque point. Ainsi, le lendemain, Lecointre reprit-il, point après point, ses accusations et, pendant toute la journée, un débat monstre se déchaîna. Y prirent part les grands ténors de la Convention ainsi que des députés assez obscurs, dans l'ensemble une cinquantaine d'orateurs; certains intervinrent à plusieurs reprises, et on ne comptait plus les « murmures » et les interruptions. Ainsi l'Assemblée « est vivement agitée » quand Cambon propose d'arrêter le débat et de passer à l'ordre du jour; Vadier s'empare alors de la tribune, sort un pistolet et menace de se suicider sur place. La Convention est, certes, habituée à ces gestes à la romaine; n'a-t-elle pas vu, le 9 thermidor et sur la même tribune, Tallien agiter un poignard ? Plusieurs membres entourent Vadier, le font descendre de la tribune; un autre s'écrie, pathétique : « L'appel nominal, ou la mort. » Le président se couvre et lève la séance, mais, finalement, dans « le bruit et le plus grand trouble » la Convention reprend ses débats. Ceux-ci s'enferment inévitablement dans des impasses. Lecointre avait promis des « pièces » à l'appui de chacune de ses accusations. Mais par quelle « pièce » pouvait-il démontrer que « la France est couverte de bastilles » ? Il estima le nombre des prisonniers à cent mille, puis à cinquante mille. Mais d'ailleurs, qui connaissait le nombre exact de victimes ? Lecointre puisait largement dans le dossier de Fouquier-Tinville qui, emprisonné, attendait son procès. Mais qui lui avait ouvert ce dossier ? Et que valait le témoignage d'un Fouquier, lui-même un grand « coupable » qui ne pensait qu'à se décharger de toute responsabilité pour ses crimes lors de la Terreur ?

Au cours du débat, personne ne mit en doute la responsabilité de Robespierre, de ses acolytes et de la Commune rebelle. Mais Lecointre fut violemment attaqué pour avoir porté trop loin ses accusations, lesquelles excédaient en réalité le simple cas des « sept » [1]. « Il ne s'agit point ici de quelques individus à mettre en jugement » (Mathieu). Si ces quelques membres des

1. Toutes les citations sont puisées dans les comptes rendus des débats des 12 et 13 fructidor an II; cf. *Moniteur, op. cit.*, t. XXI, pp. 620-642. Nous indiquons entre parenthèses le nom de l'intervenant. Retenons quelques suites immédiates de ces débats. Deux jours plus tard, au moment du renouvellement du tiers du Comité de salut public (la proximité dans le temps de la dénonciation et de cette échéance n'est, sans aucun doute, pas le fruit du hasard), Billaud-Varenne et Collot d'Herbois présentèrent leur démission; Barère, « désigné par la voie du sort », fut, lui aussi, remplacé. Le 17 fructidor, Tallien, Fréron et Lecointre étaient exclus des Jacobins.

Comités, qui « ne sont rien que par nous, qui n'ont reçu leurs pouvoirs que de nous » (Thuriot), étaient reconnus coupables, alors où devraient s'arrêter les dénonciations ? Se trouverait alors engagée la responsabilité de tout le gouvernement révolutionnaire, de tous les membres des Comités. Ainsi, est-il reconnu que « l'acte d'accusation n'est pas personnel aux sept membres dont il s'agit, qu'il attaque tous ceux qui composent les deux Comités, et qu'il *nous* attaque » (Cambon). Dès lors que les pouvoirs de ces Comités étaient prorogés chaque mois, toute la Convention est en accusation : « vous êtes tous coupables » (Cambon). La Convention serait « en état de suspicion aux yeux du peuple » qui pourrait alors se demander si « elle est digne de le représenter » (Thibaudeau). S'attaquer à la Convention, l'accuser d'avoir toléré le tyran et son oppression, n'est-ce pas s'attaquer au peuple lui-même ? « Puisque la France a été opprimée, ainsi que la Convention, il faut donc accuser aussi le peuple de ne pas s'être insurgé » (député non identifié dans le procès-verbal). « C'est la Convention qu'on accuse, c'est au peuple français qu'on fait le procès, parce qu'elle a souffert la tyrannie de l'infâme Robespierre » (Goujon).

Le procès est fait à la Convention, à la Nation et, en fin de compte, à la Révolution. « Je porte mes regards sur le passé ; je vois que des fautes et des injustices ont été commises. Je cherche à en découvrir l'origine, je la trouve dans les événements inséparables d'une grande révolution » (Goupilleau [de Fontenay]) ; « C'est la Révolution qui est inculpée » (Féraud) ; « On veut faire croire au peuple que tout ce qui s'est fait, s'est opéré par la Terreur depuis la nomination des Comités de salut public et de sûreté générale » (Cambon). Les « mesures vigoureuses » ont bien servi la patrie ; les englober toutes sous le nom de la Terreur, ce serait ne pas tenir compte des circonstances. « Souvenons-nous que des choses qui sont bonnes dans telles circonstances sont mauvaises dans d'autres, et si nous faisons le procès à un événement six semaines, un mois après qu'il sera arrivé nous pouvons rendre coupables tous les patriotes » (Legendre). Devrait-on poursuivre aujourd'hui « ceux qui ont brûlé les châteaux au début de la Révolution ou faire le procès de la journée du 10 août » (Legendre) ? Devrait-on élargir l'accusation à tous les représentants en mission « car il n'en est aucuns qui n'aient été forcés d'ordonner des arrestations » (Cambon)? Fallait-il ouvrir les geôles lorsque les « brigands de la Vendée » menaçaient tous les départements voisins (Garnier [de Saintes])? Une très grande partie des arrestations, et « il s'en faut qu'elles aient monté à cent mille », ont été faites par les comités révolutionnaires. Les imputer toutes aux sept membres des Comités est ridicule, les condamner en bloc serait contre-révolutionnaire (Bourbon [de l'Oise]). Au nom de quelle justice et de quelle égalité porte-t-on des accusations qui, au-delà de tel ou tel acte, visent toute une période de la Révolution et, partant, la Révolution tout entière? « Sur quoi portent les chefs d'accusation? Sur autant de choses qui ont été faites en exécution des lois; et je vous demande, si l'on s'était écarté un peu des lois pour soutenir le mouvement révolutionnaire et sauver la patrie, enverriez-vous à l'échafaud ceux qui ont sauvé la liberté? » (Thuriot).

Les accusations portant sur la journée du 9 thermidor, celles d'avoir trop tardé à préparer la « révolution » et, ensuite, de l'avoir exécutée avec trop d'hésitation, étaient ressenties comme particulièrement injustes, surtout par les accusés eux-mêmes. Les sept n'étaient-ils pas les artisans de la « chute du tyran », ne jouèrent-ils pas le rôle décisif lors de la mémorable journée? Leurs interventions pendant le débat livrent nombre de détails sur la crise qui avait déchiré les Comités dans les semaines précédant la chute de Robespierre, sur le déroulement des événements pendant les journées cruciales du 8 et 9 thermidor. En revanche, les questions de fond, l'explication des raisons qui ont rendu possible la « tyrannie », l'ascension de Robespierre et son emprise sur la Convention, sont passées sous silence, noyées en quelque sorte sous les flots de faits plus ou moins anecdotiques. On se contente d'affirmer que la stratégie appliquée en thermidor était la meilleure, que la première occasion a été saisie pour « abattre le tyran ». « Si Robespierre eût été attaqué quinze jours plus tôt, toute la Convention et la liberté auraient été égorgées » (Bourdon [de l'Oise]). Attendre et se taire était donc un acte de prudence. « C'était moins Robespierre qu'il fallait abattre que la tyrannie qu'il avait fait peser sur le peuple, et qu'on aurait pu continuer après sa mort » (Goupilleau [de Fontenay]). Assurément, ils sont nombreux à se vanter désormais d'avoir toujours été farouchement anti-robespierristes : Lecointre lui-même soutint qu'il avait préparé depuis des mois une dénonciation contre Robespierre; mais pourquoi lui, et tous les autres, avaient-ils préféré se taire? « Après la mort de César, dix mille Romains pouvaient dire qu'ils avaient formé le projet que Brutus a exécuté » (Goupilleau [de Fontenay]). Faire le procès du 9 thermidor, c'est avilir la Convention tout entière, c'est l'accuser non pas seulement d'avoir toléré le tyran mais d'avoir été son complice, par sa peur et son silence coupable. Pour effacer ces fâcheux souvenirs et se disculper de tout soupçon de sa complicité avec le « tyran », la Convention avait besoin de forger une image héroïque d'elle-même. La petite histoire du 9 thermidor n'y suffit pas, il fallait une légende glorieuse : « Quand on vous a vus abattre le tyran, une artillerie de fourberie a été placée dans tous les coins; mais que nul ne se flatte d'avoir contribué plus que vous à le renverser; c'est la masse de votre courage et de votre vertu, c'est la Convention et le peuple tout entier qui l'ont terrassé, et quiconque se vanterait d'avoir plus de part que vous, quiconque dirait que vous l'avez pu faire plut tôt, trompent l'histoire et la postérité » (Collot d'Herbois).

Qu'un tel débat pût se tenir prouvait déjà combien la sortie de la Terreur avait été réellement engagée. La Convention avait gagné en liberté d'expression. Cet espace de liberté était également celui où allaient s'inscrire et se creuser les clivages politiques. Lecointre ne fut pas arrêté; Tallien et Fréron furent exclus des Jacobins, mais cela ne comportait plus aucun risque. Au contraire, l'exclusion favorisait le revirement et, partant, la carrière politique. Cependant, le déroulement du débat révélait combien pesait encore l'héritage du passé. Ouvert par une « dénonciation », il sombrait dans le soupçon qu'attisait la question essentielle des responsabilités individuelles. Les vieux réflexes étaient encore vivaces : Lecointre fut accusé d'être un contre-révolutionnaire, au service des royalistes; on demanda même son arrestation; des orateurs s'accusèrent réciproquement de « faire peser le glaive de la mort sur les représentants du peuple », ou de vouloir ressusciter « le système de Robespierre » et d'installer une « nouvelle tyrannie ». La Convention fut comparée par Tallien à une *arène des gladiateurs*. Le débat s'acheva par une motion solennelle déclarant calomnieuse la dénonciation, « motion mise aux voix, et décrétée *à l'unanimité* et au milieu des plus vifs applaudissements » (motion de Cambon). L'unité momentanément retrouvée de la Convention occultait à peine des divisions qui iraient s'accentuant, au gré de l'évolution du rapport des forces. En condamnant la dénonciation de Lecointre, la Convention ne déchargeait pas seulement les sept accusés de toute responsabilité dans la Terreur; elle refusait, en réalité, d'ouvrir le débat, de peur de devoir impliquer la responsabilité, successivement, de tous les membres des Comités, des représentants en mission, de la Convention dans son ensemble, du peuple, qui ne s'était pas révolté, de la Révolution, qui légitimait la Terreur. Cette dernière argumentation tirait sa force moins de sa logique que de l'appel au sentiment de solidarité et, surtout, à l'instinct d'autodéfense. En portant l'accent sur le sentiment de culpabilité collective, elle soulignait qu'il n'était personne, parmi les conventionnels, qui n'aurait pu affirmer honnêtement qu'il n'était point coupable, qu'il n'avait pas trempé dans la Terreur, sinon par ses actes, du moins par son silence. La responsabilité de la Terreur serait donc rejetée sur le « tyran abominable » et sur les « événements inséparables d'une grande révolution », en bref, sur un « système d'oppression » anonyme et dépersonnalisé. Mais disculper les sept membres dénoncés impliquait, en réalité, une solidarité totale avec eux. L'alternative : ou tout le monde est coupable, ou personne, sinon un système anonyme, était indéfendable moralement et juridiquement. Elle ignorait les degrés de responsabilité dans un acte, une décision, un ordre. Elle ne résisterait guère à la dynamique des événements politiques. Dans tout le pays, la chasse aux coupables, aux « terroristes » et aux « buveurs de sang » était engagée. La Convention devrait-elle prendre la défense de tout le personnel politique de la Terreur, de tous les petits « oppresseurs » et « délateurs » sur lesquels se fixaient les vengeances locales ? Faudrait-il stopper la procédure contre un Fouquier-Tinville

qui de sa prison ne cessait de clamer qu'il avait toujours agi
dans le strict respect de la légalité, en exécution des décisions
des Comités et de la Convention? Le temps n'était plus à la
fidélité aux anciennes solidarités mais aux divisions. La logique
de la lutte politique exigeait *à la fois* la condamnation de la
Terreur comme « système de pouvoir » et le châtiment de la
« queue de Robespierre », des « coupables » nommément désignés.

Au cours du débat des 12 et 13 fructidor on avait évoqué la
Terreur comme *système de pouvoir*; on avait discuté de la légitimité des Comités et des lois. Or, le 22 fructidor s'ouvrait
devant le Tribunal révolutionnaire le procès de 94 notables
nantais, suivi de celui du Comité révolutionnaire de Nantes. La
France découvrit alors les atroces *réalités* de ce qu'avait été la
Terreur à Nantes. On verra qu'après plusieurs semaines de
révélations, le 3 frimaire an III, la Convention vota, de nouveau *à l'unanimité* (avec deux *oui* conditionnels), la mise en
accusation de Carrier, directement impliqué dans les affaires
nantaises. Le 7 nivôse, elle créait une commission pour examiner la dénonciation renouvelée de Lecointre et se prononcer sur
« la conduite des représentants du peuple Billaud-Varenne,
Collot d'Herbois et Barère ». La commission dans son rapport,
présenté par Saladin, conclut à la responsabilité, directe et
indirecte, des accusés, dans la Terreur, son système et ses
crimes.

« OÙ SOMMES-NOUS ? »

« La justice à l'ordre du jour »

> « C'est à la sagesse publique de recueillir les bienfaits de votre
> énergique vertu; c'est à vous de les fortifier encore en faisant dispa-
> raître tous les vestiges de l'usurpation de l'autorité nationale... en
> rendant aux patriotes la liberté et la confiance qu'on leur avait
> ravies par des manœuvres réduites en système; en substituant la
> justice inflexible à la terreur stupide; en rappelant la véritable

morale à la place de l'hypocrisie, et en restituant à la tombe des
suppliciés les agents corrompus et les autres âmes cadavéresques
qui pèsent à la terre libre [1]. »

Au lendemain du 9 thermidor, le pouvoir se réclame de la
justice et promet solennellement de *la « mettre à l'ordre du
jour »*. Personne ne pouvait s'y méprendre : c'était, du coup,
condamner *la Terreur à l'ordre du jour,* proclamée, tout aussi
solennellement, le 5 septembre 1793. La « chute du tyran » prenait ainsi la signification d'un tournant décisif; elle devait clore
l'époque qui avait érigé la répression en système de pouvoir.

La justice à l'ordre du jour, promesse plus ou moins vague
pour l'avenir, devait se concrétiser dans l'immédiat par des
mesures politiques affrontant l'héritage de la Terreur, que l'on
pourrait ramener à trois problèmes :

– que faire du dispositif juridique et institutionnel hérité de
la Terreur?

– que faire de la masse de détenus qui peuplaient les geôles?

– que faire du personnel politique compromis par sa participation à la répression terroriste?

La distinction est, certes, schématique : dans la réalité les
trois problèmes n'en faisaient qu'un. L'héritage était d'autant
plus délicat à liquider que la tâche en incombait, nous l'avons
vu, à la Convention, qui avait proclamé, à peine une année
auparavant, « la Terreur à l'ordre du jour », puis approuvé les
activités des représentants en mission les plus extrémistes. A
l'inextricable problème de la responsabilité morale, politique et
juridique de la répression terroriste, s'ajoutait celui, plus délicat encore, de faire la part des lois et des institutions « terroristes », qui devaient être condamnées et liquidées, et celle du
dispositif répressif proprement « révolutionnaire » qui, partant,
devait être conservé, même si les « terroristes » en avaient fait
un usage abusif. Comment tracer la ligne, souvent insaisissable,
qui démarquerait la Terreur, « injuste et condamnable », de la
justice révolutionnaire dont les intentions étaient aussi pures
que patriotiques, malgré dans son application les errements de
zèle ? A ces questions politiques, réponses par excellence poli-

---

1. Barère, *Rapport au nom des Comités de salut public et de sûreté générale, Moniteur, op. cit.,* t. XXI, p. 369.

tiques. L'ampleur et la rapidité du démantèlement de la Terreur, comme système de pouvoir inséparable de la répression quotidienne, dépendait largement de la rapidité avec laquelle serait matérialisée la promesse de *la justice à l'ordre du jour*. Au lendemain du 9 thermidor, le slogan lui-même fut accepté avec un enthousiasme unanime, mais les mesures concrètes, prises au coup par coup, devinrent très rapidement l'objet d'âpres affrontements où se polarisèrent les forces politiques. Pour les uns, vers la fin de l'an II, la politique de *la justice à l'ordre du jour* était allée trop loin : ses tenants avaient abusivement élargi les « aristocrates » et ils opprimaient les « patriotes »; tous n'étaient que de « nouveaux indulgents », « modérantistes », le « nouveau côté droit ». Pour les autres, qu'on appellerait bientôt les *réacteurs* mais qui se posaient de plus en plus comme les « vrais » héritiers du 9 thermidor, *la justice n'était toujours pas allée suffisamment loin,* et ceux qui s'opposaient à son accélération n'étaient que des *robespierristes* déguisés, des *terroristes* ou encore des *Jacobins*. Plus la lutte politique deviendrait violente, plus ce vocabulaire gagnerait en agressivité mais pas nécessairement en clarté. Les acteurs politiques n'arrivaient pas à se dégager des ambiguïtés et des incertitudes propres à une nouvelle situation politique [1], dont témoigne notamment la mise en place d'un nouveau dispositif juridique largement improvisé.

La Convention annula d'abord, à l'unanimité et « au milieu de vifs applaudissements », le décret qu'elle avait pris, autorisant les deux Comités à arrêter des représentants du peuple

---

1. Les ambiguïtés et les confusions terminologiques marquent d'ailleurs la littérature consacrée à la période thermidorienne. Ainsi, introduit-on souvent la distinction entre les « thermidoriens » et les « montagnards », en oubliant que ces derniers, groupe d'ailleurs difficile à cerner, étaient également des « thermidoriens » en ce qu'ils ne contestaient point la « révolution du 9 thermidor » et condamnaient Robespierre et le « robespierrisme ». Les termes « thermidoriens de *gauche* » et « thermidoriens de *droite* » sembleraient être plus adéquats; ils souffrent pourtant de l'ambiguïté notoire propre à l'opposition gauche-droite qui demanderait à être précisée sans cesse au regard des configurations mouvantes de l'époque. De surcroît, elle était très rarement utilisée à l'époque. Vers la fin de l'an II les clivages politiques s'organisent autour de l'opposition jacobins-antijacobins (ou encore terroristes-antiterroristes). Nous n'avons pas trouvé de terminologie uniforme et satisfaisante; nous utiliserons donc, par la suite, surtout la terminologie de l'époque qui, traduit finalement le mieux à la fois ses incertitudes et son climat passionnel.

sans qu'ils aient préalablement été entendus par l'Assemblée; or ce décret funeste « *avait été surpris à la Convention* par des hommes qui étaient habitués de tromper la justice ». Abroger ce décret, assurer à chaque représentant un minimum d'immunité parlementaire, était une précaution tout à fait élémentaire après l'expérience de la Terreur (ce nouvel engagement à l'égard d'elle-même, la Convention le respectera sept mois, jusqu'à la répression contre certains de ses membres déclenchée après les troubles du 12 germinal) [1].

Le 14 thermidor, de nouveau « au milieu des plus vifs applaudissements », la Convention abolit la loi du 22 prairial, symbole et base légale de la « grande Terreur ». Par leurs vifs applaudissements les députés semblent vouloir exorciser le souvenir même de leur propre vote qui avait approuvé cette « loi sanguinaire » et qui est désormais considérée comme la preuve éclatante de la « tyrannie » exercée sur la Convention. Dans la foulée un autre symbole est abattu : la Convention décide sur-le-champ l'arrestation de Fouquier-Tinville et sa mise en jugement devant le Tribunal révolutionnaire. Et pourtant Fouquier l'avait servie avec le plus grand zèle et son efficacité habituelle le 10 et le 11 thermidor en se chargeant des aspects juridiques du supplice de Robespierre et de ses complices. « Tout Paris vous demande le supplice justement mérité de Fouquier-Tinville. Je demande qu'il aille expier dans les enfers le sang qu'il avait versé. Je demande contre lui le décret d'arrestation. » Fréron, qui s'exclame ainsi, semble oublier que dans ce « sang versé » était également celui de Robespierre. Fouquier aura son procès et ne manquera pas de saisir cette occasion pour démontrer qu'il avait toujours respecté la plus stricte légalité.

Le 23 thermidor seulement est réorganisé le Tribunal révolutionnaire, après plusieurs hésitations. Déjà le 11 thermidor des voix s'élevaient exigeant la suspension de ce Tribunal que Robespierre avait peuplé de ses créatures. « Lorsque sa sainteté, car c'est ainsi que l'appelaient ses partisans, ce roi catholique, ou plutôt sacrilège, avait indiqué l'individu, le juré pro-

---

1. Séance du 13 thermidor, cf. *Moniteur, op. cit.*, t. XXI, p. 367.

nonçait, et le jugement s'exécutait » (Thuriot). La suspension
est décrétée dans l'enthousiasme général, pour être ajournée
quelques heures plus tard. En effet, Billaud-Varenne, dépêché
par le Comité de salut public très alarmé, persuade l'Assemblée
que la suspension du Tribunal qu'elle vient de voter ne peut
que sauver... les « conspirateurs ». Le Tribunal n'est-il pas en
train de juger les membres de la « Commune rebelle », avec la
même docilité qu'il mettait à exécuter sa besogne avant le
9 thermidor ?

L'utilité de l'institution elle-même n'est guère remise en
question. Le 11 thermidor, Barère, au nom du Comité de salut
public, fit l'éloge de « cette institution salutaire, qui détruit les
ennemis de la République, et purge le sol de la liberté... Il faut
donc un grand respect pour cette institution ; mais les hommes
qui la composent ont dû attirer les plaintes et les regards de la
Convention nationale. Il a été compté parmi vos devoirs de
réviser la formation de ce tribunal, mais avec cette sagesse qui
perfectionne sans affaiblir et qui récompense sans détruire ».
La nouvelle organisation du Tribunal est fondée, en principe,
sur les lois antérieures à celles du 22 prairial, avec pourtant
une différence de taille : le Tribunal aura désormais à se prononcer dans ses jugements sur la « question intentionnelle »,
c'est-à-dire ne condamner que les accusés qui auraient commis
un délit avec une *intention contre-révolutionnaire*, les autres
crimes et délits relevant de la compétence de la justice criminelle ordinaire. La composition du Tribunal est réduite à
douze juges et trente jurés, choisis dans toute la France sur la
base des propositions des représentants et renouvelables tous les
trois mois. L'accusé jouissait de certaines garanties légales : il
était interrogé avant la séance publique, il était assisté d'un
défenseur, il pouvait récuser un ou plusieurs jurés ; pendant
l'audience il avait le droit de répondre à la déposition de
chaque témoin. De la compétence du Tribunal révolutionnaire
relevaient les crimes contre la sûreté de l'État et de la Convention nationale, les négligences et les malversations dont pouvaient se rendre coupables les membres des commissions exécutives ainsi que les juges et accusateurs publics des tribunaux
criminels. Les juridictions « révolutionnaires » spéciales dans

les départements, qui s'étaient particulièrement distinguées par leur zèle lors de la Terreur, sont toutes supprimées; la justice est confiée aux seuls tribunaux criminels qui peuvent pourtant juger certains crimes « révolutionnairement ».

Lors du débat sur ce projet de réforme des réserves et des inquiétudes se sont pourtant manifestées. N'encourage-t-on pas le « modérantisme »? « Qu'avez-vous besoin d'un code volumineux qui fournira des armes à la chicane et assurera des moyens d'impunité aux coupables? Rappelons, et cela suffit, le Tribunal à sa pureté primitive; souvenons-nous en un mot des heureux effets qu'il a produits, et n'énervons pas sa vigueur. » La Convention passe outre à ces objections qui proposaient, pour ainsi dire, le retour aux « origines pures » de la Terreur. La Convention campe, en cette réforme, dans une ambiguïté profonde : elle condamne le Tribunal comme instrument de la Terreur et symbole de l'arbitraire, mais elle limite sa condamnation, en principe, à son activité et à sa composition postérieures à la loi du 22 prairial. L'institution elle-même, une des pièces maîtresses du dispositif terroriste, est conservée. L'introduction de la clause intentionnelle et la volonté proclamée de respecter les règles élémentaires de la procédure, dont, notamment, les droits de l'accusé, promettent toutefois une pratique moins répressive [1]. Le Tribunal renouvelé et réformé fut installé le 25 thermidor; dans le discours inaugurant son activité, Aumont, nommé, après le 9 thermidor, à la tête des administrations civiles, police et tribunaux, souligne « qu'il n'est pas encore le temps de détendre ce ressort révolutionnaire, sans lequel le courage surnaturel des défenseurs de la patrie ne leur aurait procuré que des triomphes inutiles ». Cependant il insiste avec force sur le fait que la disparition « des créatures du tyran ouvre une nouvelle page... Avec eux devait disparaître un tribunal que leur génie sanguinaire avait transformé en instrument de mort; un tribunal devenu, sous leur terrible influence,

---

1. Sur la réforme du Tribunal révolutionnaire, cf. les séances du 11 et 23 thermidor de la Convention; *Moniteur, op. cit.*, t. XXI, pp. 335 et suiv., 448 et suiv. H. Wallon, *Histoire du Tribunal révolutionnaire de Paris*, Paris, 1881, vol. V, pp. 260-274. Les objections ont été formulées par Duhem qui, aux Jacobins, s'opposa violemment au « modérantisme » et prôna le renforcement de la répression.

l'effroi de l'innocence bien plus que du crime ». Le Tribunal renouvelé ne condamnera plus aucune « fournée », mais jusqu'à la fin de l'an II, il prononcera encore seize condamnations à mort dont certaines pour des propos contre-révolutionnaires, d'autres pour complicité avec les Vendéens ou même pour des faits remontant à la « rébellion fédéraliste ». Si ces sentences marquent, pour ainsi dire, la continuité de l'institution, d'autres traduisent dans les faits la volonté de rupture avec la Terreur et, du coup, élargissent incontestablement l'espace de la liberté et du respect du droit. La procédure a effectivement changé avec notamment une instruction préliminaire à l'audience et la présence d'un avocat pour l'accusé. Pour la même période, 92 personnes furent acquittées (parmi lesquelles 42 militants sectionnaires plus ou moins impliqués dans les activités insurrectionnelles de la Commune, le 9 thermidor). L'interprétation particulièrement large et libérale de la « clause intentionnelle » est particulièrement révélatrice de la nouvelle orientation prise par ce « ressort de la justice révolutionnaire ». N'en citons que quelques exemples. Ainsi, le 24 fructidor le public assista au procès d'une certaine Catherine Breté accusée d'avoir dit « que ceux qui avaient fait mourir le tyran étaient des f... et des b... qui méritaient de périr eux-mêmes ». Les témoins ayant attesté que la citoyenne Breté n'a tenu ces propos que « dans un moment d'humeur » et l'accusée ayant exprimé ses regrets, le Tribunal l'acquitta faute « d'intention contre-révolutionnaire ». Le 30 fructidor, passa en jugement un officier qui avait eu le malheur de crier dans la rue *Vive le roi, la gamelle et le pois!* Il ne put évoquer pour sa défense qu'une seule circonstance atténuante : il était ivre mort lorsqu'il tint ces « propos contre-révolutionnaires ». En conséquence, le Tribunal l'admonesta sévèrement, lui faisant remarquer que « l'homme dont le sang est patriote, dans l'ivresse même ne tiendra pas de propos aristocratiques », mais pour finir l'acquitta « vu qu'il n'a pas agi avec l'intention contre-révolutionnaire ». Cependant, toutes ces affaires mineures furent refoulées au second plan par le grand procès qui marque la fin de l'an II, celui de quatre-vingt-quatorze Nantais et qui se prolongera par les procès du Comité révolutionnaire de Nantes et de Carrier. Au-delà de ces accusés, le Tribunal aura à juger la Terreur comme système ainsi que ses partisans. Quelques mois plus tard viendra le tour de Fouquier-Tinville, autre procès retentissant qui dévoila les mécanismes de la Terreur [1].

Ce n'est pourtant pas au Tribunal révolutionnaire réformé qu'est confié l'élargissement des détenus dont regorgent les prisons, la mesure la plus spectaculaire traduisant dans les faits la volonté de « mettre la justice à l'ordre du jour ». Dès le 15 thermidor, lors des premières réunions des assemblées sectionnaires depuis la chute de Robespierre, parents et amis des détenus ont réclamé l'élargissement de ceux-ci, accusant les comités de surveillance d'avoir commis des arrestations arbitraires. La Convention cède à la pression et le 18 thermidor vote un train de mesures qui marquent un tournant. Elle charge le Comité de sûreté générale de « faire mettre en liberté tous les citoyens détenus comme suspects pour des motifs qui ne sont pas désignés par la loi du 17 septembre 1793 » (la loi sur les suspects). Elle indique aux représentants en mission que les « pouvoirs illimités dont [ils] sont revêtus » les autorisent « à mettre en liberté les citoyens qui auraient été mis en état d'arrestation par d'autres représentants du peuple sur de légers motifs ». Elle décide finalement que les motifs d'arrestation et des mandats d'arrêt seront communiqués aux détenus (ou à leurs parents et amis) par les autorités respectives (Comité de sûreté générale, représentants en mission, comités de surveillance). Cette dernière mesure soulève l'opposition de certains députés jacobins. Fayau la trouve fort inutile : c'est aux détenus eux-mêmes qu'il revient d'apporter les preuves de leur civisme depuis 1789 et de se laver ainsi des « soupçons » qui les ont rendus « suspects ». Cette objection provoque une tirade de Tallien : « Il faut donner aux patriotes qui, dans ce moment gémissent dans les cachots, de faire éclater leur innocence, et peut-être, ceux qui

---

1. Cf. AN W 447; W 450; cf. H. Wallon, *op. cit.*, vol. V, p. 321; vol. VI, p. 166. Wallon a établi la liste complète des condamnations et des acquittements prononcés par le Tribunal du 1er fructidor an II au 8 nivôse an III (*ibid.*, vol. VI, p. 166). Le Tribunal fut définitivement supprimé le 12 prairial an III, après que prit fin le procès de Fouquier-Tinville. Au lendemain des « journées » de prairial, la répression s'exerça par le truchement non plus du Tribunal révolutionnaire, mais de la Commission militaire ou des tribunaux criminels.

s'opposent à cette mesure veulent-ils empêcher que le peuple sache que plusieurs de ses défenseurs ont été arrêtés sans motifs. » Tallien exige de conserver « les mesures révolutionnaires extraordinaires » mais pour frapper « les restes impurs de la faction de Robespierre [1] ».

La Convention se décide à ouvrir les portes des prisons. La tâche est énorme; sous la Terreur, 500 000 personnes environ ont été enfermées dans des maisons d'arrêt, plus ou moins improvisées; en juillet 1794, on comptait à Paris environ 7 000 détenus. Cependant, les modalités de cette ouverture traduisent les contradictions, au lendemain du 9 thermidor, du démantèlement de la Terreur. Aucune amnistie n'est décrétée; la loi sur les suspects, pièce maîtresse du dispositif juridique de la Terreur, n'est pas abrogée et, partant, la catégorie même de *suspect* est maintenue. Cependant, les clauses de cette loi sont tellement vagues qu'elles se prêtent à toutes sortes d'interprétations, « énergiques » ou « indulgentes ». Les motifs d'arrestation étaient souvent aussi vagues que la dénonciation qui l'avait provoquée. Statuer sur la conformité de ces motifs avec la loi ouvrait la porte à l'arbitraire. Aussi le Comité de sûreté générale dispose-t-il maintenant d'un pouvoir presque discrétionnaire d'*élargir* les prisonniers en se référant à la même loi grâce à laquelle il les avait emprisonnés. Dans les départements, l'ampleur de l'élargissement des détenus dépend fortement du « modérantisme », plus ou moins prononcé, du représentant en mission.

Les premiers élargissements dans les prisons parisiennes provoquent immédiatement des remous. Ils déclenchent des réactions en chaîne semblables à celles observées à la Convention : ils alimentent les conflits politiques et nourrissent les attentes comme les craintes. Aux espoirs et à l'enthousiasme de ceux qui exaltent « la justice à l'ordre du jour » s'opposent les craintes et la méfiance de ceux qui condamnaient l'« indulgence » profitable aux « aristocrates » et autres ennemis de la République.

---

1. Cf. F.-A. Aulard, *Recueil des actes du Comité de salut public avec la correspondance officielle des représentants en mission*, Paris, 1904, vol. XV, p. 678. Dans le même décret la Convention exigeait également la communication au Comité de salut public des arrêtés pris par les représentants du peuple qui ont été et sont en mission; c'était une des conditions préalables de l'annulation des arrestations arbitraires.

« Qu'il est différent le spectacle que présente aujourd'hui la ville de Paris, comparé avec celui qui a précédé la chute du nouveau Tibère. Partout régnait un silence morne précurseur de la mort; l'ami se méfiait de son ami, le père de ses enfants; mais aujourd'hui l'allégresse et la joie sont peintes sur la figure de tous les citoyens... *Vive la Convention! Vivent nos dignes représentants!* Tel était le cri dont la rue de Tournon retentissait hier, lorsque Tallien fut au Luxembourg rendre la liberté à nombre de patriotes qui y étaient détenus injustement. Le peuple y était accouru en foule, le comblait de bénédictions, l'embrassait, embrassait ceux qui venaient d'être rendus à la liberté. " Soyez tranquilles, mes amis, disait Tallien, à ceux qu'il ne pouvait pas encore faire sortir de cette maison d'arrêt, vous ne soupirerez pas longtemps après votre liberté; il n'y aura que des coupables qui ne jouiront de ce bienfait. Je reviendrai aujourd'hui, je reviendrai demain [...] et nous travaillerons jour et nuit jusqu'à ce que les patriotes injustement détenus soient rendus à leur famille... " Et des larmes de joie et de sensibilité coulaient de tous les yeux, et l'on comblait la Convention de mille et mille bénédictions [1]. »

Images, certes, attendrissantes, largement diffusées par cette partie de la presse qui n'y voit que les premiers effets de la nouvelle politique. Mais quelle est l'ampleur réelle de ces mesures d'élargissement? Qui sont ces « patriotes injustement détenus » et selon quels critères sont-ils libérés? Questions d'autant plus pressantes et embarrassantes que l'opération a été engagée dans des conditions qui la condamnaient à la confusion et la privaient de transparence. Les appels réitérés des Comités de salut public et de sûreté générale apportent autant de témoignages sur l'ambiance fiévreuse qui succède au décret du 18 thermidor : une foule se presse dans les antichambres des Comités pour arracher le plus rapidement un mandat de libération pour un parent ou un ami. « Bientôt », promettait Barère, le 24 thermidor, « la trace des vengeances personnelles disparaîtra du sol de la République. Mais l'affluence des citoyens de tout sexe aux portes du Comité de sûreté générale ne fait que retarder des travaux si utiles aux citoyens... Nous invitons donc les citoyens à se reposer sur le zèle civique des

---

1. *Gazette historique et politique de la France et de l'Europe,* 23 thermidor an II.

représentants du peuple pour le jugement des détenus et pour
donner un mandat de liberté... Il ne s'agit ici ni d'amnistie ni de
clémence; il s'agit de justice, et d'une justice égale pour tous. »
« Le Comité [de sûreté générale], assurait Vadier trois jours
plus tard, est sans cesse occupé de venir au secours des patriotes
opprimés; mais il est retardé dans sa marche parce que les aristocrates l'assiègent; une multitude de femmes l'obstruent; plusieurs de nos collègues réclament aussi en faveur des citoyens
détenus. Il est impossible que dans cette foule d'opérations, il
ne se glisse pas quelques erreurs [1]. »

« Une foule d'opérations », sans doute. Les fortes pressions
exercées sur les Comités proviennent de milieux politiques et
sociaux très divers. En effet, les séquelles de la Terreur sont
telles que dans les mêmes prisons se retrouvent en même temps
les victimes de ces vagues successives, confondues toutes
ensemble comme suspects ou auteurs de crimes contre-
révolutionnaires : les ci-devant princes et les émigrés rentrés
clandestinement côtoient Kellermann, vainqueur de Valmy et
pacificateur de l'insurrection lyonnaise, et Hoche, vainqueur de
Landau; les acteurs du Théâtre-Français voisinent avec des
militants sectionnaires accusés de complicité avec la « conspiration hébertiste »; les quatre-vingt-quatorze notables nantais
attendent leur jugement avec les membres du Comité révolutionnaire de Nantes, qui les avaient arrêtés et expédiés à Paris,
et qui sont incarcérés pour abus de pouvoir. En cinq jours, du
18 au 23 thermidor, le Comité de sûreté générale élargit
478 personnes; cependant ni ce nombre ni la liste des prisonniers libérés ne sont rendus publics; les journaux ne citent que
de rares cas et les bruits les plus contradictoires se propagent.
La volonté de faire vite, les pressions exercées par les conventionnels eux-mêmes (ils sont les premiers à demander la libération des membres de leurs familles, des amis ou de leurs proté-
gés, originaires de leurs départements), une procédure assez
sommaire, la concentration du pouvoir de libération entre les
seules mains du Comité de sûreté générale, censé examiner
chaque cas selon des critères mal définis, expliquent la « foule

1. Cf. *Moniteur*, *op. cit.*, t. XXI, pp. 439 et 489.

d'opérations » désordonnées. D'où les abus et les bavures qui font scandale – tel l'élargissement, dénoncé par Vadier, du ci-devant duc d'Aumont qui, en application du décret de la Convention accordant la liberté à tous les agriculteurs, s'était fait passer pour Gui, laboureur d'Aumont [1].

Au-delà de ces bavures, plus ou moins inévitables, c'est toute la politique d'élargissement pratiquée par les Comités qui suscite rapidement des doutes et des oppositions. Le 23 thermidor, lors de la discussion du projet de réorganisation du Tribunal révolutionnaire, la Convention adopte la proposition de Mallarmé, député jacobin, d'engager les Comités de salut public et de sûreté générale à faire « imprimer, chaque demi-décade, la liste des citoyens qu'ils auront élargis ». Le vote intervient sans débat, dans la foulée d'autres amendements, comme si l'Assemblée ne s'était pas aperçue des conséquences de sa décision. La tempête éclate trois jours plus tard, le 26 thermidor. L'atmosphère est très tendue, car la veille les assemblées sectionnaires ont été houleuses : de nouveau on y a dénoncé les comités révolutionnaires, leur « politique sanguinaire » avant le 9 thermidor, on a exigé leur renouvellement; mais, d'autre part, des critiques violentes se sont manifestées contre « l'aristocratie et le modérantisme » qui lèvent la tête. Le débat à la Convention, assez chaotique comme c'était trop souvent le cas, se déroule en deux temps. Il y a d'abord les attaques de quelques députés jacobins (notamment Mallarmé, Duhem, Chasles, Levasseur [de la Sarthe]) contre l' « aristocratie » qui est la seule à profiter de la politique de la mise en liberté. Les deux cas exemplaires – du duc d'Aumont et du duc de Valentinois qui s'affichent dans des lieux publics, fiers d'être libres – sont

---

1. Laurent Lecointre, dans sa brochure *Les Crimes des sept membres des anciens Comités*, Paris, an III, pp. 154 et suiv., estime qu'en un mois le nombre de détenus dans les prisons parisiennes est passé de 8 500 à 3 500. Cependant, l'état des prisons au 13 fructidor établit 5 480 détenus; un mois plus tard, le 14 vendémiaire, ce nombre a diminué de plus de 1 000 prisonniers (4 445). Cf. Saladin, *Rapport au nom de la Commission de vingt-et-un*, Paris, an III, p. 105; AN AF II, 73; H. Wallon, *op. cit.*, vol. V, p. 450. Nous citons les données globales sur le nombre de détenus d'après les estimations de D. Greer, *The Incidence of Terror. A Statistical Interpretation*, Cambridge, Mass., 1935, et de G. Lefebvre, *La Révolution française*, Paris 1968, pp. 417 et suiv. Au nombre de prisonniers s'ajoute celui de 300 000 suspects en résidence surveillée.

dénoncés avec véhémence. Le Comité de sûreté générale a lui-même reconnu que c'étaient des bavures évidentes qui avaient « échappé à la vigilance » et des faits isolés dont il ne fallait pas exagérer l'importance. En montant en épingle ces libérations abusives, les Jacobins ne se contentent pas d'exiger l'exécution rigoureuse du décret sur la publication des listes des personnes libérées, ils exigent l'arrestation immédiate de tous ceux qui ont sollicité de pareilles libérations abusives. Parmi celles-ci on cite encore le cas de Kellermann qui se trouvait parmi les premiers prisonniers relaxés. Or, cette libération, contrairement aux précédentes, ne fait plus l'unanimité. Il est d'ailleurs frappant que tout ce débat, ainsi que ceux qui vont lui succéder, faute de chiffres précis sur les mises en liberté, oscille entre deux extrêmes : on avance des généralisations aussi rapides que sommaires (« on libère des aristocrates »), ou bien on se penche sur des cas individuels, ce qui trop souvent ne pouvait que rendre la discussion encore plus passionnelle. Carnot, alerté par les attaques contre Kellermann, accourt de la salle du Comité de salut public, pour s'expliquer sur sa mise en liberté. Soutenu par plusieurs représentants, il n'hésite pas à faire son éloge. C'est un bon patriote et républicain, excellent citoyen et soldat, victime de la jalousie de Robespierre et non pas un « traître ». L'affaire est renvoyée au Comité de salut public mais, du coup, le débat entre dans sa deuxième phase : la remise en question du décret, voté il y a trois jours, engageant à faire publier les listes des personnes relaxées. Des voix s'élèvent, prétendant que ce décret avait été voté par surprise et que sa proclamation « avait répandu la terreur dans tous les esprits » (Merlin [de Thionville]). Tallien, qui procède dans le même temps aux démarches pour obtenir la libération de « la Cabarrus » (elles seront couronnées de succès une semaine plus tard), critique violemment ce décret. Certes, il se peut que « quelques patriotes aient été trompés sur le compte de quelques individus » et aient demandé leur libération. L'essentiel n'est pourtant pas là; il faut continuer énergiquement les libérations : « J'aime mieux voir aujourd'hui en liberté vingt aristocrates que de voir un patriote rester dans les fers. Eh quoi, la République avec ses douze cent mille citoyens armés aurait peur de

quelques aristocrates! » Dans les prisons se trouvent des innocents, enlevés à leurs familles sans aucun motif valable, uniquement sur la base de dénonciations infâmes. Publier la liste des
personnes relaxées, n'est-ce pas établir une nouvelle liste de
proscription à l'usage de ceux qui ne rêvent que de s'installer à
la place de Robespierre, devenue vide? « Continuateurs de
Robespierre, n'espérez aucun succès, la masse de la Convention
est déterminée de périr ici ou à anéantir tous les tyrans, de
quelque masque qu'ils se couvrent. » Cette tirade est accueillie
avec enthousiasme (« oui! oui! s'écrient tous les membres en se
levant simultanément »); néanmoins, la Convention hésite, et
confirme même son décret contesté. Tallien riposte alors par
une contre-proposition : « Puisque l'on veut imprimer la liste
de ceux qui ont été mis en liberté, je demande qu'on imprime
aussi les noms de ceux qui les ont fait incarcérer; il faut que le
peuple connaisse ses véritables ennemis, ceux qui ont dénoncé
des patriotes et les ont fait incarcérer. » Motion manifestement
démagogique qui est cependant elle aussi adoptée sur-le-
champ, ce qui met le feu aux poudres. Dans la confusion générale, on entend plusieurs voix : « *C'est la guerre civile!* » En
plein désarroi, « pour sortir de la convulsion politique qui
devait anéantir la liberté et l'égalité », la Convention annule,
finalement, les *deux* décrets qu'elle venait d'adopter. Débat et
hésitations combien révélateurs et d'une situation politique instable et de la polarisation des positions politiques qui finira par
l'emporter. La Convention est prise dans ses propres contradictions : « déchirer le voile qui doit exister sur certaines opérations du gouvernement », c'est risquer de compromettre tout le
monde, ceux qui viennent de sortir des prisons et ceux qui y
restent encore; ceux qui réclament la mise en liberté des détenus et ceux qui avaient signé des lettres de dénonciation et des
mandats d'arrêt (parfois, ce sont d'ailleurs les mêmes personnes). L'exigence d'assurer à la politique d'élargissement une
plus grande transparence s'est révélée, en fin de compte, une
arme à double tranchant; l'appliquer, c'est courir le risque de
déclencher un processus aux conséquences incontrôlables la
« guerre civile ». Les listes des détenus libérés et des personnes
qui ont sollicité leur libération, notamment des conventionnels,

ne furent jamais publiées; mais pendant l'hiver de l'an III les émigrés publient à Lausanne une liste qui désigne à la vindicte et au lynchage les « buveurs de sang » lyonnais [1].

Les nouvelles provenant des départements ne pouvaient qu'attiser les conflits et les passions. Déjà vers la fin de thermidor commencent à affluer à Paris, à la Convention et surtout aux Jacobins, des adresses et des plaintes alarmantes; non seulement l'aristocratie relève la tête, les nobles et les prêtres sont relaxés, les assemblées des sociétés populaires sont envahies par des muscadins et des contre-révolutionnaires, mais de surcroît les « patriotes les plus purs » sont opprimés, persécutés : ils sont incarcérés tandis que les suspects sortent des prisons. « Chaque jour les membres de la Convention reçoivent des détails affligeants sur ce qui se passe dans les grandes communes depuis le 10 thermidor... Tous les patriotes sont accusés d'être les fauteurs de Robespierre et on les opprime d'une manière aussi injuste et aussi barbare qu'en 1791 et 1792 [2]. » Vers la mi-prairial, ces plaintes deviennent quotidiennes; des délégations des sociétés populaires, des comités révolutionnaires, se présentent à la Convention et aux Jacobins; les familles et les amis des « patriotes opprimés » cherchent des appuis, les uns auprès des députés de leur département, les autres auprès des anciens représentants en mission. Les Jacobins ne se contentent pas d'écouter les pétitionnaires; ils reprennent à leur compte l'exigence de faire libérer les « patriotes opprimés » et nomment assez souvent des « défenseurs officieux » chargés d'intervenir, dans un cas précis, auprès du Comité de sûreté générale. Dans la dernière décade de prairial et au début de vendémiaire, à ces adresses et pétitions répliquent des contre-adresses, provenant souvent des mêmes localités : elles protestent auprès de la Convention contre les diffamations et déclarent avec fermeté

1. Séance de la Convention, du 23 thermidor, *Moniteur, op. cit.*, p. 448; séance du 26 thermidor, *ibid.*, pp. 484-487. Une brochure présentant la *Liste générale des Dénonciateurs et des Dénoncés, de Lyon et de diverses autres communes*, fut publiée par les émigrés à Lausanne, en 1795. C'était un véritable répertoire des gens à abattre. Cf. R. Fuoc, *La réaction thermidorienne à Lyon (1795)*, Lyon, 1957, p. 83. A Paris on a publié le *Tableau des noms, âges, qualités et demeures des principaux membres des Jacobins* (par Francastelle, an III), sorte de guide de la « chasse aux Jacobins ».
2. Interventions de Chasles et de Réal aux Jacobins, le 26 thermidor. Cf. F.A. Aulard, *La Société des Jacobins*, p. 1897, vol. VI, pp. 336-337.

que les plaintes ne venaient que de la part de quelques terroristes et partisans de Robespierre, ou, tout simplement, des
voleurs et des dilapidateurs qui ont été démasqués. Leur arrestation n'était qu'un acte de justice dont se réjouissent tous les
bons citoyens mais également une mesure de protection à
l'égard de la « révolution du 9 thermidor », qui ne pouvait tolérer qu'on laissât courir, intriguer et conspirer tous ces
« buveurs de sang ». Le risque avait existé alors d'un retour à la
Terreur. La provenance des plaintes et adresses – sur lesquelles nous reviendrons – contre « l'oppression des patriotes »
témoigne que vers la mi-fructidor le cours nouveau, et notamment l'épuration du personnel politique, est déjà bien entamé
dans le pays, particulièrement dans les départements où la Terreur a fait de profonds ravages et où ses séquelles étaient
d'autant plus graves et difficiles à liquider.

Pourquoi cette « guerre des pétitions » ?

Les premières plaintes contre l' « oppression des patriotes »
commencent à parvenir à la Convention alors que ne s'est pas
encore tari le flot de félicitations pour son action héroïque
contre le « tyran » et la « Commune rebelle ». Ce sont pourtant
les premières lézardes de la belle unanimité, signe paradoxal
que la chute du « Catilina moderne » commençait vraiment à
s'inscrire dans les réalités politiques locales. L'enthousiasme
unanime avec lequel le personnel politique installé au pouvoir
pendant la Terreur avait accueilli la nouvelle de la chute de
Robespierre n'avait traduit, au moins dans un premier temps,
que son opportunisme engendré par cette même Terreur. Voilà
qui avait ajouté plus de confusion encore. Comme nous l'avons
observé, au lendemain du 9 thermidor le pays se réveille farouchement anti-robespierriste : nulle résistance, pas même de
doute sur l' « affreuse conspiration ». Certes, à Paris, dès que la
Convention l'emporte le 10 thermidor, on ne trouve plus de
« robespierristes ». Cependant, dans la capitale une soixantaine
de ceux qui ont pris parti pour Robespierre et la « Commune
rebelle » ont été mis hors la loi et exécutés dans les « fournées »
du 10 et 11 thermidor; les jours suivants des dizaines de militants suspects d'avoir soutenu la Commune furent arrêtés et
attendaient leur jugement. Autrement dit, à Paris, dès le lende-

main du 9 thermidor, l'adversaire politique avait été désigné et on ne le limitait pas aux seuls « triumvirs ». En revanche, dans les départements (à quelques exceptions près, notamment dans le Pas-de-Calais, où Lebon a été dénoncé avant le 9 thermidor) la « conspiration » n'avait que le visage lointain de Robespierre. Sa condamnation unanime traduisait également la volonté de ceux qui occupaient les « places » (ou, au moins, d'une partie du personnel terroriste) de prendre les devants et de conjurer ainsi toute suspicion éventuelle de leur collusion avec le « tyran ». Aucun représentant en mission n'a manifesté la moindre hésitation en apprenant les nouvelles de Paris. Tout au plus un sentiment de surprise, de stupeur, pourtant rapide- ment surmonté : « Le Courrier n'a pas plutôt apporté la nou- velle inattendue de la conspiration de deux Robespierre et de leurs complices qu'on fut d'abord frappé de stupeur : " Eh quoi! se disait-on, ceux-là aussi étaient des traîtres! A quel signe reconnaîtra-t-on désormais les patriotes, les vrais amis de la République? "... On n'a pas balancé, citoyen président, à prendre son parti. La société populaire, les autorités constituées de cette commune ont, à l'instant, poussé un cri d'horreur contre ces êtres fallacieux; elles ont admiré la constance et l'énergie de la Convention nationale... Périssent les imposteurs, les tyrans de l'opinion et de la liberté [1]. » Désormais, chaque département, chaque ville, pour sortir de la Terreur et « mettre la justice à l'ordre du jour », devait conduire sur place son propre 9 thermidor, s'attaquer à ses propres agents de la Ter- reur, les dénoncer comme autant de « robespierristes ». Du coup, on ne comblait pas seulement le retard par rapport à Paris, mais on devançait la capitale. Car en condamnant comme calomnieuse la dénonciation de Lecointre contre les sept membres des Comités, la Convention semblait manifester sa volonté de ne pas poursuivre les responsables de la Terreur au- delà du « noyau » désigné initialement le 9 thermidor. Or, déjà les premières « épurations » dans les départements élargissaient nécessairement ces responsabilités au-delà du groupe parisien

---

1. Forestier, représentant en mission dans l'Allier, à la Convention nationale, Cusset, le 16 thermidor; AN C 311; cf. A. Aulard, *Recueil des actes...*, *op. cit.*, vol. XV, pp. 644 et suiv.

restreint; elles ne s'attaquaient pas aux complices *directs* de la « conspiration du 9 thermidor », inexistants hors de Paris, mais au personnel terroriste local et, partant, à ses protecteurs parisiens, notamment aux Jacobins. Par contrecoup, elles relançaient les accusations contre la Terreur comme système global de pouvoir inséparable de tous ceux qui en étaient des agents, qui en avaient tiré profit et qui ne pourraient plus dorénavant échapper à la justice.

La Convention et ses Comités donnaient souvent l'impulsion initiale pour déclencher les purges et les arrestations (ainsi, par exemple, le Comité de salut public exigea l'arrestation des membres du tribunal d'Orange [1]) mais ils agissaient surtout par le truchement des représentants en mission. A partir du 18 thermidor, quand la Convention décréta que les missions dans les départements ne devraient pas dépasser trois mois, les représentants étaient systématiquement remplacés par des conventionnels modérés auxquels les Comités confiaient l'élargissement des détenus ainsi que l'épuration des autorités constituées, des sociétés populaires et des comités révolutionnaires. En décidant, le 7 fructidor, de procéder à une réforme fondamentale de ceux-ci, la Convention a d'ailleurs elle-même indiqué les grandes orientations de l'épuration à conduire. Le débat qui précède le vote sur ce décret est révélateur tant de la volonté de se débarrasser le plus rapidement de la partie la plus

---

1. « Vous savez que plusieurs des membres [du tribunal d'Orange] étaient dénoncés pour avoir eu des liaisons particulières avec l'infâme triumvirat que la Convention nationale vient de terrasser et d'anéantir, et pour avoir reçu de lui des instructions particulières. Vous devez avoir d'ailleurs déjà acquis des notions certaines sur la conduite de ces membres, et sans doute vous avez pris toutes les mesures que vous commandent la sûreté générale et l'intérêt de la patrie » (le Comité de salut public à Perrin et Goupilleau, représentants dans le Gard, l'Hérault et le Vaucluse, 8 fructidor, an II, AN AF II, 37; cf. A. Aulard, *Recueil..., op. cit.*, vol. XVI, p. 344). La société populaire d'Orange avait pourtant félicité la Convention pour sa victoire sur « Catilina-Robespierre » (« Que cette leçon terrible porte la terreur et l'effroi dans les cœurs des audacieux qui voudraient imiter son exemple »), tout en lui exprimant sa gratitude pour... l'établissement du Tribunal révolutionnaire : « Nous vous avons déjà témoigné, Citoyens représentants, notre reconnaissance pour avoir établi dans nos murs une commission populaire... Exterminer tous les supports de la tyrannie, poursuivre et punir le crime partout où il se trouve, corriger la faiblesse séduite, protéger l'innocence égarée, rendre à la patrie les républicains persécutés, voilà les bases de tous les jugements qu'elle a rendus » (AN C 316; CII 1269). La commission d'Orange, comme on le sait, avait été un modèle de répression terroriste; la procédure qu'elle avait suivie inspira la loi du 22 prairial.

compromise du personnel de la Terreur que des hésitations et des contradictions caractéristiques de la conjoncture politique à la fin de l'an II.

Les comités révolutionnaires (ou comités de surveillance) qui surgirent spontanément après le 10 août 1792 de l'initiative des sociétés populaires et des municipalités, gagnèrent en importance en 1793, au point de devenir un instrument particulièrement redoutable de la Terreur. La loi sur les suspects chargeait les comités révolutionnaires de dresser, chacun dans son arrondissement, la liste des suspects, de lancer contre eux les mandats d'arrêt et de faire apposer des scellés sur leurs papiers. Pendant l'hiver 1793 (le 14 frimaire an II), les compétences de ces comités furent encore élargies : ils furent chargés, conjointement avec les municipalités, de faire appliquer les lois révolutionnaires et les mesures de sûreté générale (notamment de délivrer des certificats de civisme), *tous* leurs membres étaient désormais nommés par le représentant en mission. Les pouvoirs exorbitants de ces comités, leurs abus et leurs fréquents conflits avec les représentants en mission imposèrent, après le 9 thermidor, leur réorganisation. La Convention ne décida pas de se priver complètement de leurs services en supprimant l'institution elle-même. Elle se contenta de restreindre leur champ d'activité, de leur imposer un cadre juridique plus strict pour mettre fin à leur arbitraire et, finalement, de renouveler leur composition. Les mesures les plus importantes furent contenues dans la loi du 7 fructidor : suppression des comités révolutionnaires dans les communes qui, n'étant pas chefs-lieux de districts, avaient moins de 8 000 habitants; les comités conservaient le droit de lancer des mandats d'arrêt mais devaient interroger les prévenus dans les vingt-quatre heures et leur faire connaître, dans les trois jours, les motifs de leur arrestation; composés de douze membres, nommés par les représentants en mission, les comités étaient renouvelables par moitié tous les trois mois. Au cours des débats relatifs à cette loi, qui durèrent trois jours, plusieurs amendements furent proposés. Ils apportent un témoignage éclairant sur la méfiance et les rancunes accumulées contre ces comités, d'autant qu'il est le fait des anciens représentants en mission et le fruit de leur expérience d'une collaboration, souvent conflictuelle, avec ces comités. Parmi ces amendements, retenons que : il ne faut plus admettre aux comités des citoyens qui ne savent ni lire ni écrire, puisqu'ils devront établir des rapports et conduire des interrogatoires; « nul banqueroutier » ne pourrait en être membre, car on a vu trop souvent « des êtres immoraux arrêtant leurs créanciers »; il sera interdit que « le père et le fils, et deux parents au quatrième degré puissent être membres du même comité » pour empêcher qu'il ne soit dominé par une clique; les comités devraient obligatoirement tenir registre de leurs opérations, car plusieurs n'ont pu « décliner les motifs d'arrestation des citoyens qu'ils avaient incarcérés »; il leur serait interdit de prononcer des élargissements, car « il en est qui ont fait arrêter des citoyens, et qui ont marchandé ensuite avec eux sur le prix qu'ils voulaient pour leur accorder leur liberté ». La proposition la plus révélatrice, peut-être – elle fut d'ailleurs rejetée –, visait à accorder une protection juridique aux membres des comités qui ne seraient pas renouvelés dans leurs fonctions :

> « Par la nouvelle organisation des comités révolutionnaires vous privez de leur emploi plus de cinq cent mille individus. Parmi ces fonctionnaires publics il en est sans doute qui ne sont pas sans reproche, mais on ne peut se dissimuler que la masse a concouru à sauver la République. Eh bien, citoyens, les membres qui sortiront des comités révolutionnaires doivent être mis sous la protection spéciale de la nation. Si vous n'adoptez pas cette mesure, ces citoyens deviendront l'objet des *passions particulières, des vengeances et des haines.* Il faut bien peu connaître le cœur humain pour croire que celui qui a eu son père, son parent, son ami jeté dans les cachots ou conduit à l'échafaud sur la dénonciation d'un comité révolutionnaire ne conservera pas de haine contre les membres de ces comités, et ne cherchera pas à s'en venger d'une manière éclatante, si vous ne mettez un frein à ces ressentiments. Citoyens, les passions agiront encore avec plus de force dans les petites villes, et pourront y allumer le feu de la guerre civile. Je propose, pour éviter ce malheur, de décréter que les nouveaux comités révolutionnaires ne pourront décerner de mandats d'arrêt contre les membres des comités anciens pour des causes antérieures à la cessation de leurs fonctions. »

Ce texte de Ruelle était particulièrement pertinent et clair-

voyant : il anticipait sur les conséquences prévisibles de la réorganisation des comités révolutionnaires et de l'épuration des
autorités constituées et des sociétés populaires. La Convention
se débarrassa d'une grande partie de ce personnel sans grand
regret, plus ou moins consciente qu'elle ouvrait ainsi nécessairement une période où les conflits politiques et les vengeances personnelles, individuelles et familiales, se mêleraient
inéluctablement jusqu'à se confondre [1].

Les épurations dans les départements, on l'a vu, furent
confiées aux représentants en mission et placées sous leur responsabilité. Ceux-ci avaient donc pour mission, en quelque
sorte, de veiller à un matériel explosif, de le contrôler et de
manipuler le détonateur au moment jugé le plus opportun. Car
si le pouvoir central encourageait les purges, son initiative
rejoignait les attentes des élites modérées locales, souvent écar-
tées du pouvoir, sinon persécutées, pendant la Terreur et qui
avaient de plus en plus conscience des chances que leur offrait
la nouvelle conjoncture politique. La Terreur avait, certes,
exaspéré les passions politiques et s'alimentait de cette exaspé-
ration; elle ne s'affirmait pourtant comme système de pouvoir
que dans la mesure où elle avait réussi à *politiser* des clivages
sociaux et culturels *traditionnels*, des antagonismes et des
conflits locaux, nourrissant ainsi leur *violence politique*. D'où

---

1. Sur la réorganisation des comités révolutionnaires, cf. *Moniteur, op. cit.*, t. XXI,
pp. 547-549, 581-583; séances du 3 et du 7 fructidor. Nous n'avons évoqué que certains aspects de cette réforme; signalons d'autres mesures : la réorganisation des comités sectionnaires parisiens (12 comités au lieu de 48, soit un comité par arrondissement
composé de quatre sections), réforme qui affaiblissait le pouvoir des sections; le rejet de
la proposition de Chasles de procéder à l'élection de nouveaux comités (ce serait
contraire aux « principes du gouvernement révolutionnaire » et introduirait, subreptice-
ment, l' « appel au peuple », prôné autrefois par les Girondins). Le nombre avancé de
500 000 personnes qui auraient été concernées par la réforme était exagéré. En effet,
nombreuses étaient les communes où les comités révolutionnaires n'avaient jamais fonc-
tionné ou bien étaient incomplets. Barère estimait à 21 500 environ le nombre total de
comités dans le pays (cf. B. Barère, *Mémoires, op. cit.*, t. II, p. 324). Au cour du débat,
le chiffre de « 500 000 fonctionnaires » n'a pas été contesté. Comme nous l'avons
observé, la Convention, lors de ses débats sur la Terreur, manque souvent de données
précises; elle se rabat ou sur des cas particuliers ou bien sur des généralisations plus ou
moins vagues et hâtives. Les comités révolutionnaires réformés et « épurés » – qui
conservèrent une partie de leur personnel du temps de la Terreur – ont assez fidèlement et efficacement servi le pouvoir dans ses actions « antiterroristes » et « antijacobines ». Cf. M. Bouloiseau, « Les comités de surveillance de Paris sous la réaction
thermidorienne », *Annales historiques de la Révolution française*, 1973, vol. X.

les deux aspects de la Terreur : d'une part, elle étouffe et nivelle par la violence des diversités, des différences et des clivages hérités du passé, au nom de son projet politique UN, unificateur et centralisateur; d'autre part, elle reconduit par la politique, son langage, ses institutions et sa violence, des conflits régionaux et locaux, jusqu'à la moindre commune ou bourgade, et qui se confondaient alors avec des cabales et des intrigues fort anciennes. Cette structure spécifique de la Terreur, ces deux registres, en font d'ailleurs un lieu et un moment privilégiés pour l'analyse des rapports complexes entre le champ politique révolutionnaire, moderne et unificateur, et les mentalités traditionnelles, enracinées dans les particularités régionales et locales [1].

Les activités des représentants en mission ne pouvaient que se surajouter à ces configurations de la Terreur. Les pouvoirs illimités dont ils disposaient étaient, certes, l'expression même de la volonté centralisatrice du gouvernement révolutionnaire. Cependant, les représentants arrivaient dans des départements qu'ils connaissaient mal; ils étaient condamnés à s'entourer de militants politiques locaux et, partant, à subir leur influence; pour réaliser le projet national ils devaient nécessairement trancher dans le vif, parfois très brutalement et arbitrairement, des conflits et des antagonismes locaux. Ainsi, les voit-on plus ou moins impliqués non pas seulement dans les conflits qui déchiraient les autorités et les sociétés populaires locales, mais aussi dans les cabales et intrigues qu'ils découvraient souvent après coup. Leurs pouvoirs étant illimités, leur exercice traduisait nécessairement les options politiques et idéologiques de tel ou tel représentant, et, assez souvent, sa personnalité, ses passions, ses fantasmes et ses phobies (les Comités de salut public et de sûreté générale intervinrent parfois d'ailleurs dans les cas les plus flagrants d'abus de pouvoir ou d'extrémisme politique). Le « règne » de chaque représentant marquait ainsi la Terreur

1. Colin Lucas apporte une remarquable analyse des rapports de continuité et de rupture entre la violence et les conflits sous l'Ancien Régime et sous la Révolution. Cf. « Themes in Southern Violence after 9 thermidor », *in* G. Lewis and C. Lucas, ed., *Beyond the Terror*, Cambridge, 1983, pp. 152-194. Cf. également G. Lewis, *The Second Vendée. The continuity of the Counter-revolution in the Departement of the Gard. 1789-1815*, Oxford, 1978.

d'une empreinte spécifique et générait notamment toute une clientèle avide de « places ». La sortie de la Terreur dans les départements connaîtra, à son tour, des voies très diverses; elle dépendra, d'une part, de l'ampleur qu'avait prise la Terreur, de la situation ainsi créée et de la politique menée par le représentant en mission chargé de « mettre la justice à l'ordre du jour ». Puisque les institutions restaient presque inchangées, la nouvelle politique se traduisait par l'élargissement de certains détenus, par la destitution et, le plus souvent, par l'arrestation de ceux qui avaient fait montre d'un zèle particulier dans l'exercice du pouvoir terroriste, voire de ceux sur lesquels s'étaient concentrés les haines et les ressentiments. Ces mesures avaient nécessairement leurs répercussions à Paris : les personnes arrêtées ne tardaient pas, par le truchement de leurs familles et de leurs amis politiques, à alerter leurs anciens protecteurs, les représentants du département concerné ou les Jacobins. C'est ainsi que vont affluer des départements vers la capitale députations et pétitions porteuses de nouvelles aussi alarmantes que confuses : les patriotes sont opprimés, l'aristocratie et le modérantisme lèvent la tête, disent les uns; ces prétendus patriotes ne sont que des intrigants, des dilapidateurs, des buveurs de sang, des robespierristes, qui veulent échapper à leur juste châtiment, répliquent les autres. Ainsi, comme nous l'avons observé, les événements dans les départements, par le truchement de tout un réseau d'affinités politiques mais aussi d'amitiés, d'influences et de clientèle, contribuaient à la bipolarisation des positions politiques à Paris, notamment à la Convention et aux Jacobins.

Seule une étude des situations locales, qui dépasserait largement notre propos, permettrait de prendre l'exacte ampleur de cette première vague d'arrestation des « terroristes » et d'établir sa répartition par départements. Personne d'ailleurs, à vrai dire, ne se souciait trop à l'époque de connaître de telles données. L'heure n'était ni aux chiffres exacts ni aux nuances, mais aux stéréotypes tranchés. Ceux-ci correspondaient, tout au plus, aux cas extrêmes; or, la réalité complexe de la Terreur quotidienne, vécue à l'échelle d'une ville ou d'un petit bourg, était faite des situations troubles où il était difficile, voire impossible, de distinguer a posteriori entre l'excès de zèle et l'abus de pouvoir, entre l'exercice « énergique » de la justice révolutionnaire et la violence arbitraire assimilable à un délit de droit commun.

Qui emprisonnait-on donc vers la fin de l'an II ? A l'époque cette question fut violemment débattue à la Convention et aux Jacobins, dans la presse et dans les « groupes », à Paris et dans les départements. Nulle réponse globale ne pouvait embrasser la multitude des cas concrets. Les termes mêmes dans lesquels la question était formulée – « bons patriotes opprimés », « buveurs de sang », « intrigants », « spoliateurs » – impliquaient déjà une réponse. Ces termes traduisaient un des enjeux de l'affrontement politique en cours : faire prévaloir dans l'opinion publique et dans l'imaginaire collectif l'un ou l'autre cliché, et, partant, réduire les réalités complexes à une simple matérialisation de ces idées-images. Vers la fin de l'an II s'amorce le triomphe de l'idée-image du « terroriste » et « buveur de sang », mouvement qui va connaître une rapide accélération dans les premiers mois de l'an III sous l'impact de plusieurs facteurs aux effets convergents : l'émeute jacobine à Marseille au début de vendémiaire, la dénonciation des « vandales » et du « vandalisme » et, surtout, les révélations sur la Terreur à Nantes livrées par les procès du Comité révolutionnaire de Nantes et de Carrier. L'exigence de mettre « la justice à l'ordre du jour » converge de plus en plus avec un choix politique précis : le personnel politique de la Terreur est *jugé coupable* du fait même d'avoir *participé au pouvoir lui-même coupable* et « scélérat ». La représentation du « buveur de sang » légitime ainsi la *politique de revanche* comme seul moyen efficace de démanteler la Terreur. Revanche politique, certes; mais aussi revanche culturelle et sociale, contre tous ces gens ignares, issus de la « populace » que le cours des événements a, pour un moment, propulsés vers la politique, voire élevés à l'exercice du pouvoir.

Ce qu'écrivit Michelet de la vague de haine qui submergea les Jacobins pourrait s'appliquer pertinemment au ressentiment contre tout le personnel terroriste : « Ils étaient des comptables qui ne pouvaient rendre compte... Cette faculté terrible d'arrêter qui ils voulaient, faisait croire (des plus purs même), à des choses ignobles, odieuses. En voyant la lâcheté, la docilité tremblante de ceux qu'ils n'arrêtaient pas, on supposait des pactes honteux... A ceux qui pouvaient tout, la haine et l'imagination sans nulle preuve imputaient tout... A leurs brutalités passées, à leur orgueil, à leurs fureurs, on répondit par l'outrage; on leur dit : " Retournez vos poches. " [1]. »

« *La liberté de la presse ou la mort* »

« Où est donc la Convention ?... La journée du 9 thermidor a seulement préservé la France d'avoir un maître en titre reconnu, elle en avait un de fait depuis plus d'un an; mais cette journée ne fut pas une véritable révolution. Vous auriez pu, ou plutôt vous auriez dû lui donner un complément depuis; mais où sont les lois que vous avez rendues pour restituer à la nation ses droits usurpés ? Où sont les décrets exterminateurs des honteuses institutions, des institutions plus que monarchiques fondées sous les tyrans ? Que sert d'avoir détruit l'homme si tout ce qu'il a fait reste ? *La presse a été reconquise, mais c'est nous qui l'avons emportée d'assaut, les armes de la raison à la main.* Nous avons été réduits à faire cet outrage à la raison publique de falloir prouver que la liberté de manifester la pensée était un droit légitime. Il a été mis en problème dans votre enceinte. A peine donnâtes-vous le signal d'une approbation tacite de cette liberté, et aux premières résistances qu'on vous vit faire contre ce droit éternel et imprescriptible, il est resté indécidé, au jugement de beaucoup de monde, si votre tolérance à cet égard n'a pas été commandée par la force du vœu général, qui semble décréter à votre refus la garantie des écrivains libres [2]. »

La publication de « ces fortes vérités adressées à la Convention » dans un journal dont le titre même se réclame de la liberté de la presse, constitue en elle-même une démonstration du rétablissement effectif de celle-ci vers la fin de l'an II. Certes, le récit que Babeuf fait de cette reconquête est trop

---

1. J. Michelet, *Histoire du dix-neuvième siècle*, in *Œuvres complètes*, éd. par P. Viallaneix, t. XXI, Paris, 1982, p. 97.
2. Babeuf, *Journal de la liberté de la presse*, nº 10, de la fête des Vertus, premier jour des sans-culottides, an II.

héroïque, mais il est incontestable qu'après le 9 thermidor les changements intervenus dans ce domaine sont des plus spectaculaires. Le contraste est frappant avec la presse muselée pendant la Terreur, aussi morne qu'unanime dans la manifestation de son enthousiasme, qui se contentait de reprendre et de paraphraser le discours officiel. Les publications se multiplient, les journaux et les brochures gagnent en variété d'opinions politiques et en polémiques. La tyrannie d'hier est dénoncée et, à l'instar de la justice, la liberté d'expression « est portée à l'ordre du jour ». La revendication de la liberté de la presse et des opinions fait l'objet d'un débat acharné, révélateur des difficultés et des contradictions inhérentes au processus de la sortie de la Terreur. Ce débat, qui a lieu à la Convention, aux Jacobins et dans la presse elle-même, contribue à l'accélération de ce processus et la presse s'affirme à son tour comme un facteur important de cette accélération.

Une dizaine de jours après le 9 thermidor, la revendication de rétablir pleinement la liberté de la presse se fait entendre à la Convention; depuis le début de fructidor cette question préoccupe sans cesse les Jacobins. Cette liberté, on la réclame d'abord pour les victimes innocentes de la Terreur. C'est à elles qu'il revient de présenter publiquement les malheurs qu'elles avaient connus et les horreurs dont elles étaient les témoins. Dire la vérité sur le passé tout récent, c'est la prévention essentielle contre son retour.

> « Il suffit de jeter les yeux sur ce qui s'est passé depuis plus d'un an, pour faire voir que la liberté de la presse a été anéantie. Il ne suffit pas d'avoir les lois qui existent, puisqu'il est constant qu'elles ont été violées; il faut qu'il y ait une garantie sûre et indestructible, et qu'on ne craigne plus d'être guillotiné pour avoir écrit telle chose à telle époque. Pour bien détester le régime qui vient de finir, je crois qu'il est nécessaire d'en faire voir les dégoûtants effets; c'est dans la peinture des maux, que l'on faisait souffrir dans les prisons que l'indignation des bons citoyens doit trouver son aliment [1]. »

La liberté d'expression a été étouffée dans tout le pays, et ce

---

1. Réal, intervention aux Jacobins, séance du 28 thermidor, an II; cf. A. Aulard, *La Société des Jacobins, op. cit.*, vol. VI, p. 342.

n'est qu'à cette condition que la « tyrannie » de Robespierre put s'établir et s'exercer. Le « tyran » était au-dessus de toute critique; le critiquer, c'était risquer la vie; de même que critiquer ses acolytes et les innombrables violations des lois. Le rétablissement de la liberté d'expression et, notamment, de la presse est une garantie fondamentale des institutions républicaines. La condamnation unanime de la tyrannie de Robespierre trouve ainsi son prolongement logique dans l'exigence de liberté de la presse et d'opinion; son rétablissement ainsi que son plein exercice sont autant de conditions du rétablissement de la justice que la Convention a « porté à l'ordre du jour ». Vider les geôles des victimes de la Terreur, dénoncer nommément dans la presse les coupables, ces « chevaliers de la guillotine », protéger les citoyens par la parole libérée contre les abus et l'arbitraire, tels sont les trois volets d'une seule et même noble cause.

« Sans l'adoption de cette devise *La liberté de la presse ou la mort,* sans son entière exécution, nous ne sommes plus que les vils esclaves des caprices et de l'humeur tyrannique du premier homme qui, revêtu de l'autorité, pourra impunément la tourner contre nous, et s'en servir pour nous écraser. Non, non, jamais la liberté n'eut d'existence réelle dans un pays où l'on peut fermer toutes les bouches, briser toutes les plumes, enchaîner jusqu'à la pensée. La faculté naturelle à tout individu d'expliquer librement la sienne n'existe plus aujourd'hui en France... Ah! sans doute il est temps que le régime affreux de la violence, de la compression, de la tyrannie, tombe et soit à jamais anéanti; il est temps que l'homme égal de tout autre homme, jouisse sans trouble, sans peur et sans reproche, du droit d'émettre son vœu, d'énoncer son opinion, de repousser la calomnie, et de dire franchement ce qu'il pense des individus et des choses. Ce n'est que par la garantie de cette précieuse liberté que vous pourrez trouver un abri sûr contre tous les coups du pouvoir arbitraire [1]. »

« Liberté de la presse ou la mort! », le slogan n'était, certes, pas nouveau. Tallien ne faisait que reprendre à son compte les paroles de Danton pour défendre Marat contre les attaques des Girondins, en février 1793... La surenchère rhétorique allait

---

1. Tallien, intervention aux Jacobins, séance du 1er fructidor, A. Aulard, *ibid.,* pp. 354-355.

d'ailleurs de pair avec des déclarations qui restaient assez floues et abstraites. « La liberté de la presse ou la mort », assurément; mais personne ne menaçait de mort ni de prison ceux qui *après* le 9 thermidor dénonçaient le « Catilina moderne » et sa « tyrannie », et aucune voix ne s'était élevée pour défendre Robespierre. Les adversaires éventuels de la liberté de la presse n'étaient désignés que fort allusivement; fin thermidor, Tallien appelait encore les Jacobins à faire de cette liberté l'objectif principal de leurs activités et à consolider ainsi l'unité de tous les ennemis de la tyrannie.

Très rapidement pourtant, dans les deuxième et troisième décades de fructidor, la liberté de la presse se trouve au centre des débats et conflits. Le slogan pathétique, « La liberté de la presse ou la mort », divise de plus en plus l'opinion publique. En effet, on débat du rôle qui devrait revenir à l'opinion publique, et notamment à la presse, dans l'espace politique de l'après-Terreur, et de l'usage que la presse commence à faire de la liberté retrouvée, suite au relâchement du contrôle gouvernemental. Le feu a été mis aux poudres – on l'a vu – par le pamphlet *La Queue de Robespierre* publié le 9 fructidor, le jour même où Fréron prononça son discours-fleuve sur la liberté de la presse. Que disait *La Queue de Robespierre*?

« *Que vienne la liberté de la presse,* et alors seront posées publiquement et tout haut les questions que l'on se pose partout, mais tout bas : " Était-il possible que Robespierre eût fait tout le mal lui seul? " Rien d'étonnant que *la Queue de Robespierre*, les Barère, les Billaud et les Collot s'agitent dès qu'on exige la liberté de la presse : " Ah, citoyens, gardez-vous de la manie de raisonner, on ne raisonne déjà que trop dans toute la République. " A l'instar de tous les tyrans du passé, ils appellent à prendre d'urgence des mesures contre le " babil de la presse " et ses conséquences dangereuses. Ainsi on ne " raisonnera plus " sur les victimes innocentes, mitraillées à Lyon sur les ordres de Collot; aucune mauvaise langue ne contestera " la douceur et la clémence " de Billaud-Varenne et personne ne se souviendra que Barère était, à tour de rôle et selon la conjoncture, aristocrate, capitaine des feuillants, Jacobin et allié de Robespierre pour devenir aujourd'hui son ennemi mortel [1]. »

---

1. Felhémesi, *La Queue de Robespierre ou les dangers de la liberté de la presse*, 9 fructidor an II.

Le succès du pamphlet fut immédiat. Il associait, en effet, la défense de la liberté de la presse à la lutte contre la « queue » laissée par Robespierre, les « continuateurs du dernier tyran »; l'exercice de cette liberté consisterait avant tout dans la dénonciation des crimes commis hier et de la volonté de les camoufler aujourd'hui; les attaques personnelles, directes et violentes, répondaient le mieux aux attentes collectives, aux sentiments de revanche et de vengeance. Un pamphlétaire pouvait donc trouver facilement à la fois un public et des protecteurs politiques. *La Queue de Robespierre* suscitera à son tour nombre de libelles de la même veine : *Défends ta queue*; *Rendez-moi ma queue, puisque vous avez ma tête*; *Coupons-lui la queue*. Tous ces titres sont criés par des colporteurs, connaissent des « ventes prodigieuses » et jouissent de « l'empressement public ». Leur nombre croissant ainsi que leur libre circulation témoignent du climat politique nouveau et d'un nouveau rapport des forces. Révélatrice est l'anecdote qui fait les délices de la presse : une colporteuse, qui criait à tue-tête « Voilà *Les Jacobins démasqués* » dans le jardin des Tuileries, fut arrêtée par un Jacobin et conduite au Comité de sûreté générale; le Comité rendit à cette occasion « *un hommage solennel à la liberté de la presse*, en donnant à la femme arrêtée injustement un *bon* pour se faire indemniser, et en retenant celui qui l'avait mise en arrestation [1] ».

Vers la fin de fructidor, cette évolution politique est encore accentuée par la publication de trois nouveaux journaux qui, pour ainsi dire, s'emparent du terrain rendu libre à la presse. Coup sur coup, paraissent (ou reparaissent) *Le Journal de la liberté de la presse* de Babeuf (le 17 fructidor), *L'Ami du citoyen* de Tallien (reparution le 23 fructidor); *L'Orateur du peuple* de Fréron reparaît le premier (le 25 thermidor). Au-delà des particularités de chacune de ces feuilles s'affirment leurs convergences et affinités, leur commune orientation politique. Elles interviennent activement dans les débats politiques, prennent rapidement et nettement position sur des sujets

---

1. *Gazette française,* 30 fructidor an II; la même anecdote, dans une version légèrement différente, dans le *Courrier républicain,* 30 fructidor an II.

d'actualité. Les sujets préférés et les lignes de force sont les mêmes que dans les discours de Tallien et de Fréron à la Convention : dénonciation des horreurs de la Terreur et exaltation des bienfaits de la « révolution du 9 thermidor »; l'œuvre de celle-ci doit être prolongée par des « mesures énergiques » qui porteraient, notamment, « la justice à l'ordre du jour »; avoir abattu le « tyran » ne saurait suffire, il convient de détruire le « robespierrisme », le système et ses agents. Ces attaques politiques sont convergentes mais surtout, un ton nouveau, partagé de violence verbale, nourri des peurs anciennes et de l'esprit de vengeance, attise les fureurs [1].

Le changement se fait sentir partout dans les journaux, ne serait-ce qu'en raison de la publication des débats, animés et contradictoires, de la Convention. Même le *Bulletin de la Convention* et l'officieux *Moniteur* commencent à ressembler aux brûlots quand ils publient, par exemple, les comptes rendus des débats sur la dénonciation par Lecointre. A la fin de l'an II, on assiste d'ailleurs à une amorce de contre-offensive jacobine dans la presse : ainsi, le 29 fructidor, le conventionnel montagnard Chasles et l'imprimeur Lebois lancent *L'Ami du peuple*, en hommage à la feuille de Marat. Or, dès ses débuts,

---

1. Ces quelques observations trop sommaires ne prétendent guère analyser ces feuilles, leur contenu, leur rôle dans la vie politique ni leur évolution. Une telle analyse reste à mener, de même qu'une étude approfondie de la presse thermidorienne. Il faudrait, notamment, se pencher sur les particularités de chacune de ces trois feuilles, et notamment du journal de Babeuf. Comme on le sait, arrivé au numéro 23 (14 vendémiaire an III) il changera de titre en devenant *Le Tribun du peuple, ou le défenseur des droits de l'homme en continuation du Journal de la liberté de la presse*. En lisant *Le Journal de la liberté de la presse* à la lumière de la future évolution de son rédacteur, les historiens du babouvisme se sont surtout penchés sur les signes précurseurs de celle-ci. Pourtant, vers la fin de l'an II, ses affinités avec les journaux de Tallien et Fréron l'emportent largement sur les différences. Babeuf exprime d'ailleurs son admiration pour Tallien et Fréron, les « athlètes de la révolution », « les champions de la fraction des défenseurs des droits de l'homme »; Tallien, à son tour, fait l'éloge de Babeuf, « un des écrivains qui depuis le 10 thermidor a déployé le plus d'énergie » (*L'Ami des citoyens*, n° 4, 14 brumaire, an III). A la fin de l'an II la pensée de Babeuf est trouble; elle transpire la haine contre le « roi Maximilien », le « robespierrisme » et les « robespierristes »; elle nourit des espoirs sur les suites probables de la « révolution du 9 thermidor ». Éléments qui le rapprochent, tout naturellement, des autres « athlètes » de cette révolution. Contrairement aux Fréron et Tallien, routiers de la politique révolutionnaire qui mènent habilement leur jeu de transfuges du camp des « chevaliers de la guillotine », Babeuf se distingue par une assez grande naïveté politique. Ses écrits sur les massacres de Nantes et l'affaire Carrier apporteront un témoignage saisissant sur les fantasmes et les contradictions à travers lesquels se fait son évolution politique.

le nouveau journal engage une polémique très maladroite qui va se prolonger plusieurs semaines et qui mérite que l'on s'y attarde. Aveu de faiblesse, elle apporte aussi un témoignage sur le désarroi provoqué par le retournement de l'opinion publique. En effet, l'audience dont jouissent les pamphlets et les journaux antiterroristes qui, en se réclamant de la liberté de la presse, attaquent les « buveurs de sang » et les « robespier-ristes », conduit *L'Ami du peuple* à faire une distinction subtile et paradoxale grâce à laquelle le publiciste essaie de rationali-ser une évolution dont le sens lui échappe.

> « L'opinion est la reine du monde. Vérité triviale et rebattue, mais à l'ordre du jour, et qui va fournir matière à utiles réflexions. On a trop longtemps confondu l'*opinion publique* avec l'*opinion du peuple*. Le *public* n'est pas *peuple*; et rarement le peuple pense comme le public. Cette espèce de paradoxe sera bientôt une vérité démontrée. *Depuis le 10 thermidor l'opinion publique est en contre-révolution.* Pourquoi la contre-révolution n'est-elle pas encore faite? Parce que l'opinion du peuple est là, qui sert de digue à l'opinion publique. Tandis que l'aristocratie s'agite et fait grand bruit, le peuple, calme et passif, observe, réfléchit et se tait. Le silence du peuple, comme on sait, n'est pas sans éloquence et son inaction sans effet [1]. »

Ce n'est qu'un des effets paradoxaux du 9 thermidor qui « offre des contrastes et des résultats bien étranges ». D'un côté, « il a sauvé la République par le retour de la liberté, il a rendu à la représentation nationale sa dignité, à l'opinion son éner-gie »; mais, d'un autre côté, « il a infecté la République des miasmes impurs de l'aristocratie échappés du cloaque des pri-sons; il a sonné le tocsin de la diffamation et de la vengeance contre les patriotes; il a neutralisé l'esprit et l'action révolution-naires ». Du coup, le journal se fait l'interprète et le porte-parole de ce « silence du peuple » et cela sur un ton fort mena-çant. « Ce n'est pas », continue-t-il le même jour, « par les mouve-ments hypocrites de l'adulation et du mensonge, par des félicitations et des adresses, que le peuple exprime son opinion. Son vrai langage est celui qu'il tint le 31 mai, après l'achève-

---

1. *L'Ami du peuple,* n° 5, 12 vendémiaire an III; n° 19, 6 brumaire an III.

ment de la constitution de 93 et aux grandes époques de la révolution. » Tallien aura beau jeu de réfuter « ces sophismes » et de « dénoncer cette distinction » entre l'*opinion publique* et l'*opinion du peuple* : « Vous prétendez que *depuis le 10 thermidor l'opinion publique est en contre-révolution.* Quoi! vous appelez contre-révolution cette horreur profonde pour la tyrannie, qui se manifeste dans toutes les âmes, ce cri unanime qui s'élève contre les hommes de sang, contre les fripons et les dilapidateurs. Quoi! C'est être contre-révolutionnaire, que de vouloir le règne de la justice, et de se réunir autour de la Convention nationale; dans ce cas il y a eu en France 24 millions de *contre-révolutionnaires.* » Récuser l'*opinion publique* et invoquer l'*opinion du peuple* n'est qu'une « distinction *jésuitique* » (Chasles était un ex-chanoine défroqué) avancée par ceux qui ne peuvent plus se dissimuler et contre qui se prononce le peuple. « Le peuple veut la justice et non l'arbitraire. Le peuple veut la punition du crime, partout où il se rencontre. Le peuple repousse avec horreur la barbarie, l'injustice et l'immoralité. Allez dans les ateliers, dans les faubourgs, sur les places publiques, partout enfin où se réunit le peuple, interrogez-le sur le compte de Carrier et de Lebon et partout une voix unanime vous convaincra : l'*opinion publique* est bien celle du *peuple* [1]. » S'ériger arbitrairement en interprète du *peuple* que l'on oppose au *public*, c'est fonder sur cette prétendue distinction une « nouvelle aristocratie » qui veut confisquer pour elle seule l'expression de l'opinion publique.

Les polémiques et les attaques dans la presse sont particulièrement symptomatiques du climat politique passionnel qui s'installe à la sortie de la Terreur. La presse, loin d'échapper à ce climat, contribue à la poussée de fièvre. Elle devient une arme politique particulièrement redoutable en reprenant et en excitant les passions politiques qui déchirent la Convention et l'opinion publique. Quelle que soit la qualité intellectuelle de

1. *L'Ami des citoyens*, no 14, 14 brumaire an III (article signé par Tallien). Le 1er brumaire an III, le journal devient quotidien et abandonne son sous-titre *Journal patriotique* en lui substituant : *Journal du commerce et des arts par Tallien et une société des patriotes*. Méhée fils en assumait pratiquement la rédaction. Cf. E. Hatin, *Histoire politique et littéraire de la presse en France*, Slatkin reprints, Genève, 1967, vol. VI, pp. 237 et suiv.

la presse politique qui sombre trop facilement dans l'invective, la délation et le règlement de comptes, le gain en liberté, par rapport à l'époque de la Terreur, est indiscutable.

La situation est nouvelle *de fait*, résultant du retournement de la conjoncture politique, mais elle ne l'est *pas de droit* [1]. La Convention, nous l'avons observé, a pris, dans les semaines suivant le 9 thermidor, un train de mesures modifiant le dispositif juridique mis en place pendant la Terreur. Mais, elle n'a rien fait de tel dans le domaine de la presse et de son statut légal. Or, celui-ci était particulièrement ambigu. La Terreur représente une période particulièrement sombre dans l'histoire tumultueuse de la liberté de la presse sous la Révolution. La Constitution de 1793 confirmait solennellement, comme une sorte d'évidence première, la liberté de la presse : « Le droit de manifester sa pensée et ses opinions, soit par la voie de la presse, soit de toute autre manière, le droit de s'assembler paisiblement, le libre exercice des cultes, ne peuvent être interdits. La nécessité d'énoncer ces droits suppose ou la présence ou le souvenir récent du despotisme [2]. » Cependant, la Constitution de 1793 fut, tout de suite après sa proclamation, enfermée dans une « arche » et son application remise à la fin de la guerre. Elle ne change donc rien à la situation de fait qui ne cessait d'empirer avec l'affirmation de la dictature jacobine. Déjà le 9 mars 1793, la Convention votait, sous la pression de la Montagne, une loi mettant en demeure les députés journalistes d'opter entre leur mandat et leur journal. C'était une mesure discriminatoire contre les Girondins, et notamment contre Brissot et Gorsas dont les journaux jouissaient d'une très grande popularité. « Les droits de l'homme ne sont plus; toutes les lois naturelles sont foulées aux pieds; une nuit a renversé l'ouvrage de quatre ans : la liberté individuelle, la liberté de la presse... Une faction qui veut régner au milieu des ténèbres a défendu à des députés philosophes d'éclairer leurs citoyens », déclarait le

---

1. Il est d'ailleurs assez symptomatique de l'état de l'opinion publique de voir apparaître, à partir de floréal an III, *L'Accusateur public* de Richier-Sérizy, journal qui dissimulait à peine ses opinions royalistes. Cependant aucun journal n'osa prendre la défense du « nouveau Catilina » ou de son « système ».

2. Article 7, *Les Constitutions de la France depuis 1789*, présentation par J. Godechot, Paris, 1979, p. 80.

lendemain Brissot dans *Le Patriote français* (n° 1306), en
annonçant qu'il se trouve obligé d'abandonner la direction de
son journal. Le 29 mars 1793, la Convention décréta que
seraient punis de mort ceux qui appellent au retour de la
monarchie ou s'attaquent à la propriété privée. Après le coup
de force du 31 mai, la presse girondine disparaît; la loi des suspects statue que « sont réputés suspects tous ceux... qui soit par
leur conduite, soit par leurs relations, soit par *leurs propos ou
leurs écrits*, se sont montrés partisans de la tyrannie et du fédéralisme, ennemis de la liberté ». Le 17 octobre, une autre loi
statue sur la responsabilité personnelle des éditeurs de tout écrit
contenant des critiques contre la Convention et les Comités. La
condamnation à mort de plusieurs Girondins se fondait sur
leurs opinions exprimées dans la presse comme journalistes. Le
peu qui demeurait encore de la liberté de la presse disparut
avec la répression qui s'abattit sur *Le Vieux Cordelier*, journal
qui défendait précisément avec force courage la liberté
d'expression, et sur les hébertistes, avec lesquels sombra *Le
Père Duchesne*. Il ne resta de la presse que les titres méti-
culeusement contrôlés par le pouvoir jacobin qui, d'ailleurs, en
subventionnait une partie. Cette presse ne parlait que d'une
seule voix et se contentait de répéter le discours dominant à la
Convention et aux Jacobins. Malgré ce zèle, la méfiance envers
les journalistes et la presse persista et ne cessa de se manifester
à la tribune des Jacobins et à la Convention [1].

Si, après le 9 thermidor, les Comités ne prirent guère l'initiative d'abolir les lois sur les délits de la presse ni de proposer
des garanties nouvelles pour la liberté d'expression, le pouvoir
néanmoins relâcha sa mainmise. Il était, d'ailleurs, impuissant
à la maintenir. La « chute du tyran » avait fait tomber des barrières, comme en témoignaient les débats, vifs et contradictoires,
à la Convention et aux Jacobins; la presse, en gagnant en
vigueur et en liberté, ouvrit à son tour de nouvelles brèches. La
liberté était reconquise mais elle demeurait très fragile; d'où
l'importance de l'initiative proposant de l'affermir et de la pro-

---

1. On trouvera une récente mise au point sur l'histoire de la presse sous la Terreur
et, notamment, sur la répression contre les journalistes, *in* H. Gough, *The Newspaper
Press in the French Revolution*, London, 1987.

téger contre toute emprise du pouvoir, par des garanties légales et institutionnelles.

Le discours de Fréron du 9 fructidor sur la liberté illimitée de la presse est remarquable par les idées qu'il avance mais également par ses silences. Or ceux-ci expliquent en grande partie la résistance à laquelle il se heurtera. Comme plusieurs autres textes de la période, ce discours vaut d'abord comme un essai d'analyse à chaud des mécanismes de la Terreur et des enseignements que l'on peut en tirer pour prévenir son retour. Comme tant d'autres discours, ce texte est également l'une des armes d'une offensive politique soigneusement préparée. Le seul rapprochement des dates révèle déjà une tactique, voire une manœuvre politique que nous avons déjà évoquée : Fréron parle le 9 fructidor, donc le jour même où est publié *La Queue de Robespierre*; le 11 fructidor Tallien prononce son discours sur le « système de la Terreur » et sur la justice à porter à l'ordre du jour; le 12 fructidor, Lecointre dresse son réquisitoire contre les sept membres des Comités.

Fréron commence par une réflexion générale sur la place qui revient au 9 thermidor dans « l'immense chaîne d'événements accomplis en France ». Or, dans ce « court espace de cinq années, qui toutes occuperont les siècles sous le nom général de la *révolution française* », le 9 thermidor s'inscrit comme la quatrième révolution, après celles qui se sont successivement attaquées à la noblesse et au clergé, à la monarchie et, enfin, au fédéralisme. Cette quatrième révolution était, peut-être, la plus difficile à accomplir car l'ennemi était alors le plus perfide et le plus dissimulé. La comparaison avec la Révolution anglaise (Fréron reprend ainsi à son compte le paradigme de la réflexion française qui s'est installé depuis 1789) prouve à la fois la répétition de ce genre d'expérience dans toute révolution ainsi que la supériorité de la Révolution française. Plus heureuse que l'Angleterre, parce qu'elle avait plus de Lumières, parce qu'elle était plus digne de l'être, la France devait donner une grande leçon : « elle devait avoir un Cromwell, mais elle ne devait pas avoir un maître ».

Car Robespierre était, certes, un nouveau Cromwell, encore plus dangereux et ambitieux. Il appartient à l'histoire de dres-

ser « la vie du tyran Robespierre, son portrait tout entier »,
mais les mécanismes de son système de tyrannie d'ores et déjà
sont à mettre à nu. Dans ce système, « artistement gradué, il
avait entrepris, sous le prétexte du gouvernement révolutionnaire, de mettre la Convention au-dessus des principes, les
deux Comités au-dessus de la Convention, le Comité de salut
public au-dessus du Comité de sûreté générale, et lui seul au-
dessus du Comité de salut public ». C'est ainsi qu'il a supprimé
la liberté d'expression et cela jusqu'à l'enceinte de la Convention, « où aurait dû se réfugier la liberté des opinions quand
elle aurait été exilée de toute la terre », et où « il fallait faire le
sacrifice de sa vie, pour avoir un avis contre celui de Robespierre ». Toute la machine de la Terreur : le système du « plus
infâme espionnage »; les geôles regorgeant de prisonniers innocents; les « complots » fabriqués; enfin « un tribunal d'assassins », imposait un silence de mort à la Convention et dans tout
le pays.

Dresser ce tableau du « système de terreur et de sang »,
n'est-ce pas « craindre d'avoir accusé la Convention nationale
auprès de la France, et la France elle-même auprès de l'Europe
et de l'humanité ?... N'avons-nous pas à rougir comme à gémir
de tant d'excès et de tant de maux que nous avons soufferts ? »
Or, seuls des hommes perfides, des complices et continuateurs
du « tyran » dénigrent la Convention, sous prétexte de dénoncer
une responsabilité collective. On retrouve dans le texte de Fréron un leitmotiv du discours thermidorien : disculper la
Convention de toute responsabilité dans la Terreur; lui redon-
ner confiance à elle-même et rehausser son prestige. « Le tyran,
qui opprimait ses collègues plus encore que la nation, était tellement enveloppé dans les apparences des vertus les plus populaires; la considération et la confiance du peuple, qu'il avait
usurpées par cinq années d'une hypocrisie sans négligence, formaient autour de lui un rempart si sacré, que nous aurions mis
la nation et la liberté elle-même en péril si nous nous étions
abandonnés à notre impatience d'abattre plus tôt le tyran. » (La
Convention accueillit par des applaudissements prolongés ces
paroles de réconfort moral dont elle avait tellement besoin...)

La Convention s'est divisée dans ses opinions sur la mort de

Capet et ces divisions ont pesé lourd sur la suite des événements; la Convention a manifesté son unanimité en votant la mort du nouveau tyran. Cette unité face au péril commun a déjà inspiré les premiers « actes sublimes » qui ont « arrêté la tyrannie et corrigé quelques-uns de ses désordres horribles... Hâtons-nous de mettre à profit cette rénovation de nos sentiments et de nos âmes pour achever les travaux législatifs que la République a commandés à la Convention ».

Rétablir la liberté de la presse, c'est donc contribuer à la réalisation de deux importants objectifs : corriger dans l'immédiat les abus issus de la Terreur, à plus long terme, *achever la Révolution* grâce aux travaux de la Convention. L'époque sanglante qui appartient au passé a légué une leçon fondamentale.

> « Le tyran avait étouffé en même temps la liberté des discussions par laquelle la Convention aurait pu le dénoncer à la nation, et la liberté de la presse, par laquelle la nation l'aurait dénoncé à la Convention. Cet exemple terrible nous apprend combien la liberté de la presse est nécessaire pour effrayer, pour dévoiler et pour arrêter les complots des ambitieux. »

Mais Robespierre lui-même n'avait pas osé dire ouvertement qu'il n'était plus permis d'imprimer. Ainsi aucune loi n'avait été arrachée à la Convention qui supprimerait la liberté de la presse et enlèverait au peuple « la jouissance du premier des droits de l'homme », celui de « la liberté indéfinie de tout penser, de tout dire, de tout écrire, de tout imprimer ». La Convention n'a jamais oublié que la Révolution a commencé « par les lumières que la presse avait répandues sous les yeux mêmes des despotes ». Cependant, le « dernier tyran... aussi artificieux que cruel » agit en sorte que « la hache était suspendue sur toutes les têtes qui auraient usé de cette liberté... Et combien il avait raison de croire que ce forfait lui était nécessaire pour accomplir tous ses autres forfaits; pour faire rétrograder la liberté, il fallait bien qu'il fît rétrograder les lumières qui en avaient été l'origine ». Ainsi, tout en n'étant jamais abolie formellement, la liberté de la presse n'existait plus. D'où l'urgence et de sa confirmation solennelle et de son rétablissement effectif.

Fréron en vient alors à discuter du rôle d'une presse libre dans le perfectionnement futur des institutions républicaines. Depuis 1789, un des problèmes essentiels au cœur des débats constitutionnels était celui des moyens à inventer qui assureraient les avantages d'une démocratie directe à un peuple *moderne*, auquel est interdite, ne serait-ce qu'en raison de sa taille et de son grand nombre de citoyens, la pratique de la démocratie représentative [1]. Or, il revient à Fréron de mettre en rapport ce sujet classique, pour ainsi dire, de la réflexion sur les institutions démocratiques avec la liberté de la presse. La démocratie suppose, d'une part, que la loi est l'expression de la volonté générale mais le système représentatif entraîne comme sa conséquence inévitable de faire des lois l'expression réelle de la raison et du vœu de quelques centaines de membres de l'assemblée nationale. Or, grâce à une presse libre, « ce défaut de la représentation s'efface ou du moins se corrige ». Par la presse, toute la Nation, si elle ne concourt pas à l'émission des suffrages de l'assemblée, peut concourir effectivement aux délibérations qui la préparent.

> « Par elle les représentants et les représentés tendent sans cesse à se confondre, et la démocratie existe chez une nation de vingt-cinq millions d'hommes, quoiqu'il n'y ait que huit cents législateurs. »

Ainsi, la Révolution réaliserait une œuvre inédite dans l'histoire, considérée jusqu'alors comme « chimérique » même par des hommes de génie, « donner au gouvernement représentatif les caractères essentiels de la plus pure démocratie ».

Ce n'est qu'en revenant à ses principes fondateurs et immuables que la Convention pourrait à la fois tirer toutes les leçons qui s'imposent de l'expérience néfaste de la Terreur et construire un nouvel espace politique pour l'avenir. Or, en matière de liberté de la presse ce principe fondamental ne fait aucun doute et ne souffre aucun régime provisoire :

---

1. Sur l'importance de cette problématique dans les débats constitutionnels, notamment pour la définition même du champ politique démocratique, cf. B. Baczko, « Le contrat social des Français : Sieyès et Rousseau », *in* K.M. Baker (ed.), *The Political Culture of the Old Regime*, Oxford, 1987, pp. 493-512.

« *La liberté de la presse n'existe pas si elle n'est pas illimitée;
toute borne en ce genre est un anéantissement.* Qu'aujourd'hui
même cette source de lumières qui jaillit incessamment de la liberté
de la presse soit donc rouverte, et sur ce sanctuaire des lois et sur
toute l'étendue de la République, et, à la clarté dont par elle nous
serons environnés, agitons toutes les grandes questions de l'organisation qui ne sont pas encore décidées, ou qui ne l'ont pas été à la
satisfaction des patriotes, les plus éclairés de la France et des sages
de l'univers. »

Certes, la liberté illimitée de la presse ne va pas sans risques;
ce « flambeau du genre humain » pourrait devenir un instrument nuisible dans « les mains de quelques incendiaires ».
Risques pourtant minimes si on les compare aux avantages
offerts par la liberté de la presse. Le décret, proposé par Fréron
en conclusion de tous ces développements, était assez vague;
c'est une déclaration solennelle confirmant le principe de la
liberté illimitée de la presse et condamnant toute tentative de
retour aux pratiques de la Terreur.

« La presse est libre; dans aucun temps, pour aucun motif, et
sous aucun prétexte, elle ne recevra aucune atteinte ni effet rétro-
actif. Tout corps législatif, tout comité gouvernant, tout pouvoir
exécutif qui, par décret, arrêté ou voie de fait, arrêtera ou gênera la
liberté de la presse, se mettra et se déclarera, par cela seul, en état
de conspiration contre les droits de l'homme, contre le peuple et
contre la République [1]. »

Le discours de Fréron annonce plus qu'il ne formule explicitement et c'est ainsi qu'il fut perçu. Au-delà de l'exaltation de
grands principes, des réflexions sur l'avenir de la démocratie,
des envolées rhétoriques, le public y entendit des propos
d'actualité politique. Un mois après le 9 thermidor, c'est
l'heure du soupçon généralisé; on flaire les intrigues, les coups
fourrés, les manœuvres suspectes. Le discours d'un Fréron ne
pouvait y échapper, d'ailleurs à juste titre. Fréron exalte la
liberté de la presse et fait miroiter l'amélioration des institutions républicaines; cependant il ne dit rien du gouvernement

---

1. Toutes les citations sont empruntées au discours de Fréron sur la liberté illimitée
de la presse, cf. *Moniteur, op. cit.*, vol. XXI, pp. 601-605.

révolutionnaire en vigueur « jusqu'à la paix », et, partant, du régime d'exception qui suspend les droits constitutionnels. Confirmer la liberté de la presse, et la déclarer illimitée, hors de toute surveillance de « tout Comité », n'est-ce pas déjà remettre en cause le principe même de ce gouvernement ? Fréron discourait sur l'importance de la presse pour le bon fonctionnement du gouvernement représentatif; cependant, il n'a même pas mentionné les sociétés populaires. Si la presse devait être, en quelque sorte, le substitut d'une démocratie directe, les sociétés populaires ne perdraient-elles pas du coup la raison même de leur existence ? Attribuer à la presse un rôle exceptionnel dans le fonctionnement des institutions républicaines, n'est-ce pas une ruse pour en faire un contre-pouvoir face à l'Assemblée et, partant, ériger les journalistes, ces « folliculaires », en forgeurs d'opinion publique, égalant ou même dépassant en importance les représentants du peuple ? Fréron exaltait le sublime principe de la liberté de l'opinion et de la parole; mais personne n'a oublié l'usage qu'il en avait fait lui-même dans son *Orateur du peuple*, sa plume venimeuse, sa démagogie sans vergogne, les attaques personnelles les plus basses qu'il avait justifiées en se réclamant précisément de la liberté de la presse. Fréron exaltait l'unité de la Convention, retrouvée et confirmée le 9 thermidor, mais dans les couloirs de la Convention le bruit courait que Tallien avec Fréron préparait un « coup », un 9 fructidor qui succéderait au 9 thermidor ». Célébrer l'unité, n'était-ce pas le meilleur moyen, maintes fois éprouvé, pour dissimuler une cabale politique ? Dans son discours, Fréron a fait d'ailleurs allusion à la nécessité de punir les coupables. Réclamer la liberté illimitée de la presse au moment même où les colporteurs « crient » dans Paris *La Queue de Robespierre*, n'est-ce pas faire d'un principe, présenté comme sacro-saint, un simple prétexte pour mieux préparer la revanche politique ?

La Convention ne ménage pas ses applaudissements « répétés et unanimes » au discours de Fréron mais se refuse à voter son projet de loi et le renvoie au Comité de législation, meilleure manière de l'enterrer. Les objections et les réserves soulevées pendant le débat étaient multiples. Certes, personne ne contestait le principe même de la liberté de la presse. Au contraire, ceux qui s'opposent le plus à l'acceptation du projet de loi ne cessent de souligner le caractère « sacré » de ce principe. Des députés, montagnards pour l'essentiel, avancent plusieurs réserves. Réserves formelles d'abord : le principe ayant été proclamé solennellement dans le « code des droits de l'homme » jamais renié par la Convention, même aux moments les plus cruels de la « tyrannie », sa confirmation n'est que superflue. Réserves sur le caractère trop vague du projet de loi : il ne suffit point de proclamer la liberté de la presse; toute l'expérience de la Révolution prouve qu'une telle proclamation devrait être accompagnée de certaines restrictions concernant, notamment, les abus et les calomnies, qui doivent être punis. Comment apporter pourtant de telles restrictions sans remettre dès lors en cause la liberté *illimitée* de la presse? D'autre part, cette liberté, avec le droit à la polémique, ne représenterait-elle pas la meilleure protection contre tous les abus? Arguments et controverses classiques, pour ainsi dire; en effet, ils resurgissaient chaque fois quand les assemblées successives discutaient des projets de loi sur la presse. La Convention devait donc à la fois reconnaître la liberté de la presse, – ce qu'elle avait déjà fait dans la Constitution – et la restreindre, en définissant *pour qui* elle existait, et en fixant, dans les *faits*, des limites nullement reconnues par la Constitution. A cela s'ajoutaient des arguments plus spécifiquement liés à la situation politique : le pays n'est pas dans « un temps ordinaire ». En suivant à la lettre la Déclaration des droits de l'homme, la Convention n'aurait jamais décrété la création des comités de surveillance, et pourtant elle les a unanimement jugés nécessaires (Cambon). D'autre part, de la définition de la *liberté* comme *indéfinie* s'ensuivrait-il que les royalistes et les Vendéens pourraient avancer et publier leurs idées politiques, et, notamment, attaquer des « hommes purs et intègres sur leurs actions politiques [1] » (Amar)?

Après le débat sur la dénonciation de Lecointre et l'afflux de nouveaux libelles antijacobins, les soupçons et les craintes avan-

---

1. *Ibid.*, pp. 605-606.

cés au conditionnel pendant le débat sur le projet de Fréron, deviennent certitudes chez les Jacobins. Fréron et Tallien *voulaient* la liberté de la presse pour camoufler leurs intrigues et pour donner la parole aux aristocrates, royalistes et Vendéens. La liberté indéfinie de la presse ne peut que perdre la République car elle est incompatible avec le gouvernement révolutionnaire. En expulsant de son sein Fréron, Tallien et Lecointre, la Société des Jacobins a démasqué les calomniateurs; les lois révolutionnaires ont posé des limites à la liberté exigées par la protection de cette même liberté : « Je m'attends bien que l'on viendra faire croire que les Jacobins ne veulent pas de la liberté de la presse; cela est faux. Les Jacobins rejettent seulement la liberté indéfinie, qui n'est pas conciliable avec le gouvernement révolutionnaire [1]. »

Pourtant, le cap de l'an II fut franchi sans qu'aucune restriction fût imposée à la presse et les attaques contre les « terroristes » ne firent que croître. Les procès du Comité révolutionnaire de Nantes et de Carrier ainsi que les attaques contre les Jacobins atteignirent leur paroxysme. Les Montagnards et les Jacobins, exaspérés par les journaux et les innombrables brochures qui s'acharnaient contre eux, en les accusant de vouloir sauver les « noyeurs », se décidèrent à contre-attaquer. L'épisode, en lui-même mineur et sans grandes conséquences, ne témoigne pas seulement du déchaînement des passions que suscite la liberté de la presse, il éclaire certains traits de la culture politique de la Révolution.

Le 18 brumaire an III, à la fin d'une séance houleuse de la Convention, Cambon alla jusqu'à accuser Tallien d'être un « massacreur » responsable des massacres de Septembre, et un voleur, qui avait détourné sans vergogne l'argent public, alors qu'il s'érigeait désormais dans son journal en censeur moral. A la suite de cet échange d'amabilités, Goupillon (de Fontenay) proposa que les Comités revoient « *la question tant de fois débattue, à savoir si un représentant du peuple peut être en*

---

1. Cf. A. Aulard, *La Société des Jacobins, op. cit.*, vol. VI, pp. 407 et suiv. (séance du 17 fructidor), pp. 417 et suiv. (séance du 19 fructidor), pp. 517 et suiv. (séance du 5 vendémiaire an III).

même temps journaliste ». A l'appui de cette proposition il argua :

> « De quel droit un individu vient s'ériger ici en tribunal universel. Comment! On pourra calomnier, et l'on sera quitte en disant : j'ai eu tort! Je déclare que tout faiseur de libelles, tout journaliste qui est en même temps représentant du peuple, est l'homme le plus méprisable à mes yeux. Un représentant doit être au Comité ou à la Convention et, aux heures où il ne peut être à l'un ou à l'autre de ces deux postes, il doit s'occuper à méditer les objets qui seront discutés à la Convention. Il ne doit pas faire un vil trafic de la calomnie, ni calculer si, en disant du mal de tel ou tel individu, il vendra six mille feuilles de plus que s'il n'en parlait pas. »

Fréron et Tallien étaient assurément visés au premier chef. La proposition, qui trouve des appuis sur les bancs de la Montagne, reprend curieusement la loi du 9 mars 1793, que nous avons déjà évoquée, et qui statua précisément sur l'incompatibilité de deux fonctions : être journaliste et être représentant du peuple. L'image du représentant qui consacre tout son temps et toutes ses pensées à sa mission était, certes, démagogique, et tout le monde en convenait. Cette démagogie exploitait pourtant un fonds d'idées et de représentations communément accepté sur les démarcations de deux espaces à respecter : celui d'activités par excellence politiques et publiques que constitue l'Assemblée représentative où s'exprime la volonté générale, et l'espace d'opinions et d'intérêts particuliers, où, par la force des choses, se forment des cabales et des factions et auquel appartient la presse. En mars 1793, les Jacobins argumentaient ainsi contre les Girondins en les accusant d'attaquer dans leur presse la Convention en se situant à l'extérieur d'elle et en formant ainsi une « faction ». Or, curieusement, en brumaire an III, la même argumentation sera retournée contre les Jacobins. En réplique à Goupilleau, on ne lui rappellera pas seulement que la Convention fut obligée d'annuler ce décret de mars, car elle avait senti qu'il était injuste et dangereux; mais on l'interrogea, pour savoir si un représentant du peuple doit effectivement consacrer tout son temps et toutes ses pensées à la Convention pour contribuer à mieux dégager la volonté générale, sur l'appartenance de ce représentant à une société *particulière, voire exclusive* : Comment peut-on être à la fois représentant et critiquer la Convention de *l'extérieur*? Autrement dit, comment peut-on *à la fois reconnaître la Convention comme le seul centre de ralliement et être jacobin* [1]?

Comment peut-on être jacobin?

Le 9 thermidor la Convention a fait *sa* révolution et elle l'a faite *unanime.* Cette unanimité, elle l'a exprimée par ses cris *A bas le tyran!* ainsi que par la mise hors la loi de Robespierre, de ses acolytes et de la Commune, déclarés rebelles contre la représentation nationale, seule autorité légitime. La victoire et la nouvelle époque, ouverte par l'« heureuse révolution », étaient ainsi placées sous le signe de la Convention comme seul et unique « point de ralliement ». Cela supposait pourtant une Convention elle-même unie, qui ne connaîtrait plus ni déchirements ni divisions, une fois les « conspirateurs » éliminés. Cela supposait aussi qu'il n'existerait plus qu'un *seul centre du pouvoir.*

Dans les jours et semaines qui suivent le 9 thermidor, la Convention adopte un train de mesures qui devaient renforcer son rôle effectif dans l'exercice du pouvoir. La Convention assure à ses propres membres un minimum de sécurité en adoptant des dispositions légales prévenant leur arrestation arbitraire (elles seront encore complétées en brumaire an III, lors de l'affaire Carrier). La Convention se protège également contre tout éventuel resurgissement d'un contre-pouvoir sous la forme d'une nouvelle Commune de Paris. Elle tire ainsi les leçons à la fois du 9 thermidor et des « journées » antérieures, notamment de celle du 31 mai quand elle avait été assiégée et menacée par les canons braqués sur elle. Privé de municipalité élue ou émanant de ses sections, Paris devait désormais être administré directement par le pouvoir central ou des organes nommés par celui-ci. Un autre décret réduit le nombre de comités révolutionnaires parisiens de 48 à 12, un par arrondisse-

---

1. Cf. *Moniteur, op. cit.,* vol. XXII, pp. 459-460. La séance se termina dans le chaos, les huées et les insultes. Goupilleau lui-même retira sa proposition.

ment composé de quatre sections, leur contrôle devenant ainsi plus facile. Finalement, la Convention prend des dispositions affirmant son pouvoir réel sur ses propres comités, notamment sur les Comités de salut public et de sûreté générale. Dans un premier mouvement, le 11 thermidor, elle décide le renouvellement des Comités par quarts, tous les mois, chaque membre renouvelé devant attendre un mois avant de pouvoir y retourner. La refonte plus fondamentale de l'organisation des Comités et de leurs compétences respectives intervient plus tard, au terme d'un débat large. Cambacérès a, peut-être, le mieux fait ressortir les enjeux. La Convention marche entre deux écueils : l'abus du pouvoir et son relâchement. Il s'agit de prévenir « le retour de l'état d'oppression d'où nous venons de sortir », tout en conservant les principes du gouvernement révolutionnaire, ce « palladium de la République... dont dépend le salut de la patrie et notre existence individuelle ». Réorganiser les Comités, c'est donc donner à la Convention elle-même une « constitution révolutionnaire ». Sa base inébranlable, garantie contre tout retour d'une tyrannie, réside dans la confirmation du principe même du système représentatif : « La Convention *seule est le centre du gouvernement*; ... elle *seule* a mérité la confiance du peuple... La Convention *seule* doit avoir la puissance législative; c'est un droit que le peuple souverain n'a confié qu'à elle, et qu'il ne lui est pas libre de déléguer. » Les Comités n'auraient donc pas la faculté d'interpréter les lois et leurs arrêtés seraient limités aux objets de pure exécution. L'action du gouvernement doit être rapide et uniforme, d'où le besoin de confier l'exercice du gouvernement à quelques membres choisis, en les dotant de tout le pouvoir nécessaire pour atteindre leurs buts mais en contenant ce pouvoir dans des limites précises. La nouvelle organisation des Comités marqua effectivement à la fois la continuité et la rupture par rapport à l'avant-9 thermidor. Le Comité de salut public est conservé mais ses attributions sont limitées. Les « commissions exécutives », sortes de ministères, sont indépendantes de lui et subordonnées aux Comités respectifs élus par la Convention; le Comité de salut public perd aussi le droit de présenter à la Convention la liste des membres proposés aux autres Comités. De même, le

Comité de salut public se voit privé d'une grande partie de ses attributions relatives à l'administration publique et à la justice, au profit des Comités de sûreté générale et de législation. Le pouvoir du gouvernement est ainsi décentralisé au profit de la Convention et de ses divers Comités. Le Comité de salut public conserve toutefois la direction des opérations militaires, de la diplomatie, le droit de réquisitionner des personnes et des biens, d'arrêter des fonctionnaires et agents civils. Cette décentralisation demeure relative : d'une part, le Comité de salut public transgressera souvent ses pouvoirs; d'autre part, le Comité de sûreté générale gagne énormément en importance : c'est à lui surtout qu'incombera la tâche de « porter la justice à l'ordre du jour », de libérer des personnes arrêtées avant le 9 thermidor et de mener à bien l'action répressive contre l'ancien personnel terroriste. De même le poids du Comité de législation augmente dans l'exercice du pouvoir central [1].

Tout en rééquilibrant l'exercice du pouvoir entre l'Assemblée et ses Comités, la Convention n'envisage guère, même pour un instant, de remettre en question le caractère illimité de son propre pouvoir. Personne à la Convention ne pense non plus que la « révolution du 9 thermidor » offrirait la chance de faire appliquer la Constitution qui depuis août 1793 se trouvait solennellement enfermée dans son « arche », en attendant des temps meilleurs. Quand, quatre semaines après le 9 thermidor, le club de l'Évêché, où s'agite Babeuf, demande « d'affermir et de prolonger » la révolution contre le « tyran », par la proclamation de la liberté illimitée de la presse et par l'élection des comités révolutionnaires lors de prochaines assemblées décadaires, cette demande est rejetée avec indignation par la Convention. Le refus et la condamnation de l'idée même de « recourir au peuple » sont unanimes et jouissent de l'appui total et « énergique » des Jacobins. Ces derniers décident même d'envoyer leurs membres aux assemblées sectionnaires suscep-

---

1. Cf. *Moniteur, op. cit.*, t. XXI, pp. 473-474 (discours de Cambacérès du 24 thermidor), et pp. 458 et suiv. Cf. A. Aulard, *Recueil des actes du Comité de salut public...*, l.c. vol. XVI, pp. 310-320 (texte du décret relatif au Comité de salut public et aux autres Comités de la Convention nationale, du 7 fructidor an II). Cf. aussi le commentaire dans J. Godechot, *Les Institutions de la France sous la Révolution et l'Empire*, Paris, 1951, pp. 279-281.

tibles d'appuyer cette motion (laquelle est soutenue d'ailleurs par la section du Muséum). Leur motion est dénoncée comme une attaque déguisée contre la Convention et le gouvernement révolutionnaire, sous le prétexte, démagogique et contre-révolutionnaire, de restituer les droits électoraux du peuple [1]. En revanche, le bon exemple est donné par ces innombrables adresses qui félicitaient la Convention de « sa révolution », qui appelaient les « sages législateurs », « pères de la Nation », à demeurer et à poursuivre leur œuvre, confirmant ainsi la légitimité incontestée et incontestable de la représentation nationale ainsi que son unité inébranlable avec le peuple.

Ainsi, le 9 thermidor semble confirmer et revigorer l'image d'un peuple *un* et *uni*, ne connaissant qu'un seul *centre*, son « point de ralliement », la Convention. Toute cette imagerie est soigneusement cultivée et exploitée par le pouvoir. Or, à la fin de l'an II, cette imagerie se disloque inévitablement. Le « centre de ralliement », la Convention, est de plus en plus divisé et n'arrive pourtant ni à admettre ses divisions ni à les surmonter. Constituait-elle d'ailleurs le « seul centre » ? Rien de moins sûr. Sortir de la Terreur, c'était nécessairement résoudre le problème proprement politique posé par le rôle qui revenait aux Jacobins dans les structures du pouvoir léguées par la Terreur ainsi que dans la vie publique dans son ensemble.

« Nous ne devons faire qu'une famille. Celui qui ne voudra pas être libre sera chassé de son sein; car nous sommes tous frères. Les Jacobins, c'est la Convention! La Convention, c'est le peuple! Et la Société est éternelle comme la Liberté [2]! » En

---

1. Cf. *Moniteur, op. cit.*, t. XXI, p. 694 (séance du 20 fructidor). La Convention *à l'unanimité* passe à l'ordre du jour sur la pétition du Club demandant « la liberté illimitée de la presse et l'éligibilité des fonctionnaires publics par les assemblées du peuple ». Billaud-Varenne, qui, depuis sa dénonciation par Lecointre prend assez rarement la parole à la Convention, trouve utile d'attaquer le Club et de proposer de confier au Comité de sûreté générale cette affaire : « Le Club électoral a été toujours un foyer de contre-révolution. Il prit part à la conspiration d'Hébert; aujourd'hui qu'une nouvelle conjuration semble s'élever, on le met encore en avant; car il faut remarquer que *l'orateur ne savait pas lire* » (*sic*!). Ainsi pour Billaud, Babeuf n'était qu'un complice de la « nouvelle conspiration » tramée par Fréron et Tallien; la proposition du Club ne chercherait qu'à saper le gouvernement révolutionnaire. Les Jacobins appelaient d'ailleurs leurs membres à aller aux assemblées sectionnaires pour combattre la pétition du Club électoral (cf. A. Aulard, *Société des Jacobins, op. cit.*, t. VI, pp. 386-387). Le Club a été définitivement fermé en brumaire an III, sous prétexte d'agissements séditieux.

2. A. Aulard, *La Société des Jacobins, op. cit.*, t. VI, pp. 305; 335 et suiv.

s'adressant ainsi aux Jacobins, le 11 thermidor, Collot d'Herbois dissimule mal, sous cette formule incantatoire, l'admonition la plus sévère. En effet, au lendemain du 9 thermidor, les Jacobins se retrouvent en très mauvaise posture : dans la nuit du 9 au 10 thermidor, la Société avait adopté, nous l'avons remarqué, une position très ambiguë. L'assemblée avait, d'abord, soutenu la Commune; mais à mesure que les événements évoluaient au détriment de celle-ci, l'assemblée de la Société devint de plus en plus hésitante, et, surtout, son assistance de moins en moins nombreuse. Finalement, à l'aube, Legendre, à la tête d'un petit détachement de la garde nationale, fit vider la salle, ferma la porte et remit solennellement les clés au président de la Convention. Geste ô combien symbolique, complémentaire, en quelque sorte, de la mise hors la loi de Robespierre et de ses acolytes. En effet, le pouvoir exceptionnel détenu par Robespierre dans le système de dictature montagnarde, et tout particulièrement pendant la Terreur, dépendait largement de la position stratégique qu'il occupait : son magistère, politique et moral, s'exerçait *à la fois* à la Convention et aux Jacobins. Position charnière donc, et en l'occupant Robespierre semblait incarner et fusionner en lui seul les deux principes de légitimité dont se réclamait le gouvernement révolutionnaire – le système représentatif et la démocratie directe. Le talent politique de Robespierre consistait, entre autres, dans sa remarquable habileté à manier simultanément les deux leviers du pouvoir dont il disposait grâce à sa position clé au Comité de salut public et au groupe dirigeant de Jacobins. Robespierre assurait la subordination des Jacobins, de la Société mère et des sociétés affiliées, aux décisions du Comité de salut public, mais c'est aux Jacobins qu'il faisait d'abord discuter et approuver les décisions et les projets de loi que la Convention se contentait, ensuite, d'entériner. Ainsi, les représentants qu'il dénonçait aux Jacobins ne nourrissaient guère d'illusions sur leur avenir politique, voire sur leur avenir tout court. Le 8 thermidor, Robespierre comptait encore qu'il pourrait jouer efficacement de ces deux registres, en répétant le soir, aux Jacobins, le réquisitoire qu'il venait de prononcer le matin à la Convention. L'appui enthousiaste du club devait lui servir le lendemain, 9 thermidor, de puissant instrument de pression sur la Convention. Mais, pour la première et la dernière fois, la mécanique du pouvoir se grippa, puis se brisa.

Les vainqueurs du 9 thermidor avaient donc maintes raisons de se méfier des Jacobins. Les raisons qui les conduisirent à rendre les clés et à faire rouvrir la salle n'ont jamais été explicitées mais elles se laissent deviner. Elles tenaient à l'autorité et au prestige de la Société ainsi qu'aux fonctions qu'elle avait acquises comme rouage essentiel du pouvoir. Au lendemain du 9 thermidor on imaginait mal la continuité du gouvernement révolutionnaire sans l'appui des Jacobins et, partant, des sociétés affiliées. D'autre part, l'expérience, à la fois politique et technique, accumulée pendant la Terreur, notamment celle des représentants en mission, démontrait que manier les sociétés populaires était parfois une affaire délicate, mais qu'elles s'accommodaient en fin de compte, grâce notamment aux épurations, à suivre docilement la politique du pouvoir central, quels que fussent les revirements les plus brusques.

> « Que cet exemple [celui de Robespierre] », disait Billaud-Varenne lors de la première séance des Jacobins après le 9 thermidor, « vous apprenne à ne plus avoir d'idole. Vous fûtes victimes de La Fayette, de Brissot, d'une infinité d'autres conspirateurs... Ralliez-vous autour de la Convention qui, dans ces moments d'orage, a déployé le plus grand caractère. Elle ne fera grâce à aucun conspirateur, et la vertu sera toujours la base de ses opérations [1]. »

Ce projet politique de ralliement des Jacobins « régénérés » à la Convention sera pourtant rapidement compromis par une évolution qu'aucun acteur n'avait prévue.

Au lendemain du 9 thermidor, tout semblait devoir s'arranger pour le mieux. Certes, les Jacobins qui se réunirent le 11 thermidor, dans leur salle rouverte, étaient peu nombreux et ébranlés par les récents événements. Ce sont pourtant des membres du Comité de salut public, les artisans mêmes de la « chute du tyran » qui les appellent à se « régénérer » et les

1. A. Aulard, *La Société des Jacobins, op. cit.*, t. VI, p. 300. Sur la double légitimité système représentatif-démocratie directe, cf. F. Furet, *Penser la Révolution française*, Paris, 1978, pp. 85 et suiv.

encouragent à reprendre leurs activités. Ainsi, la Société ne ménage pas ses déclarations d'allégeance à la Convention victorieuse et condamne les vaincus, particulièrement ceux parmi ses propres membres qui avaient choisi le camp du « tyran » et de la « Commune rebelle ». Elle n'hésite même pas à leur refuser a posteriori leur qualité de Jacobins dont ils se réclamaient. Les « véritables » Jacobins sont ceux qui précisément *n'étaient pas* dans la salle, à la rue Saint-Honoré, lors de cette nuit mémorable (ou qui, ajoutons-le, se sont décidés à temps à quitter le club). A l'unanimité, les Jacobins, réunis le 11 thermidor, décident de « se rendre en masse » à la Convention où leur députation présente l'adresse suivante :

> « Citoyens, vous voyez les véritables Jacobins, qui ont mérité une place dans l'estime de la nation française et dans la haine des tyrans; vous voyez les hommes qui ont pris les armes pour combattre des magistrats perfides, usurpateurs de l'autorité nationale. Les véritables Jacobins, dans le moment d'alarme, n'ont point de lieu de séance particulier; il est partout où se trouve la force et la surveillance nécessaire pour combattre les conspirateurs. L'assemblage monstrueux des conspirateurs qui ont souillé notre sol était composé d'hommes qui n'avaient pas de cartes, et qui étaient à la dévotion de leurs chefs infâmes; mais nous, nous avons marché avec nos sections, pour abattre le nouveau tyran [1]. »

La Société procède à la réintégration de ses membres qui en avaient été exclus pendant la « tyrannie » de Robespierre et qui jouèrent, ensuite, un rôle éminent pendant la « révolution du 9 thermidor » : Fouché, Tallien, Dubois-Crancé. Elle ne se lasse pas d'invectiver Robespierre : « Voilà donc Robespierre, ce tigre altéré de sang, de celui qui circule pour la liberté, le voilà disparu en un clin d'œil de ce lieu où il venait se repaître... Les républicains n'auront donc plus l'amertume d'entendre ses accents machiavéliques désigner partout, dans les groupes les plus purs, des conspirateurs, des intrigants, des traîtres. Ah!

---

1. *Moniteur, op. cit.*, t. XXI, p. 358; A. Aulard, *La Société des Jacobins, op. cit.*, vol. VI, p. 361. Tallien, qui préside la séance, laisse croire qu'il accepte cette distinction entre les « véritables » et les « faux » Jacobins. Il fait l'éloge de « cette Société célèbre... dont les services rendus à la Révolution seront retracés à chaque page de notre histoire ». Il ne se prive pourtant pas de lancer à l'occasion une pique en rappelant que cette même Société était « égarée quelquefois par des scélérats » *(ibid.).*

grâces soient rendues à ceux qui ont en effet conspiré, intrigué contre lui et ses coupables conspirateurs. » Les « véritables Jacobins » étaient autant de victimes souffrant de sa tyrannie. Le silence de ceux qui se sont tus pendant « six mois quand le tyran violait ouvertement les droits de l'homme » dans l'enceinte même des Jacobins n'était pas une attitude conformiste mais, au contraire, un acte héroïque : « Dans cette tribune, on nous prodiguait les épithètes de scélérats et de traîtres, parce que nous avions le courage de demeurer tranquilles, et de ne pas céder à l'impulsion de cette tourbe ignorante qui couvrait de clameurs scandaleuses les déclamations hypocrites du tyran... Dès que le moment nous a favorisés, nous avons parlé; nous avons mieux fait encore, nous avons agi [1]. » Une commission spéciale était chargée de vérifier les agissements des anciens membres de la Société et de ne renouveler que les cartes de ceux qui pouvaient justifier un comportement irréprochable lors de la nuit du 9 au 10 thermidor. Un mois après ces événements, quand l'épuration semble être déjà terminée, la Société s'enorgueillit, dans une adresse, de réunir 600 membres qui « n'avaient été entachés d'aucune souillure : tous étaient à leur poste de citoyens dans la nuit du 9 au 10 thermidor... Ceux qui, dans cette nuit à jamais mémorable, déshonoraient nos places dans cette enceinte, étaient de faux Jacobins que le despote y avait introduits, de vils esclaves dont nous avons été souvent les victimes, et jamais les complices [2] ». Or, les Jacobins n'ont jamais publié de données ni sur le nombre de leurs « faux membres » qui furent exclus, ni sur le nombre de ceux qui demeurèrent membres. On sait cependant qu'à son acmé, avant le 9 thermidor, la Société regroupait plus de 1 200 membres. Malgré cette diminution, qui va d'ailleurs se poursuivre, la Société reprend progressivement ses travaux : séances régulières, correspondance avec les sociétés affiliées, adresses à la Convention. Les comptes rendus des séances des Jacobins sont de nouveau publiés dans le *Moniteur* et dans d'autres journaux,

---

1. A. Aulard, *La Société des Jacobins, op. cit.*, t. VI, pp. 305 et suiv.; pp. 335.
2. *Adresse de la Société des Amis de la Liberté et de l'Égalité, séante aux Jacobins, à Paris, à toutes les Sociétés qui lui sont affiliées*, Paris, s.d. (fructidor, an II); BN Lb 40/786.

parallèlement à ceux des séances de la Convention. Tout se passe donc comme si ces comptes rendus se complétaient réciproquement, comme si, après le 9 thermidor, la position occupée par les Jacobins dans l'espace public, notamment par rapport à la Convention, n'avait en rien changé. Telles étaient les apparences. Elles dissimulaient mal le conflit qui se manifestait déjà quatre semaines après « la nuit à toujours mémorable » et irait s'aggravant.

C'est, en effet, aux Jacobins que commencent à affluer les plaintes du personnel terroriste contre la « persécution des patriotes »; nous l'avons vu, de nombreuses pétitions parviennent à la Société mère de la part des sociétés affiliées et des députations se présentent à la barre. La Société, après avoir discuté la plainte, nomme le cas échéant, et selon sa pratique habituelle, des « défenseurs officieux » censés plaider la juste cause des victimes auprès du Comité de sûreté générale. Après le 13 fructidor et le rejet par la Convention de la dénonciation de Lecointre, la Société gagne en vigueur et combativité. Certains de ses membres dénoncés et réhabilités, notamment Billaud-Varenne et Collot d'Herbois, continuent à jouer un rôle important dans les travaux des Jacobins; assidus aux séances, ils prennent souvent la parole et participent aux travaux des commissions. D'autre part, les libelles qui accompagnaient toute cette campagne de dénonciation, notamment *La Queue de Robespierre*, attaquent violemment les Jacobins comme les instigateurs de la Terreur. Le 17 fructidor, à l'issue d'une séance particulièrement houleuse, la Société décide d'exclure Lecointre, Tallien et Fréron. Carrier, qui déploie une activité de plus en plus vive, affirme que la Société veut par cette radiation donner encore plus de vigueur aux critiques, qu'elle a déjà exprimées, sur les « maux qui ont affligé la République depuis la chute du tyran ». En effet, les Jacobins, lors de leurs réunions ainsi que dans une adresse spéciale présentée à la Convention (le 8 fructidor), ont appelé à combattre le « modérantisme qui lève la tête » sous prétexte de rétablissement de la justice; ils ont soutenu la motion de publier, à cette fin, la liste des personnes élargies des prisons; ils ont critiqué tous ceux qui, dans le sillage de Tallien et de Fréron, réclamaient la liberté illimitée de la presse en encourageant ainsi le dénigrement des « patriotes énergiques ». Le 14 fructidor, se produit une explosion accidentelle à la poudrière de Grenelle qui fait plusieurs victimes. La Société n'hésite pas à faire le rapprochement entre cette catastrophe, la « persécution des patriotes », la libération des « suspects » et les libelles anti-jacobins, elle y voit autant de maillons d'une vaste conspiration contre le gouvernement révolutionnaire. Des conventionnels, membres de la Société, qui persistaient à siéger à la Montagne (dont les bancs se désemplissaient pourtant de jour en jour), défendirent dans les débats les positions des Jacobins et la Société elle-même. Ce sont pourtant le plus souvent des personnages secondaires, un Duhem ou un Chasles, qui prennent la parole; les grands ténors de la Société, notamment les membres des Comités, gardent souvent le silence.

Or, toutes ces prises de position des Jacobins, dont chacune se voulait être plus « énergique » que la précédente, et qui, toutes ensemble, devaient témoigner de la détermination de la Société et de sa force, se retournaient contre elle et devenaient des démonstrations de son impuissance. La radiation de Fréron et de Tallien en apporta une preuve flagrante. En effet, les temps avaient changé depuis le 9 thermidor : les deux exclus sortirent de la salle en riant; Tallien embrassa Fréron sous les applaudissements d'une partie des tribunes d'où on criait : « Ils s'en moquent! » Être dénoncé à la Société ou en être exclu ne comportait plus aucun risque, n'annonçait ni l'exclusion de la vie publique ni la proscription. Au contraire, cela ne faisait que stimuler de nouvelles attaques contre les Jacobins ainsi que de nouvelles défections. La liste des conventionnels qui au lendemain du 9 thermidor fréquentaient encore la Société et qui depuis se sont retournés contre elle s'allongeait chaque jour : Legendre, Dubois-Crancé, Léquinio, Thirion, Bentabole, Merlin (de Thionville)... Les adresses jacobines présentées à la Convention, loin de rencontrer comme autrefois l'approbation immédiate, sont souvent accueillies avec méfiance et hostilité par une grande partie des députés et par les tribunes. A l'occasion d'une de ces adresses « énergiques » le président lui-même, Merlin (de Thionville), ancien Jacobin, n'hésita pas à rappeler à la délégation de la Société que c'était la Convention qui avait renversé le « tyran » le 9 thermidor, tandis que « des gens pervers » le défendaient toujours, à la tribune des Jacobins. Autrefois, l'intervention des « défenseurs officieux » nommés par la Société suffisait à tirer de l'embarras, voire à libérer de prison, celui qui bénéficiait de la protection des Jacobins; désormais, ces « défenseurs » pouvaient remballer leurs arguments, car les membres du Comité de sûreté générale ne trouvaient pas même le temps de les recevoir. A la dénonciation des « complots aristocratiques » toute une presse répondait maintenant par des contre-dénonciations des « conspirations jacobines »; ainsi même l'explosion de Grenelle était mise à leur compte; la presse antijacobine la présentait comme résultat de leurs sinistres machinations conçues pour faire revivre la Terreur. Quand Tallien fut « assassiné » (le 21 fructidor, un inconnu le blessa très légèrement au bras avec un couteau; pendant plusieurs jours, la Convention se fit lire des bulletins de santé), dans la presse ainsi qu'à la Convention on soupçonna ouvertement les Jacobins d'avoir inspiré, voire conçu, cet attentat. De même, ils furent la cible permanente des journaux et des libelles qui les accusaient d'avoir été pendant la Terreur des « buveurs de sang » et des délateurs qui cherchaient à leur tour à se soustraire au glaive de la loi sous le prétexte d'une « politique régénératrice » de la Convention. Un épisode, choisi parmi plusieurs autres, illustre bien la nouvelle situation. Le jour de la quatrième sans-culottide, à la Maison-Égalité (ci-devant Palais-Royal), une bagarre éclate entre deux « groupes » : les uns crient *Vivent les Jacobins!*, les autres les attaquent au cri de *Vive la Convention! A bas les Jacobins!* Dûment alerté, le Comité de sûreté générale n'intervint cependant pas pour défendre les Jacobins insultés; un de ses membres déclara que toute cette affaire était sans intérêt [1]...

Ainsi, les Jacobins font chaque jour une expérience amère : ce qu'ils croyaient être le *pouvoir de leur verbe* n'était que

---

1. Cf. *Courrier républicain*, 30 fructidor et troisième sans-culottide, an II; *Messager du soir*, troisième sans-culottide, an II; *Moniteur*, l.c. vol. XXII, p. 4; A. Aulard, *La Société des Jacobins*, l.c., vol. VI, pp. 489-491. Nous avons évoqué ci-dessus un autre épisode analogue.

l'effet second de ce que pendant la Terreur *ils exprimaient le verbe du pouvoir*. Dès lors qu'ils ne détenaient plus le monopole de ce verbe et que le pouvoir ne se portait plus à l'appui de leur parole, celle-ci était condamnée à l'impuissance croissante. Impuissance d'autant plus flagrante que la Société ne saura jamais la reconnaître et cherchera à la récompenser par l'accumulation des déclarations et protestations de plus en plus « énergiques », par une rhétorique menaçante mais de plus en plus creuse sur le passé héroïque des Jacobins, leurs mérites et services rendus à la Révolution, leur fidélité inébranlable aux grands principes révolutionnaires. Les effets conjugués de cette impuissance et de ces menaces se retournaient contre la Société. La violence verbale, en contraste de plus en plus manifeste avec les choix politiques du pouvoir, fit des Jacobins le « centre de ralliement » de tous les mécontents de ces choix. Assez rapidement les Jacobins assumèrent les fonctions de l'*instance idéologique* destinée à légitimer seule la résistance au démantèlement des institutions issues de la Terreur et à assumer la défense du personnel terroriste contre la répression qui s'abattait sur lui. Du coup, le discours jacobin ne pouvait qu'attiser les peurs et les haines léguées par la Terreur, alors que les signes évidents de la faiblesse de la Société polarisaient contre elle les passions de revanche. Les Jacobins sont attaqués comme le symbole même de la Terreur, les responsables de ses excès dans le passé et partisans de son retour, et à leur tour, ils interviennent directement dans la « guerre aux adresses », en appelant ouvertement à combattre le « modérantisme » et l' « aristocratie » qui persécutent les « patriotes » [1].

Ainsi, le conflit entre les Jacobins et la majorité de la Convention devenait inévitable. L'atmosphère surchauffée à la Convention ne cède en rien à celle qui accompagne les bagarres aux Tuileries et à la Maison-Égalité. « Le peuple ne veut plus *deux autorités*, s'écrie Merlin (de Thionville), il veut que le règne des *assassins* cesse... Je vous dénonce ici les assassins de mon pays, ceux qui, dans l'Assemblée législative, ont voté à côté de moi pour les principes, et qui aujourd'hui à côté de moi

---

1. La Société a fait diffuser notamment l'adresse de la société populaire de Dijon, véritable appel au retour de la Terreur, sur laquelle nous aurons à revenir.

votent dans le sens contraire. Je vous dénonce ces hommes, qui
ont eu l'impudeur de dire, dans une Société qui a puissamment
aidé à renverser le trône, mais qui n'ayant plus de trône à renverser, veut renverser la Convention... (*Oui, oui!* Applaudissements.) [...]. Peuple, si tu veux conserver la liberté, si tu veux
conserver la Convention, *seul centre auquel tu peux te réunir* [...] arme-toi de ta puissance et, la loi à la main, fonds sur ce
repaire de brigands. » « Une société populaire, affirme Bentabole, n'a pas le droit de rien envoyer aux armées avant que la
Convention ait manifesté son opinion... Il s'agit de savoir si une
société qui a, pour ainsi dire, la haute main sur l'opinion
publique, si cette Société ne fait pas un acte qui met la patrie en
danger lorsqu'elle entreprend de jeter un commencement de
proscription sur des représentants du peuple. Je demande si,
lorsque le peuple m'a envoyé ici, il a voulu que je fusse censuré
par une *corporation particulière* pour l'opinion que j'aurais
émise dans l'Assemblée des représentants de la nation? » « Du
temps de Robespierre, se déchaîne Legendre, on chassait des
Jacobins les représentants du peuple à cause des opinions qu'ils
avaient émises dans la Convention; aujourd'hui les députés
sont encore chassés des Jacobins pour leurs opinions dans le
sein de la Convention... (Aux Jacobins) l'histrion est sur les
planches, et Robespierre au trou de souffleur [1]... »

Comme souvent dans les débats révolutionnaires, par-delà
des passions déchaînées et les questions d'actualité brûlante,
naissait une interrogation sur les caractéristiques essentielles
des institutions et du pouvoir révolutionnaires. A la fin de
l'an II, ce débat témoigne de la conscience que l'espace politique modifié par le 9 thermidor mais néanmoins issu de la
Terreur n'était que provisoire et demandait à être confronté
avec les principes fondateurs de la Révolution et du système
représentatif. Les attaques contre les Jacobins s'inscrivaient
nécessairement dans un contexte plus large : comment penser et
aménager l'espace politique qui devait succéder à la Terreur?
La sortie de la Terreur devait-elle se faire *avec* les Jacobins et,
plus largement, avec les sociétés populaires, ou bien *contre*

1. *Moniteur, op. cit.,* t. XXI, pp. 724-725 et 727; t. XXII, pp. 58-59.

eux ? Ces questions en entraînaient pourtant d'autres, à la fois plus générales et plus anciennes : quel rôle devait revenir aux sociétés populaires dans le fonctionnement du pouvoir ? Ces sociétés consistent-elles dans une simple réunion de leurs membres ou bien ont-elles une existence, une activité et une autorité politiques propres à elles ? Le peuple exerce-t-il sa souveraineté, source de toute autorité légitime, uniquement à travers ses institutions représentatives, ou bien également dans des formes de démocratie directe, tel le truchement de multiples sociétés populaires ?

Questions nouvelles, questions anciennes. Nouvelles, dans la mesure où elles traduisaient les préoccupations issues des pratiques politiques très récentes de la Terreur, où les sociétés populaires, et notamment celles affiliées aux Jacobins, étaient devenues un véritable corps de l'État, échappant au contrôle de l'Assemblée. Questions anciennes, dans la mesure où la Convention, dans le conflit qui l'oppose aux Jacobins, semble reprendre à son compte des arguments que la Constituante avait déjà opposés, en 1791, à la Société des Amis de la Constitution : la Société abuse de la liberté d'association en formant une « corporation politique » contraire aux principes mêmes de gouvernement représentatif; ses membres s'arrogent le « privilège du patriotisme exclusif » et s'érigent, du coup, en un véritable contre-pouvoir; ils aspirent à une véritable dictature en la dissimulant sous des formes diverses de démocratie directe. De la persistance de toute une problématique politique et institutionnelle, et même de tout un vocabulaire, témoigne remarquablement l'intervention, le 24 fructidor an II, de Durand-Maillane, porte-parole de la Plaine et l'un des fondateurs, en 1789, des « Jacobins historiques », la Société des Amis de la Constitution. Il n'hésite pas à contester la légalité de l'existence même des Jacobins, en les assimilant à une sorte de corporation, contraire à l'esprit des institutions républicaines.

« Vous avez supprimé toutes les corporations parce qu'elles étaient par leur nature opposées aux institutions républicaines; vous n'avez pas même épargné le corps de pharmacie et d'autres de cette espèce... Je demande qu'on examine s'il n'y a pas de danger pour la liberté à souffrir l'existence de *la corporation de la société populaire de Paris avec les quarante-quatre mille qui lui sont affiliées* et qui sont en correspondance avec eux. »

L'assimilation des Jacobins à une corporation des apothicaires est assurément une clause de style destinée à se gagner les rieurs. Mais en attaquant les *Jacobins* comme étant une *corporation politique*, elle retournait contre eux les principes de 89 et, plus généralement, elle opposait ces principes fondateurs aux pratiques politiques de l'an II. C'était, enfin, une allusion transparente à la loi de Le Chapelier, votée en septembre 1791 à la fin de la Constituante, visant en quelque sorte à réglementer rigoureusement les droits et les activités des sociétés populaires en vertu des mêmes principes qui étaient à la base de la suppression des corporations [1].

Le texte de septembre a souvent été négligé par les historiens qui privilégièrent une autre loi de Le Chapelier, du 14 juin 1791, interdisant les « associations des ouvriers », pour démontrer le caractère « bourgeois » de la Révolution française. Or, ces deux textes étaient étroitement liés : dans l'esprit de Le Chapelier, ils appliquaient l'un et l'autre à la vie associative dans son ensemble les mêmes principes libéraux qui étaient au fondement de la nouvelle Constitution.

L'allusion de Durand-Maillane n'était pas un simple effet oratoire. Il existe en effet, une *analogie structurale* entre les questions que se posa la Constituante à la fin de ses travaux et celles que commençait à soulever la Convention à la fin de l'an II. Sommairement, le problème pourrait être ainsi défini : les sociétés populaires ont joué un rôle important à l'époque de l'instabilité et de la violence révolutionnaires, mais leurs fonctions doivent être redéfinies après l'*achèvement* de la Révolution, dans un nouvel espace politique aux institutions stables. Après le 9 thermidor, en paraphrasant la formule de Tallien déjà citée, il fallait distinguer entre *le gouvernement qui fait la révolution* et celui *qui veut achever la révolution*.

Or, le rapport de Le Chapelier demeure un document de

---

1. *Moniteur, op. cit.*, t. XXI, p. 728; A. Aulard, *La Société des Jacobins*, t. VI, p. 441 et suiv. Le nombre de « quarante-quatre mille sociétés affiliées » avancé par Durand-Maillane est, évidemment, exagéré et démagogique; ce n'était qu'une manière de dire que les Jacobins voulaient étendre leurs tentacules dans chaque commune en y établissant une société populaire.

grande importance ; il offre notamment une des premières analyses du phénomène jacobin et de ses rapports avec le gouvernement représentatif, tel qu'il était perçu en 1791.

Le Chapelier avait présenté, au nom du Comité de Constitution, son rapport le 29 et le 30 septembre 1791, la veille de la
clôture des travaux de la Constituante. De toute évidence, cette
démarche visait un objectif politique immédat : éliminer du jeu
politique les sociétés populaires, notamment les Jacobins, ces
« extrémistes » soucieux de poursuivre et de radicaliser la Révolution. L'acceptation de la Constitution ainsi que la « crise
feuillante » traversée par les Jacobins semblaient offrir un
moment particulièrement favorable à la réalisation de ce projet.
Mais les préoccupations de Le Chapelier allaient au-delà de
ces visées immédiates ; elles entendaient *clore*, enfin, la Révolution en mettant en œuvre les institutions nouvelles, en faisant
fonctionner le *système représentatif* sous la forme d'une monarchie constitutionnelle. Or, instaurer ce système et, partant, réaliser les principes de 89, exige une législation réglant les activités des sociétés populaires, point sur lequel la Constitution est
demeurée dans le vague. Le Chapelier ne dissimule pas la
complexité de cette tâche en insistant notamment sur deux
points. D'une part, l'originalité du changement révolutionnaire
en France vient de ce que l'avènement et le triomphe des principes de 89 ne pouvaient être assurés que par des moyens
extra-parlementaires (sinon extra-légaux) et notamment par
l'activité croissante de multiples sociétés patriotiques. D'autre
part, les activités et le mode de fonctionnement de ces sociétés et
particulièrement des Jacobins, prirent une telle ampleur et
tournure qu'elles recelaient les plus graves dangers pour le système représentatif. Les activités à la fois *politiques et extra-
parlementaires* des sociétés patriotiques et populaires étaient,
aux yeux de Le Chapelier, contraires à la reconnaissance de
l'Assemblée élue comme l'unique incarnation de la souveraineté de la Nation. La poursuite de ces activités ne pouvait
déboucher que sur l'anarchie sous prétexte de vouloir prolonger
la révolution. *Libéral et conservateur*, Le Chapelier formulait
ainsi le dilemme politique et institutionnel : ou l'Assemblée des
représentants de la Nation souveraine exerce le pouvoir dans le

cadre rigoureux et stable d'institutions représentatives, ou les activités de diverses associations extra-parlementaires, qui sont autant de factions, minent le système représentatif en lui substituant une sorte de démocratie directe plongeant, par une surenchère démagogique, le pays dans une révolution sans fin.

Les sociétés populaires et patriotiques, insiste Le Chapelier, étaient des « institutions spontanées... que l'enthousiasme de la liberté a formées, et qui dans des temps d'orage ont produit l'heureux effet de rallier les esprits, de former des centres communs d'opinions, et de faire connaître à la minorité opposante l'énorme majorité qui voulait et la destruction des abus, et le renversement des préjugés, et l'établissement des droits de l'homme... Quand une nation change la forme de son gouvernement chaque citoyen est magistrat; tous délibèrent et doivent délibérer sur la chose publique, et tout ce qui presse, tout ce qui assure, tout ce qui accélère une révolution, doit être mis en usage; c'est une fermentation momentanée qu'il faut soutenir et même accroître, pour que la révolution, ne laissant plus aucun doute, éprouve moins d'obstacles et parvienne plus promptement à sa fin; mais lorsque *la révolution est terminée*, lorsque la constitution de l'empire est faite, lorsqu'elle a délégué tous les pouvoirs publics, appelé toutes les autorités, alors il faut, pour le salut de cette constitution, que tout rentre dans l'ordre le plus parfait, que *rien n'entrave l'action des pouvoirs constitués* ».

Certes, la Déclaration des droits de l'homme et du citoyen ainsi que la Constitution consacrent solennellement la libre communication des pensées et des opinions ainsi que la liberté aux citoyens de s'assembler paisiblement et d'adresser aux autorités constituées des pétitions signées individuellement. La libre jouissance de ces droits ne peut se faire pourtant que selon les *principes du gouvernement représentatif*, eux aussi consacrés par la Constitution. Or, ces principes sont formels : « la nature même du gouvernement que nous avons adopté » a comme conséquence d'exclure l'existence, même provisoire, de tout corps intermédiaire entre les citoyens et leurs représentants (et toute autorité déléguée), car les membres de tels corps s'arrogent inévitablement des privilèges et des droits exclusifs, contraires aux principes de liberté et d'égalité. Ces maximes sont valables dans tous les domaines de la vie sociale, notamment dans le commerce et l'industrie; elles doivent être d'autant plus rigoureusement respectées en politique :

> « Il n'y a de pouvoirs que ceux constitués par la volonté du peuple, exprimée par ses représentants; il n'y a d'autorité que celle déléguée, il ne peut y avoir d'action que celle de ses mandataires chargés de fonctions publiques. C'est pour conserver ce principe dans toute sa pureté, d'un bout de l'empire à l'autre que la constitution a fait disparaître toutes les corporations, et qu'elle n'a plus reconnu qu'un corps social et des individus. »

Que l'on confronte ces principes avec les pratiques adoptées par des Sociétés des Amis de la Constitution, c'est-à-dire les Jacobins, et l'on se convaincra que celles-ci s'élèvent contre la Constitution et la détruisent au lieu de la défendre » et qu'elles « *s'assimilent à une corporation... bien plus dangereuse que les anciennes* ». Cela tient autant à leur programme qu'aux modalités de leur fonctionnement. « Prendre une existence publique », accepter certains citoyens comme membres et en refuser d'autres, prodiguer des louanges et des blâmes aux citoyens, accorder des diplômes et des certificats – tout cela au nom du patriotisme et de la volonté générale –, c'est s'accorder « une espèce *de privilège exclusif du patriotisme* qui produit des accusations contre les individus non sectaires, et des haines contre les sociétés non affiliées », divisions que tout bon citoyen doit chercher à éteindre et qui « renaissent à chaque instant, à l'aide de *bizarres et corporatives associations* ». Fondé sur le « patriotisme exclusif » se forme un *réseau d'associations* qui « étend ses rameaux sur *tout l'empire* » par un système d'affiliations, de correspondance politique et « une espèce de métropole », système aux conséquences funestes et contraire à la Constitution. En effet, il est dans la nature de ces sociétés « de chercher à acquérir quelque influence extérieure », en s'attribuant le monopole du patriotisme, en se réclamant de la Nation et de son intérêt général; du coup elles tendent à « prendre quelque influence sur les actes administratifs et judiciaires ». Aussi les a-t-on vues donner des mandats aux fonctionnaires publics « pour venir rendre compte de leur conduite », envoyer leurs députés se mêler d'instructions judiciaires, envoyer des commissaires « chargés des missions qui ne pouvaient être conférées qu'aux autorités constituées ». Autrement dit, les sociétés jacobines s'arrogent le droit de substituer aux institutions représentatives et légitimes leurs propres pratiques politiques qui se réclament d'une sorte de *démocratie directe*. Or, les hommes assemblés auront toujours une force plus grande que les citoyens isolés, et leurs assemblées risquent de subjuguer la nation. « Si les sociétés pouvaient avoir quelque empire, si elles pouvaient disposer de la réputation d'un homme; si, corporations formées, elles avaient d'un bout à l'autre des ramifications et des agents de leurs puissances, *les sociétés seraient les seuls hommes libres.* » Il faut donc interdire l'affiliation de sociétés; il faut les empêcher « d'usurper une partie de la puissance publique », d'exercer « aucune *influence ni inspection* sur les actes des pouvoirs constitués et des autorités légales ». Cela implique notamment que les sociétés n'aient pas droit aux *pétitions collectives.* Le droit aux pétitions est un « droit naturel » et, du coup, il ne se délègue pas. Or, la pratique de le déléguer aux présidents, secrétaires et autres membres des sociétés, n'est qu'une forme d'abus qui profite, pour finir, à quelques meneurs. Les sociétés ne peuvent donc avoir d'autre existence que celle de

> « réunions d'amis... pour s'instruire, disserter, se communiquer leurs lumières... mais leurs conférences, leurs actes intérieurs, ne doivent jamais franchir l'enceinte de leurs assemblées; aucun caractère public, aucune démarche collective ne doivent les signaler... Tout le monde veut que la *révolution soit terminée.* Le temps des destructions est passé; il ne reste plus d'abus à renverser, de préjugés à combattre; il faut désormais embellir cet édifice, dont la liberté et l'égalité sont des pierres angulaires [1] ».

1. Toutes les citations sont empruntées au rapport de Le Chapelier du 29-30 septembre 1791, cf. *Moniteur, op. cit.,* vol. X, pp. 7-11. Le décret accepté par la Constituante ne supprimait pas les sociétés populaires mais leur interdisait toute « existence politique », les affiliations, la publication des procès-verbaux de leurs débats, les pétitions collectives, l'exercice d'aucune inspection ni influence sur les actes des pouvoirs constitués. On dirait que la loi se propose de réduire les sociétés patriotiques à leurs origines historiques, les enfermer dans les cadres de « sociétés de pensée ». Robespierre, en s'opposant à ce projet de loi, insistait sur le droit d'association reconnu par la Constitution; il n'y aurait donc rien d'anti-constitutionnel dans l'affiliation de plusieurs sociétés légales. Pour Robespierre la *révolution n'est point terminée* et les sociétés patriotiques sont au service de la *révolution en marche.* Elles réunissent les patriotes les plus purs et recommandables qui exercent leur *surveillance* sur les gens corrompus et les intrigants, dont certains siègent à l'Assemblée *(ibid.).* On trouve plusieurs mises au point sur la formation du jacobinisme *in* M. L. Kennedy, *The Jacobins Clubs in the*

La critique du jacobinisme par Le Chapelier révèle ce qui le sépare, ainsi que d'autres libéraux, plus ou moins conservateurs, des Jacobins, mais elle dissimule un certain fonds de représentations politiques commun aux uns et aux autres. La position de Le Chapelier est rigoureusement libérale : la société est composée d'individus libres et égaux en droit; le gouvernement a comme tâche de protéger et de faire respecter leurs droits naturels et civils. Le système représentatif assure efficacement la cohérence et l'unité du corps social dans la mesure où il assure la souveraineté de la Nation et permet de dégager l'intérêt général, tout en respectant le libre jeu des intérêts individuels. Or, la prétention au « patriotisme exclusif » fait des Jacobins une « corporation politique » et pervertit le système représentatif, puisqu'elle sert de paravent aux particularismes et qu'elle les consolide; elle justifie le recours aux formes d'action extra-parlementaires, contraires à la loi; elle contribue à l'éclatement du corps social en multipliant les divisions et les conflits. Or, toute division du corps social en groupements d'intérêt ou associations exclusives est, pour Le Chapelier, fondamentalement mauvaise, car elle reproduit, sur un autre mode, les anciens états, privilèges et corporations. Du coup, elle est contraire aux principes de 89, à la liberté et l'égalité des citoyens ainsi qu'à la souveraineté de la Nation dont l'unité s'opère et s'exprime par le gouvernement représentatif. Libéral et individualiste, dénonçant la perversion du système représentatif par le recours à la démocratie directe, Le Chapelier refuse, pour ces mêmes raisons, tout *pluralisme politique*. D'où sa méfiance à l'encontre des *associations politiques* : une association politique *unique* aspirerait, en raison de son « exclusivisme », à monopoliser le pouvoir; l'existence de *plusieurs associations*, condamnées à s'affronter, déboucherait sur l'anarchie. Toute son argumentation s'attaque assurément aux Jacobins, à leur organisation, à leurs formes d'action et à leurs aspira-

French Revolution. The First Years, Princeton, 1982. Des réflexions sur le rapport de Le Chapelier et l'espace politique révolutionnaire ont été stimulées par l'article de B. Manin, « Montesquieu et la politique moderne », *Cahiers de philosophie politique*, n° 2-3, 1985.

tions. Mais il rejoint le jacobinisme, comme doctrine et pratique politiques, dans sa forte hostilité à *tout pluralisme politique* et dans son exaltation du *champ politique unitaire*. En 1791 les Jacobins s'imposent déjà comme la force politique la plus apte, grâce à leur idéologie et à leur organisation, à utiliser le plus efficacement, dans la lutte pour le pouvoir, la *conception unitaire de l'espace politique*. Contre Le Chapelier et les libéraux conservateurs, les Jacobins défendaient la liberté de la parole, le droit de s'associer et de former un réseau national de sociétés affiliées. Ce droit, ils le réclamaient pour les seuls « bons patriotes », pour ceux qui *unissent* la Nation et non pas pour ceux qui la *divisent*. Ce droit ne serait, en fin de compte, que *leur droit exclusif*, dans la mesure où ils réunissent précisément tous les patriotes « purs ». La « pureté » politique et morale, ce concept clé du jacobinisme, est un critère d'exclusion de toute idée de pluralisme. En effet, le « patriotisme pur » ne connaît pas de diversité mais uniquement la surenchère; il condamne a priori l'existence des *patriotismes divers*. Le « patriotisme pur » implique la *multiplicité des patriotes* mais pas celle des patriotismes; il condamne l'existence de plusieurs programmes et de divers groupements politiques ou sociaux, qui ne seraient à ses yeux qu'une source de conflits et de factions menaçant de briser l'unité de la Nation et, partant, de ruiner sa souveraineté. La volonté de faire triompher à la fois l'unité de la Nation et le « patriotisme pur » implique l'*exclusion* comme mécanisme régulateur de la vie publique et de l'action politique. Cette hostilité au pluralisme s'accentua au cours de la lutte contre les Girondins et durant la Terreur. Les Jacobins défendirent le droit d'association comme principe, mais à condition qu'il soit exercé dans un espace politique d'où seraient exclues les divisions, et, partant, où ne pourrait donc exister qu'une seule association dont la légitimité résiderait précisément dans sa « pureté » patriotique et la vertu de ses membres. Les Jacobins s'érigeaient ainsi en *instance de censure* politique et morale, en gardiens de pureté, de fidélité aux principes fondateurs de la Révolution. Leurs rapports avec le pouvoir représentatif étaient nécessairement ambigus et cette ambiguïté était à l'origine tant de leur force que de leur faiblesse politique. Le jacobinisme ne reconnaissait qu'une seule source de légitimité : la volonté souveraine et illimitée du peuple, et cette souveraineté résidait dans la représentation nationale. D'où le légalisme du jacobinisme et son respect du système représentatif sur lequel Robespierre insistait tout particulièrement. Mais le peuple, un et indivisible, investissait aussi *directement* les sociétés populaires en dehors et en plus des formes représentatives de la vie publique, d'une légitimité. Non pas en tant qu'institutions gouvernementales mais en qualité d'autorité politique et morale appelée, du coup, *à conseiller et à surveiller* les autorités constituées. La législation de 1791 sur les sociétés populaires votée sur la proposition de Le Chapelier, ne fut jamais appliquée. La dynamique de la Révolution joua en faveur des Jacobins qui finirent par contrôler effectivement le pouvoir, notamment la Convention, tout en ne se confondant pas avec les autorités constituées.

Or, le 9 thermidor bouleverse le rapport des forces entre la Convention et les Jacobins. A la fin de l'an II, le conflit qui surgit entre la Société et l'Assemblée fait donc ressortir un *problème politique structurel*, dans une conjoncture particulièrement défavorable aux Jacobins. Compromis par leur complicité avec le système de la Terreur, voire identifiés avec le pouvoir terroriste, les Jacobins peuvent de plus en plus difficilement prétendre à la pureté morale et au patriotisme au-dessus de tout soupçon. De surcroît, leur propre idéal d'un champ politique unitaire leur est fort habilement opposé. C'est maintenant au tour des conventionnels antijacobins de condamner les Jacobins comme des diviseurs, comme une « corporation politique » exclusive, de réclamer pour la représentation nationale la plénitude de l'exercice de la souveraineté. Assurément, les Jacobins de la fin de l'an II ne sont pas ceux de 1791 ; les enjeux et les acteurs politiques ont radicalement changé. Que malgré ces changements, l'essentiel de l'argumentation formulée par Le Chapelier (qui avait été guillotiné en avril 1794) soit repris prouve combien certaines caractéristiques de la culture politique de la Révolution et des mentalités politiques révolutionnaires se maintiennent au-delà de tous les revirements spectaculaires. En effet, l'invention de l'espace démocratique en 1789 n'a point entraîné, et cela tout au long de la Révolution, l'*élaboration d'un système politique pluraliste*; dans ce sens le jacobinisme était à la fois l'expression et la perversion de la représentation de l'espace politique comme un espace unitaire. La Révolution invente une démocratie qui, par un apparent paradoxe, joint l'individualisme à un véritable culte de l'unanimité, le gouvernement représentatif au refus d'accorder une représentation à tout intérêt distinct de l' « intérêt général », la reconnaissance de la liberté d'opinion à la méfiance à l'encontre des clivages divisant l'opinion publique, la volonté d'une vie politique transparente à la recherche obsessionnelle de « complots »; bref, qui mêle, en politique, la modernité à l'archaïsme. Les acteurs politiques partagent assez souvent cette représentation, finalement assez rudimentaire, de la démocratie et cela jusque dans les conflits qui les déchirent. Ils ne parviennent point, à aucune étape de la Révolution, *à s'accorder pour être en désaccord*, pour reconnaître que le caractère conflictuel de la société est à l'origine de son fonctionnement et non pas un vice à éradiquer. C'est là un cas particulièrement frappant de *mélange du traditionnel et du moderne* dans les représentations, les institutions et les mécanismes politiques de la Révolution, qui marqua de son sceau toute son expérience. En conséquence l'*exclusion* devint rapidement le mécanisme régulateur du jeu politique : l'adversaire était exclu au nom même de l'unité fondamentale de la Nation, du Peuple, ou de la République. Ce principe est d'ailleurs propre aux fonctionnements et à la préservation des communautés traditionnelles dans lesquelles l'unité et la solidarité tendent à se confondre avec l'unanimité. Les représentations dominantes de l'imaginaire révolutionnaire, notamment celles du complot et de l'ennemi caché, ne pouvaient qu'alimenter, par des haines et des soupçons, l'idée-image de l'*exclusion salutaire*. La sortie de la Terreur n'était pas certainement une époque qui favorisait l'évolution vers le pluralisme politique. La volonté de rétablir les principes du système représentatif n'allait pas seulement de pair avec l'idée d'exclure les adversaires politiques : elle se conjuguait avec les *fureurs de la revanche*. Ainsi les Jacobins voyaient avec stupeur se retourner

violemment contre eux le mécanisme politique dont ils s'étaient
cru les maîtres.

Les plus violents réquisitoires contre les Jacobins furent
dressés lors des débats à la Convention et à la Société suscités
par le décret du 25 vendémiaire an III (16 octobre 1794) visant
à démanteler le réseau jacobin et à réduire la Société mère à
l'impuissance. (Un conventionnel jacobin, Lejeune, ne manquera pas, d'ailleurs, de faire le rapprochement entre le projet
de nouveau décret et les entraves que « Le Chapelier et ses partisans, dans les jours d'avilissement et d'opprobre », voulaient
imposer aux sociétés populaires.) Les discours furent particulièrement agressifs et violents, richement nourris d'une
connaissance réelle et d'une expérience vécue du jacobinisme
comme mode de pensée et d'action politique. En effet, les
grands ténors furent des transfuges politiques, des anciens
Jacobins qui savaient de quoi ils parlaient quand ils se retournaient contre la Société.

Que reprochaient-ils aux Jacobins ? Au-delà de la partialité,
une accusation récurrente se dégage : la Société mère et son
réseau de sociétés populaires affiliées se sont érigés en *pouvoir
parallèle*, voire en *contre-pouvoir*, face à la Convention et aux
autorités constituées. Les Jacobins ont contribué à la chute de
la monarchie mais ils se sont ensuite opposés au gouvernement
libre. La Terreur n'était pas possible sans la domination des
Jacobins et l'expérience du 9 thermidor les accuse vigoureusement. « Lors de l'heureuse révolution du 9 thermidor, lorsque
le peuple vit que vous [la Convention] avez ressaisi les :nes,
que vous voulez substituer la justice il se tourna vers ,ous, il
vous tendit le bras, et il sentit que vous, sans l'assistance des
Jacobins, Robespierre et ses complices ne fussent jamais parvenus à vous dominer. Or, puisque les sociétés ont su vous arracher le gouvernement et le mettre dans les mains d'un homme
qu'elles ont placé au-dessus de la Convention et au-dessus du
peuple, vous devez croire qu'elles ne peuvent être surveillées de
trop près. Vous devez surveiller avec soin une institution qui
renverse avec le même succès et le despotisme et la liberté »
(orateur non identifié dans le procès-verbal). Surveiller les
sociétés populaires, notamment interdire les affiliations, c'est

mettre fin à une situation où s'est élevé à côté de la Convention
« *un autre centre* qui égare l'opinion publique, qui ôte à la
représentation la confiance et le respect qui lui sont dus » (Bentabole). Le système de correspondance réunissant les sociétés
populaires autour des Jacobins a perverti les principes mêmes
du gouvernement représentatif. Ainsi, on ne sait plus ni où est
le « centre de ralliement » ni où est le peuple souverain. « Je ne
vois le peuple que dans les assemblées primaires; mais je vois
un souverain s'élever à côté du gouvernement représentatif, souverain dont le trône est ici, aux Jacobins, quand je vois des collections d'hommes semblables correspondre entre eux... je dirai
au peuple : choisis entre les hommes que tu as nommés pour te
représenter et les hommes qui se sont élevés à côté d'eux »
(Bourdon [de l'Oise]). Les Jacobins présentent les sociétés
populaires comme l'expression même de la volonté du peuple
et, du coup, comme les garants des institutions républicaines.
Ce serait pourtant substituer au système représentatif une
pseudo-démocratie directe, et, partant, substituer à la souveraineté de la Nation entière le pouvoir usurpé, exercé par une
faction *au nom du peuple*. « Le peuple n'est pas dans les sociér-
tés. La souveraineté réside dans l'universalité de la nation; ce
n'est point, comme on l'a dit, sur des sociétés populaires en
général que repose la société; la garantie de la liberté repose
sur la noblesse et l'énergie des sentiments de l'universalité des
Français » (Thuriot). La Déclaration des droits de l'homme et
du citoyen ainsi que la Constitution de 1793 comportent le
droit d'association ainsi que le droit de pétition. Les Jacobins
s'élèvent-ils contre la violation de ces droits par la nouvelle
législation, qu'il n'y faut voir qu'un leurre. Ceux qui
connaissent le fonctionnement interne des sociétés, et notamment les représentants qui ont exercé des missions dans les
départements, savent parfaitement que réclamer le droit à la
correspondance et aux adresses collectives n'est qu'un prétexte
pour défendre la position dominante et les privilèges politiques
acquis par une petite fraction au détriment de la majorité des
citoyens. « Depuis cinq ans, nous voulons une république
représentative. Que sont les sociétés populaires ? Une collection
d'hommes qui, semblables aux moines, se choisissent entre

eux... L'aristocratie commence là où une collection d'hommes, par sa correspondance avec d'autres collections, fait triompher d'autres opinions que celle de la représentation nationale » (Bourdon [de l'Oise]).

« Aristocratie » ou « corporation », c'est une inégalité de fait que les Jacobins ont installée. « Peuple, de quel œil peux-tu voir des gens qui veulent se mettre au-dessus des lois, des gens qui communiquent entre eux comme citoyens, veulent être plus que les autres citoyens, veulent encore communiquer comme corporation » (Reubell). Les adresses collectives ne servent qu'à dissimuler ce qui se passe réellement dans les sociétés. On affirme qu'à travers ces adresses s'exprime le peuple; or, « cinq ou six citoyens ne représentent pas le peuple », et pourtant dans combien de sociétés populaires ce ne sont que leurs comités, le président et quelques membres, qui prennent les décisions et signent les pétitions, et cela au nom de la société tout entière et, partant, du peuple (Bentabole). Les représentants en mission se sont heurtés maintes fois à ces meneurs et il leur fallait procéder à l'épuration des sociétés populaires. L'heure est venue de mettre de l'ordre partout. Tâche d'autant plus urgente que personne ne s'y trompe : plusieurs sociétés populaires sont dominés par les agents de la Terreur qui aimeraient qu'elle revienne, pour échapper à la justice. « Citoyens, vos ennemis ont empoisonné vos sociétés populaires et vos sections d'hommes inconnus à ceux qui ont commencé la révolution en 1789, d'hommes qui ne veulent que pillage, que désordre, que meurtres, qu'assassinats : ce sont ces hommes qu'il faut faire rentrer dans la poussière, et c'est ce qu'on vous demande » (Bourdon [de l'Oise]) [1].

A multiplier les citations, on prend la mesure du rôle qui revint aux ex-Jacobins et terroristes repentis dans l'offensive contre la Société, dans le « dévoilement » de ses mécanismes du fonctionnement et du pouvoir qu'elle avait acquis. Accuser les Jacobins de tous les maux, les présenter comme le support principal de Robespierre hier et comme « le repaire de bri-

---

1. Toutes les citations dans ce paragraphe sont tirées des comptes rendus des débats sur le décret du 25 vendémiaire. Cf. *Moniteur, op. cit.*, pp. 255 et suiv. : A. Aulard, *La Société des Jacobins, op. cit.*, t. VI, pp. 571 et suiv.

gands » aujourd'hui, revenait également à décharger la Convention de toute responsabilité pour ses propres activités lors de la Terreur. Elle n'était plus, à son tour, qu'une victime du « tyran » qu'elle venait d'abattre, ainsi que des Jacobins qu'elle allait abattre.

Face à cette campagne qui contestait la légitimité de leurs activités politiques et sapait les bases mêmes de leur existence, les Jacobins étaient prisonniers d'un dilemme.

Comme tout discours politique après le 9 thermidor, celui des Jacobins se réfère nécessairement à la « chute du tyran » et à l' « heureuse révolution ». Aussi les Jacobins ne peuvent-ils revendiquer pleinement le rôle qu'ils ont joué dans le passé, notamment dans l'exercice du pouvoir pendant l'an II. Ce serait en effet accepter la responsabilité de la Terreur et donner raison aux adversaires. Mais les Jacobins ne pouvaient non plus renier leur passé; ils exaltaient sans cesse leur dévouement inconditionnel à la Révolution, leur vigilance, leurs combats et sacrifices. La fidélité à cette tradition assurait précisément leur identité collective et dotait d'une sorte de légitimité leur préten-tion de s'exprimer au nom du peuple, et, partant, d'assumer un rôle politique autonome par rapport à la Convention. Les Jacobins ne pouvaient se définir comme une force d'opposition, en conflit avec la nouvelle politique de la Convention, dans la mesure même où leur propre système de représentations excluait la possibilité que se constitue un *parti* d'opposition. Toute leur rhétorique unitaire, qui s'était révélée si efficace dans le passé, avait accusé les *autres* – leurs adversaires poli-tiques – de former de telles associations, des *factions* coupables de ruiner l'unité du peuple et sa volonté indivisible. S'affirmer comme force d'opposition, c'était donner immédiatement raison à toute la campagne antijacobine qui dénonçait précisément la Société comme une « corporation politique » érigée, sous la Terreur, en un second « centre de ralliement » illégitime. Pour ne pas prêter le flanc à de telles attaques, les Jacobins insistèrent donc fortement sur leur légalisme républicain, leur respect inconditionnel de la Convention et de la loi. Ils se défendirent d'avoir la moindre intention « d'élever un nouveau trône poli-tique », de s'arroger la moindre parcelle du pouvoir qui revenait de droit à la Convention, et aux représentants du peuple souverain. Ils ne faisaient, arguaient-ils, qu'*éclairer* et instruire le peuple, en fournissant quelques lumières à la Convention et au gouvernement révolutionnaire, en débattant des grands problèmes politiques et des décisions à prendre. Tel était le devoir sacré qu'ils accomplisssaient en vertu des droits légitimes de tous les citoyens – ceux de liberté d'association, de parole et de pétition, garantis par la Constitution. Cela se traduisait dans la réalité par la volonté de *surveiller* en permanence la Convention, par toute une série de pressions et même de menaces formulées dans des pétitions adressées à la Convention ou bien dans les adresses diffusées dans le pays à travers le réseau de sociétés populaires affiliées. Tout se passait donc comme si les Jacobins songeaient à reprendre la tactique politique qui leur avait assuré la victoire sur les Girondins, au printemps 1793. Mais en vendémiaire an III, cette répétition soulignait la faiblesse des Jacobins : le rapport des forces n'était guère à leur avantage et ils ne pensaient même pas à donner à leurs proclamations un prolongement effectif, en faisant appel au « peuple debout ». Ils n'avaient ni l'idée ni les moyens d'une telle politique qui entraînerait une rébellion ouverte contre la Convention et le gouvernement révolutionnaire. A la fin de l'an II les Jacobins ne conservaient plus le monopole de leurs propres méthodes d'action politique. Ainsi, la Convention, pour mettre au pas les sociétés populaires locales liées aux Jacobins, procéda, par le truchement des représentants en mission, à leur « épuration », méthode bien rodée lors de la dictature montagnarde. Dans la Convention, les Jacobins eurent pour plus farouches adversaires des transfuges de la veille qui n'ignoraient pas quel formidable enjeu politique représentait la revendication d'exprimer la volonté du « peuple »; ce droit, ils le réservaient désormais soigneusement pour la Convention et dénonçaient farouchement comme imposture « terroriste » les tentatives jacobines de le revendiquer.

Rien n'est peut-être plus révélateur de l'impasse dans laquelle se trouvaient les Jacobins que leur attitude à l'égard de la mémoire et de l'héritage de Robespierre. Le pouvoir de Robespierre avait, nous l'avons vu, comme assise la place charnière que celui-ci occupait à la fois à la Convention et aux Jacobins. A la Société, Robespierre exerçait un vrai magistère moral, politique et intellectuel, qu'il exerça particulièrement au printemps de l'an II, lors de presque toutes les séances qu'il transforma en une sorte d'école permanente de la vertu républicaine et de l'esprit révolutionnaire dont il était lui-même à la fois l'interprète et l'incarnation. Ce magistère permit aux Jacobins de s'affirmer comme une instance supérieure en morale et en politique. Or, dès la chute de Robespierre, la Société n'hésita guère à l'abhorrer, à se poser elle-même en victime de sa « tyrannie », à rejeter avec indignation l'accusation d'être sa « queue ». Et pourtant, à la fin de l'an II, lors de ces moments difficiles qui ont succédé au 9 thermidor, la Société avait plus que jamais besoin d'un « chef » faisant autorité. Le lieu qu'occupait jadis Robespierre demeura vide; personne ne voulut ni ne put l'occuper, car c'était précisément le « trône » d'un tyran.

Un épisode le montre bien. Quand le décret du 25 vendémiaire sur les sociétés populaires fut communiqué lors d'une séance de la Société, « un morne silence a régné dans la salle et des larmes ont coulé ». Lejeune, un député qui avait courageusement critiqué le décret et défendu la Société, lança un appel dramatique à Billaud-Varenne et à Collot d'Herbois, ces chefs historiques qui symbolisaient la grandeur et l'énergie de la Société avant le 9 thermidor et qui, de surcroît, avaient joué un rôle déterminant lors de la « dernière révolution ». Il reproche à ces « hommes à talent », que la nature avait gratifiés du « don de la parole », d'avoir gardé un coupable silence pendant le débat à la Convention : « Je m'étonne du silence que gardent depuis deux mois les mêmes hommes qui, il y a quelque temps, occupaient tous les jours la tribune de la Convention et celle des Jacobins. Vous parliez alors des droits du peuple, Billaud et Collot; pourquoi donc vous taisez-vous aujourd'hui qu'il s'agit de les défendre ? » Les membres interpellés répondirent, fort embarrassés, que « vu l'état de la Convention » leurs interventions ne pouvaient que nuire à la cause du peuple et à la Société. Leur silence n'est guère signe de faiblesse; ils rappellent qu'ils se sont tus pendant les trois décades qui avaient précédé leur dénonciation de Robespierre et la chute du « tyran » [1]. Ce silence contrastait singulièrement avec la ferveur et la prolixité de celui qui, après le 9 thermidor et jusqu'au procès du Comité révolutionnaire de Nantes, s'agitait beaucoup sur l'avant-scène des Jacobins, condamnant le « modérantisme » et la « persécution des patriotes » : Jean-Baptiste Carrier.

« OÙ ALLONS-NOUS ? »

« C'est un compte que nous rendons à la Nation. Nous nous rappelons à nous-mêmes ce que nous avons été, ce que nous sommes; nous nous prononçons ce que nous devons être. La France nous entend et nous juge. » Dans son rapport, présenté au nom du Comité de salut public le jour de la quatrième sans-culottide an II, Lindet formule des réponses à ces trois questions que la Convention se pose dramatiquement à la fin de l'an II : d'où venons-nous ? où sommes-nous ? où allons-nous ?

Le rapport de Lindet se proposait de clore solennellement l'an II, d'en dresser le bilan ainsi que de formuler une politique pour l'avenir. Il fut adopté à l'unanimité, au milieu de plus grand enthousiasme, par la Convention. Cette unanimité marque un temps d'arrêt dans les luttes politiques lors d'un moment particulièrement symbolique, la célébration de la fin de l'année républicaine. Cinq décades après le 9 thermidor, Lindet souhaitait réunir le plus large consentement de la Convention, et, partant, de la Nation, au projet politique avancé par son rapport. Lindet établit un vaste inventaire des problèmes qui se posent devant le pays; il analyse l'expérience de la politique inaugurée le 9 thermidor, il scrute l'horizon d'attentes et d'espoirs qui entoure cette expérience, il esquisse, pour finir, une vision de l'avenir, une sorte d'utopie sur laquelle devrait s'ouvrir la « nouvelle époque » de la Révolu-

1. Cf. les comptes rendus des séances du 25 et 27 vendémiaire, A. Aulard, *La Société des Jacobins, op. cit.*, t. VI, pp. 588 et suiv.

tion. Texte né d'un concours momentané de circonstances, ce n'est qu'une sorte de prise de vue instantanée; cependant grâce à l'ampleur des problèmes soulevés, sa lucidité mais également ses illusions, ce rapport éclaire la politique thermidorienne dans son ensemble. Nous nous contentons d'en retenir quelques points essentiels.

« Un génie destructeur planait sur la France » : le problème le plus urgent, mais aussi le plus complexe, qui se pose à l'échelle du pays ainsi que dans chaque bourg et village, c'est *liquider l'héritage de la Terreur*, réparer ses ravages. C'est un héritage particulièrement lourd, qui pèse sur tous les domaines de la vie collective. Il faut donc que la Convention continue son œuvre commencée le 9 thermidor quand elle a porté « la justice à l'ordre du jour » : libérer les innocents; faire renaître la confiance publique et la sécurité; éteindre les « flambeaux de la haine et de la discorde »; mettre fin aux soupçons qui ont trop longtemps troublé les esprits; rétablir les droits de l'homme et du citoyen, notamment la liberté d'opinion et celle de la presse. Lindet insiste tout particulièrement sur les dommages et persécutions subis par les arts, les lettres et les sciences. Il reprend à son compte le discours contre le vandalisme et, notamment, nous le verrons, les attaques contre *Robespierre-vandale* lancées par l'abbé Grégoire. Malgré tous ces préjudices, les arts ont pourtant magistralement contribué aux victoires des armées ainsi qu'à l'essor économique du pays. « S'ils ont fait ces rapides progrès, malgré les fureurs de Robespierre, que ne feront-ils lorsqu'ils partageront les avantages de la liberté et de l'égalité! Ils ont proclamé les premiers les droits de l'homme; faut-il qu'ils ne puissent pas les invoquer? » Lindet s'arrête longuement sur les problèmes économiques dont il était d'ailleurs tout spécialement chargé dans le Comité de salut public robespierriste, avant le 9 thermidor. Le commerce est en ruine, l'agriculture a, certes, fait « d'incroyables progrès : jamais on n'avait cultivé et ensemencé une si grande étendue de terre », mais elle aussi est en crise. La faute n'en revient pas seulement aux négligences et à l'ignorance mais, de nouveau, à Robespierre, à son « génie destructeur », à son plan prémédité de subjuguer la France par la Terreur. (« Le commerce offre aujourd'hui des ruines et des débris... Robespierre voulait l'anéantir... Il fallait détruire les fabriques de soie, et il forçait d'abandonner la culture du mûrier, l'une des principales ressources des départements méridionaux; il faisait transporter les huiles en pays étranger pour détruire vos savonneries. ») Les grandes villes commerciales et portuaires sont plongées dans la désolation; elles étaient victimes à la fois d'une politique désastreuse qui voulait tout réglementer et d'une répression aussi cruelle que systématique. On a conçu le projet barbare d'anéantir Lyon; sous prétexte de contre-révolution on a emprisonné des négociants, fermé des manufactures, chassé des artisans. (« Portez vos regards sur Commune-Affranchie; faites cesser la démolition des édifices et des maisons; faites rentrer les citoyens dans leurs ateliers; ils sont faits pour créer et non pas pour détruire. Ce ne sont pas des règlements que l'on vous demande; assurez la liberté de l'exportation... et Lyon sortira des ruines. Que Marseille se ressouvienne des moyens qui firent sa gloire et sa prospérité; des passions exaltées lui ont fait oublier les avantages de sa situation, ses intérêts et ses besoins. Cette commune, dont le commerce était si brillant et si utile... ne subsiste plus que par les secours que le gouvernement lui envoie... A Sette on a regardé comme contre-révolutionnaires des négociants qui faisaient le sacrifice de leur fortune pour exécuter un arrêté du Comité de salut public qui les chargeait de faire des exportations pour acquitter la République d'une partie de ses engagements... Tout retentit ici du bruit des malheurs qui ont affligé la commune de Nantes. Que pouvait le commerce au milieu de tant de calamités et de persécutions... La fidélité, les malheurs [de Nantes] appellent des encouragements. ») Pour tourner définitivement la page de la Terreur, système contraire aux principes fondateurs de la République, il faut « prononcer solennellement que tout citoyen qui emploie ses jours utilement aux travaux de l'agriculture, aux sciences, aux arts, au commerce, qui élève ou soutient des fabriques, des manufactures, *ne peut être inquiété ni traité comme suspect* ». Il faut, finalement, mettre fin à la guerre de la Vendée, établir la paix et l'ordre dans les départements de l'Ouest. Certes, on recourra, si nécessaire, à la force et aux armes. Cependant, les seules mesures militaires ne suffiraient pas pour terminer cette guerre désastreuse. La victoire définitive de la République passe, en fin de compte, par Paris, par la mise en œuvre d'une politique nouvelle, en rupture avec la Terreur. « L'exemple de courage, de probité, d'union que vous donnerez ici, doit aussi avoir la principale influence sur les départements de l'Ouest. On oubliera le faste, le luxe et le crime de quelques généraux; l'armée répondra à votre attente, et le peuple ne reconnaîtra dans les soldats de la liberté que des vengeurs. Le calme que vous établirez ici, les grands principes que vous consacrerez, et dont les représentants et les généraux se montreront pénétrés, feront cesser ces troubles affreux qui désolent une si belle contrée que vous devez reconquérir par les lumières, par la force des principes, par la raison, par une armée terrible aux rebelles, protectrice des bons citoyens, que vous achèverez cette conquête. »

Rétablir la liberté, la confiance et la justice, autant de problèmes essentiellement politiques auxquels il faut apporter des solutions elles aussi politiques. De même les problèmes économiques attendent d'abord et surtout des réponses politiques : il faut reconquérir pour la République la confiance et le soutien de tous ceux qui font tourner le commerce et les manufactures. Sous la Terreur ils étaient trop souvent considérés comme suspects du seul fait qu'ils étaient riches. Un avenir n'est donc envisageable qu'à condition de prolonger et d'amplifier les mesures prises après le 9 thermidor. Dans ce sens-là, le rapport de Lindet est un texte « thermidorien »; il consacre le 9 thermidor comme un tournant, un point de non-retour dans l'histoire de l'an II et, partant, de la Révolution. Lindet n'a pas seulement contribué à l'élaboration de ces mesures; dans son rapport, il reprend presque toutes les questions sur lesquelles la Convention et ses Comités ne cessaient de se déchirer depuis le 9 thermidor, et ce faisant il semble même réussir une gageure : présenter la politique, ô combien sinueuse et hésitante, de la Convention pendant les cinq dernières décades, comme la réalisation d'un projet politique cohérent et conséquent. Les nouvelles mesures, qu'il annonçait dans son rapport, allaient dans le même sens de démantèlement de la Terreur dans tous les domaines de la vie sociale, et, partant, de leur libéralisation : assouplir la procédure de délivrance des certificats de civisme; éliminer l'arbitraire dans ce domaine en engageant les municipalités et les comités de sections à communiquer les motifs en cas de refus et en installant une procédure d'appel; examiner le plus rapidement toutes les plaintes relatives aux arrestations arbitraires et, le cas échéant, libérer sur le coup les innocents; encourager le commerce, notamment les exportations; enfin, une série de mesures relatives à l'instruction publique sur lesquelles nous aurons à revenir.

En n'éludant pas les difficultés que fait surgir l'entreprise inédite, celle de démanteler la Terreur, Lindet se veut rassurant. L'œuvre à accomplir réussira à condition que la République ne tombe pas sous l'influence des extrémismes et qu'elle esquive ainsi le plus grand danger qui risque de compromettre la sortie de la Terreur. Il faut d'abord éviter la *revanche*. Certes, « des erreurs, des fautes, des abus de pouvoir, des actes arbitraires » ont été commis, mais ne sont-ils pas autant de « maux inséparables d'une grande révolution »? Or, il ne faut pas les confondre avec des crimes. Ainsi, il convient de rassurer les membres des comités révolutionnaires dissous ainsi que les fonctionnaires qui retournent à leurs emplois, que même s'ils ont commis, de bonne foi patriotique, quelques erreurs, la Nation les protégera contre toute tentative de vengeance : « Ils ont défendu la cause sacrée de la liberté, et dans des temps d'orage, ils ont usé d'un grand pouvoir que la nécessité avait créé. La Nation ne veut pas que ceux qui ont dirigé et lancé la foudre contre ses ennemis en soient atteints et consumés. » En revanche, ceux qui ont commis des *crimes* doivent être sévèrement punis, comme l'exigent la loi et la justice. Lindet dénonce également l'extrémisme de ceux qui « n'ont embrassé la révolution que sous les rapports des forfaits qu'ils pourraient commettre », ces « monstres... qui avaient usurpé le titre et la réputation des patriotes ». Démasqués enfin, ils cherchent maintenant à se présenter comme autant de « patriotes persécutés », à alarmer des sociétés populaires, à exciter les passions et les suspicions. Le juste châtiment qui les attend, ils tentent de le présenter comme une menace dirigée contre tous les patriotes. Lindet fait allusion aux inquiétudes qui se manifestent dans les sociétés populaires ainsi que parmi le personnel politique de la Terreur, et sur ce point son attitude est ferme : « S'il est des crimes, s'il est des forfaits qui exigent une prompte expiation, vous n'imposerez pas le silence aux tribunaux... Les citoyens que l'on a vus partager les alarmes des coupables ne vont-ils pas se séparer d'eux ? N'abandonneront-ils pas la cause de ces criminels imposteurs ? La France verra bientôt le crime et l'imposture isolés, mendiant un appui et ne le trouvant pas. » La Nation saura « réprimer et contenir par sa puissance » tous ceux qui s'efforceraient de faire naître de nouveaux troubles dans le pays.

Il faut surtout empêcher la renaissance des factions anciennes et la formation de nouvelles. Pour cela, il faut enterrer le passé, les souvenirs, si douloureux qu'ils soient, les anciennes dissensions : « Faisons oublier à nos concitoyens les malheurs inséparables d'une grande révolution; *disons-leur que le passé n'est plus à nous, qu'il appartient à la postérité.* » La sortie de la Terreur ne devrait, en aucun cas, dégénérer en un règlement de comptes, en une chasse aux coupables; l'allusion à la récente dénonciation de Lecointre contre les membres des anciens Comités est transparente.

La seule stratégie valable pour l'avenir consiste dans le plus large *rassemblement* des Français. Lindet insiste surtout sur les facteurs qui sont autant de symboles de l'*unité nationale.* C'est, d'abord, l'armée victorieuse. « Douze cent mille citoyens sous les armes, qui sont l'avant-garde des défenseurs de la liberté, reculent nos frontières dans l'Espagne, dans le Palatinat et la Belgique. Tout cède à leur courage; nos ennemis, frappés de terreur, se précipitent dans leurs retraites, accusent leurs chefs, leurs tyrans, et font des vœux secrets pour leurs vainqueurs. Les peuples sacrifiés à l'orgueil des rois, éprouvent seuls les calamités de la guerre, ne voient dans les Français que les vengeurs des droits de l'homme. » C'est, ensuite, le peuple; peuple souverain et libre, certes, associé aux affaires publiques; mais, avant tout, c'est le *peuple au travail*, qui ne refuse aucun sacrifice à la patrie en guerre afin d'assurer la victoire de ses armées. « Les Français ont trouvé des ressources dans leur activité. Un travail soutenu nous a préservés des malheurs que l'on avait tant de raisons de craindre... Quel tableau offrir à la postérité que celui d'un peuple qui fait à sa patrie le sacrifice continuel du salaire de ses travaux, de ses vêtements et de ses subsistances, qui s'oublie pour elle, et recommence chaque jour par des sacrifices qui surpassent les forces humaines. » Le peuple sous les drapeaux et le peuple au travail assurent, tous ensemble, la *grandeur nationale* : « Vos ennemis ne peuvent plus obscurcir ni voiler votre gloire. Ils ne peuvent plus vous ravir la confiance et l'estime des nations... Vous avez rappelé aux hommes qu'ils étaient tous égaux, qu'ils étaient tous frères. Ils ont volé au secours les uns aux autres, ils ne se sont plus envisagés que comme une seule famille, et la *France, étroitement unie, est devenue la première, la plus puissante des nations.* » Cette unité n'est guère conçue comme exclusive; au contraire, la République doit s'ouvrir à tous ceux qui se sont trompés et égarés sur les chemins sinueux de la Révolution : « Ce n'est pas pour vous seuls que vous avez fondé une République, c'est pour tout Français qui veut être libre; il ne vous est permis d'exclure que le mauvais citoyen... Vous êtes trop éclairés sur votre situation pour ne pas savoir combien de citoyens se sont égarés dans les routes de la révolution... N'est-ce pas le même sang qui circule dans les veines de cette jeune et vaillante jeunesse qui attend de vous la liberté de ses parents, comme le plus digne prix de ses travaux et de ses victoires ? » L'image de la grandeur nationale, de « la France active et laborieuse » assure ainsi une unité à l'an II, au-delà des vicissitudes de la Terreur, des luttes et déchirements [1].

1. Lindet s'efforce d'utiliser dans son rapport une rhétorique et un vocabulaire d'union nationale. Ainsi écarte-t-il des termes tels que la *Montagne*, les *Jacobins*, les *sans-culottes*, etc. L'imaginaire social et le lexique de l'an II pour exprimer et exalter l' « énergie révolutionnaire » se trouvent ainsi condamnés, voire exorcisés, et ce changement de langage en dit long sur le chemin parcouru depuis le 9 thermidor. Dans son rapport, Lindet se proposait de cerner les principaux problèmes soulevés lors des débats de la Convention depuis le 9 thermidor. Dans son recours à une rhétorique de l'unité, Lindet semble s'inspirer des observations d'Edme Petit sur la perversion du langage révolutionnaire pendant la Terreur. Représentant de l'Aisne, Edme Petit, chirurgien de formation, était proche des Girondins mais il avait échappé à la répression qui avait suivi la « journée » du 31 mai. Le 28 fructidor an II, Edme Petit prononça à la Convention un long discours où il examinait les facteurs qui avaient favorisé la « tyrannie de Robespierre » et, partant, le régime de la Terreur. « Comment cela s'est-il donc fait ?

Les appels à l'union à la fois nationale et républicaine trouvent leur prolongement et, en quelque sorte, leur justification ultime, dans l'*utopie pédagogique* esquissée par Lindet à la fin de son rapport. Le moyen le plus efficace pour « attacher le peuple à la Révolution », c'est de l'*éclairer*. Moyen, malheureusement, trop négligé, et la responsabilité en revient, une fois encore, à Robespierre : comme tout tyran il considérait l'ignorance et les préjugés comme ses alliés naturels. Comment expliquer autrement le fait que « les ténèbres de l'ignorance » ne sont pas encore dissipées par « les lumières et l'instruction » ? Pourquoi les Français ne disposent-ils pas encore, dans chaque

quelles ont donc été les causes de ce phénomène effrayant pour la liberté ? Oui, Citoyens, telles sont les questions que l'intérêt du peuple exige que nous résolvions en présence même du peuple. » L'originalité de l'analyse d'Edme Petit consistait, tout particulièrement, dans l'importance qu'il attachait à la perversion des principes révolutionnaires par le truchement d'un langage lui-même perverti. « Sans doute Robespierre parla de la liberté, de l'égalité ; mais ce fut de manière à ce que tout fût soumis à Robespierre, de manière à ce que Robespierre n'eût point d'égaux ; sans doute il parla du patriotisme, mais ce sentiment n'était autre chose, selon lui, que l'amour qui lui était dû et le respect que l'on devait avoir pour ses agents ; sans doute Robespierre parla de la République, mais cette République, c'était Robespierre lui-même, c'était Couthon, c'était Saint-Just. Il parla de la vérité ; mais il employa presque sans cesse le mensonge pour nuire, et n'a jamais dit la vérité quand elle pouvait être nuisible... Rappelons-nous qu'à commencer par le mot révolution, *ils ôtèrent à tous les mots de la langue française leur véritable sens*. Rappelons-nous qu'après avoir ainsi jeté partout le trouble, l'incertitude et l'ignorance, *ils introduisirent dans le langage une foule de mots nouveaux*, de dénominations avec lesquels ils désignaient à leur gré les hommes et les choses à la haine ou à l'amour du peuple trompé... Rappelons-nous que ces discours étaient relus et répétés avec emphase dans toutes les sociétés populaires affiliées, c'est-à-dire soumises à cette trop fameuse Société, laquelle a été soumise à Robespierre ; et nous aurons une juste idée de la manière dont la morale infernale de Robespierre et de ses semblables fut propagée. » D'où la proposition d'Edme Petit d'interdire à tous les membres de la Convention, sous peine de réclusion jusqu'à la paix, d'employer dans leurs rapports ou leurs discours les « mots inventés pour exciter dans la Convention et dans la République le trouble et les divisions ». A commencer par les termes *Montagne, Plaine, Marais, Modérés, Feuillants*, etc. D'où également cette autre proposition, complémentaire de la précédente : charger le Comité d'instruction publique de donner aux mots qui composent la langue française leur véritable sens et, du coup, « rendre à la morale républicaine sa véritable énergie ». Le discours d'Edme Petit, dans le même temps où il développe des aperçus pertinents sur les fonctions du langage dans le mécanisme de la Terreur, déploie paradoxalement la croyance illusoire en des possibilités quasi illimitées du pouvoir révolutionnaire de gérer et de modifier le langage, de restituer aux mots et aux symboles unificateurs leur « vrai sens ». Dans la foulée, Petit propose également de voter un décret engageant tous les députés à publier le compte de leurs fortunes et bénéfices depuis 1789. La Convention ne suivit Edme Petit ni dans ses espoirs ni dans ses soupçons, et passa à l'ordre du jour (cf. *Moniteur*, t. XXI, pp. 750-759 ; séance du 25 fructidor). Le texte de Petit ouvre la réflexion sur le langage spécifique de la Terreur (continuée, entre autres, par Laharpe) et apporte un témoignage curieux sur la culture politique à la fin de l'an II.

chaumière, « des ouvrages si désirés dans lesquels ils apprendraient leurs droits et leurs devoirs » ? La République manque toujours de « plan d'instruction » digne d'elle et il revient au Comité d'instruction publique de l'élaborer le plus promptement. Mais d'ores et déjà des mesures d'urgence s'imposent. A l'instar de l'École de Mars, il faut créer une École spéciale qui formerait, d'une manière accélérée, en appliquant des méthodes inédites, une armée d'instituteurs dont le pays ressent tellement le besoin. La prochaine création de l'École normale apporterait ainsi une réponse aussi originale qu'efficace au problème crucial de toute réforme de l'instruction publique : comment former, le plus promptement, les formateurs d'un peuple nouveau ? Il faut également « remplir le vide des fêtes décadaires » en rédigeant, pour chaque décadi, des « cahiers » qui apporteraient « un répertoire de travaux [de la Convention] et de principaux événements... Que l'on y trouve des conseils, des règles de conduite ; qu'ils respirent l'amour du travail, les mœurs et l'honnêteté publique ; qu'une narration pure et facile attache et intéresse ». Ainsi, le pouvoir révolutionnaire accomplirait sa mission pédagogique, serait en contact permanent avec les citoyens, animerait lui-même les fêtes non pas « par la pompe d'un frivole spectacle mais par l'instruction ». La France se peuplerait alors des « hommes nouveaux » ; elle s'approcherait du modèle fourni par le Valais et exalté par Rousseau, dont le peuple réunit harmonieusement, dans une vie paisible, l'amour de la liberté, le travail et les lumières. « Dans le Valais tout habitant sait cultiver son champ, les arts et les sciences ; toute maison renferme une collection des meilleurs livres, des outils les plus ingénieux des différents arts et métiers, et des instruments d'agriculture dont le possesseur sait faire usage. »

Dans ce pays qui vient à peine d'amorcer sa sortie de la Terreur et qui se trouve en pleine guerre, quel citoyen ne se reconnaîtrait dans cette vision d'une France nouvelle, réconciliée avec elle-même, éclairée et paisible, travailleuse et libre ? Le recours à l'utopie (ou, si l'on veut, la fuite dans l'utopie) permettait, du coup, que le présent, la crise et les conflits politiques marquant la fin de l'an II fussent perçus comme un moment passager. Revigorer la mission pédagogique de la Révolution, c'est revenir à ses sources et, du coup, combler par l'éducation le fossé qui s'est creusé entre les principes fondateurs de la Révolution et son histoire qui en devait être la réalisation [1].

Ainsi, pour Lindet, avec le 9 thermidor « la nation française avait parcouru toutes les périodes de sa révolution », elle a achevé, pour ainsi dire, un cycle complet de son histoire. Le redressement des abus de la Terreur constitue « le retour aux règles et aux principes », à ses valeurs originaires. Ce parcours n'était pas pourtant inutile : le peuple en sort enrichi d'expériences, certes, très douloureuses, mais trempé, aguerri et énergique, sachant distinguer les vraies vertus des apparences trompeuses. Lindet sait parfaitement que l'époque de l'après-Terreur, ouverte par le 9 thermidor, ne peut pas être une « restauration », un simple retour à une situation antérieure, à un modèle politique et institutionnel formé dans le passé. Il est, évidemment, exclu de revenir à une monarchie constitutionnelle; mais il est également exclu de retourner à la situation d'avant le 31 mai 1793 (cette date sert toujours de

---

1. Lindet reprend ainsi avec vigueur les préoccupations et les espoirs pédagogiques qui marquent tout le débat politique après le 9 thermidor. L'assimilation de la Terreur au « vandalisme » incitait à revigorer la vocation et l'œuvre pédagogiques du pouvoir révolutionnaire. La rhétorique révolutionnaire trouve un lieu privilègie de son exercice dans l'exaltation des bienfaits espérés de l'éducation, le seul remède efficace contre le retour éventuel de la Terreur. On nous pardonnera aisément d'en donner quelque échantillon : « Qu'ai-je entendu, Sénateurs de la République? Les patriotes des campagnes demandent, désirent une nouvelle victoire; repoussés depuis cinq ans d'une nouvelle terre promise par une main invisible et sacrilège, ils brûlent, ils soupirent ardemment pour l'instruction publique, avec le cri du désespoir, les larmes des sentiments et l'attendrissement de la reconnaissance. Le moment presse; nous sortons des agitations;... calmons les inquiétudes, consolons la masse de citoyens, et *d'une main paternelle déversons dans la cabane du laboureur, sous la chaume d'indigence, la rosée bienfaisante de l'instruction.* Les agitateurs, les alarmistes, désolés par nos brillants succès, tentent d'avilir, de calomnier la représentation nationale; ils savent bien, ces hommes pervers, que la liberté nourrie par l'instruction publique, corroborée par les bonnes mœurs, éclatante comme l'astre du jour, se montrera avec majesté aux peuples de la terre, embellie des palmes du triomphe et de l'immortalité » (Giraud, à la séance du 22 fructidor, an II, *Moniteur*, t. XXI, p. 708). Comparée à de tels sommets de rhétorique, la vision de la France transformée en pays des Montagnons, rêvée par Lindet, semble bien modeste. A la fin de l'an II et au début de l'an III, un énorme effort sera effectivement fourni pour la formation de nouvelles élites républicaines : création de l'École normale, annoncée par Lindet, et fondation de l'École centrale des travaux publics (appelée ensuite École polytechnique) : cf. B. Baczko, *Une éducation pour la démocratie. Textes et projets de l'époque révolutionnaire*, Paris, 1982.

référence; la « réhabilitation » des Girondins et, partant, le retour des députés incarcérés ne sont pas encore envisagés). Retour donc aux origines, mais dans le sens des valeurs fondamentales et des principes fondateurs de 89. Leur rétablissement devrait pourtant aller de pair avec la conservation des institutions de 93 : le gouvernement révolutionnaire jusqu'à la paix, le maintien des sociétés populaires qui ont comme mission d'éclairer le peuple. Autrement dit, Lindet proposerait à la fois de *revenir* aux principes de 89 et de *sauvegarder*, comme acquis durable de l'expérience révolutionnaire, les institutions et l'élan de l'an II, les pratiques terroristes en moins. Conscient des difficultés et des obstacles à surmonter, il croit néanmoins ce programme réaliste. Comme s'il n'existait aucune contradiction entre les principes de 89 et les institutions et valeurs de 93; comme si les valeurs mêmes de 89 n'avaient aucunement souffert des épreuves terroristes de l'an II; comme si le pouvoir disposait de critères infaillibles et communément partagés pour séparer les « abus » des « crimes »; comme si, enfin, le « Peuple souverain » et, donc, le pouvoir révolutionnaire échappaient au difficile partage entre le « pur » et « l'impur », la vertu et le vice, dans l'histoire de la Révolution, dans son passé et dans son avenir [1].

La Convention accueillit le rapport de Lindet avec enthousiasme et l'approuva à l'unanimité. Dès le lendemain, elle semblait pourtant avoir oublié cette belle unanimité pour se livrer à ses déchirements. Le rapport de Lindet est un document remarquable à la fois par sa lucidité et par ses illusions. Il se distingue par son sens des responsabilités de l'État, par sa volonté de maîtriser les passions déchaînées. L'unanimité de son adoption semblait, l'espace d'un instant, réaliser l'impossible unité de la Convention thermidorienne. Le projet de Lindet proposait, pour assurer l'avenir de la République, le plus grand rassemblement des Français, qui se ferait à l'exclusion de tous les extrémismes qui voudraient revenir à la Terreur ou s'attaquer aux acquis de l'an II et du gouvernement révolutionnaire. En cela, le rapport Lindet trace un *programme centriste*,

1. Toutes les citations empruntées au rapport de Lindet sont extraites du texte publié dans le *Moniteur*, t. XXII, pp. 19-27.

mais il n'ouvre aucune nouvelle étape politique; tout au plus, marque-t-il une pause. Son centrisme représente' un *point de vue* et non pas une *force politique*; l'heure n'est pas à l'impossible rassemblement mais, au contraire, à l'aggravation des conflits et des contradictions politiques. Que ce point de vue ait été présenté au nom du Comité de salut public n'est que le fait d'un concours de circonstances et d'un rapport des forces passager. En effet, la procédure de renouvellement du Comité de salut public chaque mois, appliquée la première fois le 15 fructidor, a créé au sein de ce Comité un équilibre très fragile. L'unanimité à laquelle a été accepté le rapport était donc un signe de faiblesse et non pas de force [1].

Le rapport fut prononcé le dernier jour de l'an II. La solennité de la séance favorisa certainement son adoption comme bilan et comme programme. Les moments symboliques sécrètent leurs propres illusions : l'instant passager est vécu comme un moment durable, les espoirs semblent des certitudes, l'éphémère devient stable et solide. Lindet espère et croit que les expériences douloureuses de la Terreur donneront le jour à une dynamique unitaire. En adoptant son rapport, la Convention semble lui donner raison et opter pour une sortie de la Terreur qui se ferait « en décrétant l'oubli », pour reprendre l'expression de Quinet [2]. Ce n'était pourtant qu'un de ces rares moments où le symbolisme et l'utopie de l'unité semblaient l'emporter sur les déchirements et les dénonciations, le dénigrement et la violence [3]. Car l'heure n'est en réalité plus à l'union

---

1. Le 15 fructidor on procède au premier renouvellement du Comité de salut public; un jeu assez complexe (tirage au sort et désistements, notamment de Billaud-Varenne, de Collot d'Herbois et de Tallien) a pour résultat la conservation de certains membres de l'ancien Comité (entre autres, Robert Lindet, Carnot, et Prieur [de la Côte-d'Or] et l'introduction de personnalités nouvelles (Merlin [de Douai], Delmas, Cochon et Fourcroy). Cf. J. Guillaume, « Le personnel du Comité de salut public », *La Révolution française*, t. XXXVIII, pp. 297-309.

2. Cf. E. Quinet, *La Révolution* (édité et préfacé par C. Lefort), Paris, 1987, p. 604. Mona Ozouf a remarquablement analysé cet « impossible oubli » qui ne se laissait pas décréter et dont le travail contradictoire marque l'histoire de la Convention thermidorienne *in* « Thermidor ou le travail de l'oubli », *in L'École de la France*, Paris, 1984.

3. Déjà le lendemain, le jour de la cinquième sans-culottide, la fête de la panthéonisation de Marat fait ressortir au jour les ambiguïtés et les contradictions dans lesquelles s'engage la Convention thermidorienne. Il n'est plus un symbole qui ne diviserait pas. Pour un Fréron qui s'en réclamait, Marat symbolisait le journaliste persécuté, donc, la liberté de la presse; Fréron imitait d'ailleurs, comme nous l'avons remarqué, la violence

et au rassemblement, mais à la *polarisation* et à *l'affrontement*. L'héritage politique et symbolique de l'an II, même réduit à ce que Lindet voulait en sauver, ne réunit plus, il divise; les principes de 89, au regard des problèmes soulevés par la sortie de la Terreur, ne rassemblent plus, ils attisent les conflits. La fin de l'an II met en évidence que *l'héritage de la Révolution n'est pas unique, mais pluriel*. Il devient l'objet des conflits politiques.

« Il faut mettre fin aux soupçons... pour rétablir la France », insistait Lindet dans son rapport. Il proposait de sortir de la Terreur sans esprit de revanche. Cette originalité de propos était la marque de sa plus grande faiblesse et le condamnait à l'échec. Le rapport de Lindet essayait vainement d'exorciser les haines et les soupçons, d'arrêter l'engrenage des passions et des ressentiments. Le projet politique de Lindet, autant dire son pari, se référait à l'unité réalisée par la Convention et la Nation le 9 thermidor. L'après-Terreur n'aurait qu'à reconduire l'unité symbolisée par le cri unanime : « A bas le tyran! » La Terreur avait divisé les citoyens pour que le « tyran » et ses acolytes pussent régner. En recouvrant sa liberté, en revenant à ses valeurs et ses principes originaires, en ne connaissant plus qu'un seul « centre de ralliement », la nation devrait cimenter son unité dans l'oubli de la « tyrannie » et la passion pour la liberté.

Lindet croyait inaugurer une ère nouvelle, quand, une fois encore, la Révolution nourrissait le mythe de l'unité fonda-

verbale de Marat en la retournant contre les Jacobins et les terroristes. Mais Marat c'était aussi, sinon surtout, le symbole de la violence, l'instigateur de la Terreur, l'homme qui avait trempé dans les massacres de Septembre et qui avait demandé « cent mille têtes » pour sauver la Révolution. La cérémonie de la panthéonisation de Marat est marquée par un malaise manifeste (cf. les analyses très fines de Mona Ozouf, *ibid.*). Deux décades plus tard, le 20 vendémiaire, la Convention procède à la translation au Panthéon des cendres de Rousseau; la fête est placée sous le signe de la paix, du retour à la Nature et de l'hommage rendu aux Lumières. Mais placer les mânes de Rousseau à côté de ceux de Marat n'est-ce pas blasphémer, offenser l'auteur d'*Émile* et de *La Nouvelle Héloïse*? Le 19 nivôse an III, cent jours après la panthéonisation, le buste de Marat est enlevé de la salle de la Convention; trois semaines plus tard, un buste de Marat est renversé au théâtre Feydeau par la « jeunesse dorée » ce qui déclenche le bris des bustes dans tous les lieux publics, à Paris et dans les départements. Le 7 ventôse an III, les restes de Marat quittent le Panthéon et sont déplacés au cimetière Sainte-Geneviève, après que son buste eut été symboliquement jeté, également par la « jeunesse dorée », dans l'égout de Montmartre. Sur la légende noire de Marat pendant la période thermidorienne, cf. J.-Cl. Bonnet (sous la direction de), *La Mort de Marat*, Paris, 1986, pp. 170 et suiv.

mentale de la Nation, du peuple, et, partant, d'elle-même. Elle reproduisait dans le même temps, le *mécanisme régulateur* de son fonctionnement, à savoir l'*exclusion* des adversaires politiques défaits, assimilés à des factieux, à des ennemis de la République. Le 9 thermidor traiterait le déchaînement des passions par le seul remède qui convenait à ce moment de la vie collective : la revanche.

C'était, en effet, le langage du soupçon qui exprimait le mieux les peurs et les haines léguées par la Terreur. La haine visait les « terroristes », les agents et le personnel politique de la Terreur, tous ceux que l'opinion publique condamnait d'avance pour *avoir participé à l'exercice d'un pouvoir infâme.* La peur agitait le spectre du retour de la Terreur, de nouveaux massacres; la presse, les pamphlets antijacobins, les premières révélations sur les noyades à Nantes et les récits des prisonniers élargis, les innombrables rumeurs l'attisaient. La revanche devint personnelle et collective, sociale et culturelle, à l'encontre de tous ces « scélérats » et « égorgeurs », « chevaliers de la guillotine » et « massacreurs », pilleurs et voleurs, ignorants et insolents, qui avaient accaparé toutes les « places », et qui avaient eu un temps le dessus sur les « honnêtes gens ». Ces peurs et ces haines trouvaient leur envers dans l'angoisse des Jacobins d'être persécutés : le brusque revirement de la conjoncture politique, de plus en plus confuse, les premières attaques contre les « patriotes » engendrèrent un climat de peur et d'insécurité chez les Jacobins. Dans l'un et l'autre camp, la crainte fut attisée par la surenchère verbale propre à la Révolution, mais particulièrement à ces premières semaines de l'après-9 thermidor. La sortie de la Terreur élargissait l'espace de liberté, notamment de la liberté de parole et de presse. L'amplification de la peur que revienne la Terreur frappe l'historien qui sait rétrospectivement dans quel état de faiblesse se trouvaient alors les Jacobins. Il est vrai que les contemporains étaient d'abord sensibles à la violence désormais rhétorique des discours prononcés à la Société. Ainsi, à la séance du 21 fructidor, Duhem ne proposait-il pas pour « délivrer enfin la République de tous les aristocrates et contre-révolutionnaires » de remplacer purement et simplement les « flots de sang et... les supplices multipliés » par la déportation massive de tous les nobles et prêtres, « ce ramas impur d'êtres gangrenés... ces lépreux, ces pestiférés [1] »? N'oublions pas qu'à peine sortis de la Terreur les acteurs politiques savaient encore combien le langage de la violence pouvait anticiper la violence tout court, l'annoncer et la préparer, si seulement les circonstances s'y prêtaient. La méfiance réciproque est d'autant plus grande que la relative libéralisation politique facilite la diffusion et circulation des rumeurs et des craintes. Paris pullule de « patriotes persécutés » et de leurs parents qui viennent chercher aide et protection auprès des Jacobins en apportant des nouvelles alarmantes sur ce qui est en train de se produire dans les départements; d'autre part, les rumeurs sur une « nouvelle conspiration » jacobine provoquent des mouvements de panique comme nous le montrera l'histoire de l'émeute jacobine à Marseille, le 5 vendémiaire an III.

L'après-9 thermidor ne pouvait donc être une époque d'élaboration de nouveaux mécanismes régulateurs de la vie politique. La Convention prit certes quelques précautions contre le retour éventuel à la « tyrannie », réorganisant notamment la structure du pouvoir central, mais l'heure, à la revanche, ne favorisait ni le pluralisme politique ni la tolérance. Les appels à l'unité nationale, quelles qu'en soient les intentions et la provenance, n'apportaient pas l'apaisement mais redoublaient les méfiances et les soupçons. En effet, le symbolisme et la représentation de l'*unité* de la Nation ou du peuple avaient été utilisés, depuis 1789, comme une arme redoutable dans les luttes politiques, toujours annonciateurs d'épurations souvent sanglantes. Le glissement vers la dictature jacobine et montagnarde s'était opéré par l'exclusion des oppositions successives au nom de la souveraineté illimitée du peuple, *un et indivisible*. De même, la sortie de la Terreur s'effectuera par l'exclusion des « terroristes » et la répression sera légitimée par la « justice por-

---

1. Séance du 21 fructidor an II; cf. A. Aulard, *La Société des Jacobins, op. cit.*, vol. VI, pp. 423-425. Carrier apporta son soutien entier à cette motion : « Oui, citoyens, oui, le temps d'une fausse pitié, d'une indulgence coupable est passé; il est juste que le salut du peuple, qui est la suprême loi du patriote, fasse taire cet affreux modérantisme, *qui finirait par nous égorger impitoyablement, si nous avions la faiblesse de l'écouter plus longtemps.* »

tée à l'ordre du jour » et faite au nom du peuple uni contre la tyrannie. La majorité de la Convention retourne tout au plus contre les Jacobins une rhétorique et une idéologie que ceux-ci avaient élaborées. Ce n'était pas une manœuvre politicienne, mais la récupération par les « thermidoriens », souvent issus de la Montagne, d'une partie du legs jacobin.

Du fait de cette absence d'innovation politique fondamentale, on peut dire que si le rapport Lindet clôt l'an II, il *n'inaugure pas l'an III*. Cette année, déterminante pour l'expérience politique thermidorienne, s'ouvre, en réalité, sous les auspices de *l'adresse solennelle* lancée par la Convention le 18 vendémiaire, à peine vingt jours après l'adoption du rapport Lindet.

> « Vos ennemis les plus dangereux ne sont pas les satellites du despotisme que vous êtes accoutumés à vaincre... Les héritiers de Robespierre et de tous les conspirateurs que vous avez terrassés s'agitent en tous sens pour ébranler la République et couverts de masques différents cherchent à vous conduire à la contre-révolution à travers les désordres et l'anarchie. Français instruits par l'expérience, vous ne pouvez plus être trompés. Le mal vous a conseillé le remède... Aucune autorité populaire, aucune réunion n'est le peuple; aucune ne doit parler, agir en son nom... Tous les actes du gouvernement porteront les caractères de justice; mais cette justice ne sera plus présentée à la France, sortant des cachots, toute couverte de sang, comme l'avaient figurée de vils et hypocrites conspirateurs... Français, fuyez ceux qui parlent sans cesse de sang et d'échafauds, ces patriotes exclusifs, ces hommes outrés, ces hommes enrichis par la révolution, qui redoutent l'action de la justice et qui comptent trouver leur salut dans la confusion et dans l'anarchie [1]. »

Le texte vaudrait d'être cité en entier; c'est un véritable appel à la vengeance et à la revanche, contre les Jacobins et l'ancien personnel terroriste. Les attaques contre les « patriotes exclusifs » annoncent la mise au pas des sociétés populaires, à commencer par la Société mère, les Jacobins de Paris. L'adresse contient tous les éléments de la politique que va adopter, en fin de compte, le pouvoir thermidorien. La

---

1. *Moniteur*, t. XXII, pp. 201-202; adresse du 18 vendémiaire, *La Convention nationale au peuple français*. Cette adresse a été acceptée, elle aussi, à l'unanimité...

revanche est d'abord conçue comme légale et contenue stricte-
ment dans les limites de la loi. La violence verbale de ces appels
laissait pourtant présager la fragilité de ces bornes.

Il est tout à fait passionnant de suivre comment de jour en
jour s'opère ce revirement qui débouche sur une option politique radicalement opposée au projet politique unanimiste proposé par Lindet. En effet, le choix politique annoncé par
l'adresse du 18 vendémiaire n'est aucunement le fruit d'un projet politique global, préalablement élaboré; la majorité thermidorienne ne fait qu'apporter, au coup par coup, des réponses
ponctuelles à des problèmes concrets posés par l'évolution de la
situation politique. Cependant, en *réagissant* ainsi aux événements, elle se livre à une escalade de la répression et de la violence, des soupçons et des ressentiments. Les effets de ces
à-coups et des réactions politiques passionnées se conjuguent et
se complètent à tel point qu'ils semblent former un phénomène
politique nouveau. Ses contours demeurent encore flous, mais
l'ensemble est déjà suffisamment distinct pour que le besoin se
ressente de le circonscrire d'un mot nouveau : la *réaction* antijacobine et antiterroriste. Il n'est pas de notre propos de
reconstituer une telle chronique politique; contentons-nous
d'évoquer quelques points importants qui tissent le contexte de
l'adresse du 18 vendémiaire et, du coup, éclairent la voie dans
laquelle s'engage le pouvoir au début de l'an III.

Par son adresse, la Convention voulait intervenir d'une
manière « énergique » dans une sorte de « guerre aux adresses »
dont elle-même est devenue le champ de bataille depuis un
mois. Nous avons cité les adresses à la Convention qui, après le
9 thermidor, félicitent les « pères de la patrie » d'avoir déjoué
l'affreuse conspiration du « nouveau Catilina ». Adresses unanimes dans leur appui et leur enthousiasme (peu importe ici
que cette belle unanimité soit totalement le fruit de l'unité-
réflexe imposée par la Terreur ou d'un réel soulagement de
voir choir la dictature). Nous avons vu, également, que vers la
mi-fructidor, les dernières adresses de félicitation pour le
9 thermidor parviennent au Comité de correspondance de
l'Assemblée, en même temps que les premières pétitions dénonçant le retour du « modérantisme qui lève la tête », de la « per-

sécution des patriotes ». Ainsi, la société populaire de Dijon, qui avait approuvé le 9 thermidor, proposait à la Convention, dès le 7 fructidor, pour combattre le modérantisme qui « invoque la justice comme Robespierre invoquait la vertu », d'organiser le plus promptement les comités révolutionnaires de district, de les autoriser à « recommencer les arrestations des personnes suspectes selon la loi du 17 septembre », d'inviter tous les citoyens à « communiquer les motifs de suspicion contre tel ou tel individu », de réexaminer la loi qui ordonne de « juger sur la question intentionnelle ». Ce même texte, qui sonnait comme un appel à restaurer la Terreur, avait également été envoyé aux Jacobins, à toutes les sociétés affiliées ainsi qu'aux sections parisiennes [1]. Or, cette adresse ne trouva pas seulement un appui favorable dans certaines sections parisiennes, parmi les plus radicales. Les Jacobins lui réservèrent un accueil enthousiaste, la firent imprimer et lui assurèrent une diffusion encore plus large (envoi aux armées et à toutes les sociétés affiliées). Dès lors, presque chaque jour, la Convention fut saisie de pétitions et de plaintes à peu près analogues qui, de règle, furent envoyées en même temps à la Société mère. La Convention riposta, on l'a vu, en accusant la Société de s'ériger en un « centre parallèle » du pouvoir, fabriquant elle-même toutes ces adresses, les envoyant ensuite dans les départements où leurs complices « terroristes » les imposaient aux sociétés, notamment en s'arrogeant le droit de signer une « pétition collective ». A leur tour, les représentants en mission incitèrent les autorités constituées, des sociétés populaires, des habitants de la commune, à mener une sorte de contre-campagne d'adresses qui appelaient la Convention à maintenir « la justice à l'ordre du jour », à punir les « voleurs », les « scélérats » et autres partisans de Robespierre. On vit même des contre-adresses parvenir de sociétés qui, en l'espace de deux ou trois décades, s'étaient rétractées, avaient changé radicalement de position et dénonçaient maintenant ceux qui les avaient « abusées » (ce fut le cas

---

1. Sur la société populaire de Dijon, son pouvoir exorbitant qui « faisait trembler tous » pendant la Terreur ainsi que sur son adresse du 7 fructidor an II, cf. L. Hugueney, *Les Clubs dijonnais sous la Révolution*, [Dijon, 1905], reprint : Genève, 1978, pp. 153 et suiv.

notamment à Bourg-en-Bresse, Auxerre, Sedan, Marseille)). On devine facilement le travail d'« épuration » auquel fut soumise telle localité, entre l'envoi des deux adresses. La société de Dijon elle-même, « épurée » par le représentant Calès, rétracta finalement, le 3 et le 4 brumaire, son adresse jugée, au « milieu des applaudissements les plus unanimes », « affreuse » et « infâme [1] ». Cet éclatement de l'unanimité-réflexe représente un incontestable gain en liberté d'expression, acquis en un temps relativement court. Mais ces polémiques et les controverses démontraient également que la liberté nouvelle révélait les clivages et les conflits propres au « pays réel » qui se dégageait de la Terreur. Un épisode de cette « guerre aux adresses », le 11 vendémiaire, est révélateur de l'âpreté des affrontements provoqués presque chaque jour, par la lecture de la correspondance. Il servira d'ailleurs de prétexte à l'élaboration de l'adresse solennelle de la Convention appelant à mettre fin à cette « guerre ». Ce jour-là, Thibaudeau dénonça la manipulation et les manipulateurs qui se cachaient derrière les adresses condamnant le « modérantisme » et la « persécution » des patriotes. Il s'appuya sur un exemple concret. La veille, la Convention avait été saisie de l'adresse de la société populaire de Poitiers dans laquelle « on vous disait que l'aristocratie et le modérantisme lèvent la tête, et que les patriotes étaient persécutés ». Or, Thibaudeau, lui-même député de la Vienne, était allé vérifier cette adresse (ajoutons que plusieurs membres de sa famille avaient été arrêtés pendant la Terreur; lui-même craignait pour sa liberté; les mauvaises langues ne manqueraient pas d'insinuer, plus tard, que pour fournir la preuve de sa loyauté il venait à la Convention, pendant la Terreur, vêtu d'une « carmagnole » un peu crasseuse, et coiffé d'un bonnet

---

1. *Ibid.*, pp. 206-207. On exigea même de « convoquer les citoyens à son de trompe » pour les faire signer ce désaveu. La réprobation de l'« adresse infâme » fut proposée par un certain Sauvageot, Chef des Jacobins dijonnais, il avait été... l'instigateur de la première adresse et on l'appelait, sous la Terreur, « le petit roi de Dijon ». Ce désaveu tardif ne le sauvera pas pourtant : en germinal an III il est arrêté et poursuivi pour abus d'autorité et arrestations arbitraires (*ibid.*, p. 218). *Le Messager du soir* du 6 frimaire enregistra avec grande satisfaction la rétractation par les clubs dijonnais épurés de leur appel antérieur, « signe de ralliement de tous les terroristes ». L'appel de la société populaire de Dijon inspira une pièce « antivandale » et « antiterroriste », *L'Intérieur du Comité révolutionnaire*, sur laquelle nous reviendrons.

rouge...). Il avait constaté que cette adresse avait été rédigée depuis quelques semaines déjà et qu'elle n'était « signée que par sept individus, et que de sept individus il y a un qui est mort il y a plus de cinq semaines. D'ailleurs ces sept individus sont des scélérats qui ont été destitués par les représentants du peuple, et qui ont volé les effets des détenus ». Et Thibaudeau de conclure : le Comité de correspondance se prête à des manœuvres et des manipulations (un autre représentant ne manquera de dénoncer, à la même occasion, des « robespier- ristes » qui s'étaient faufilés dans ce Comité); mais, plus grave, on voulait ainsi « imprimer des fluctuations à l'opinion publique ». Il fallait donc « fixer cette opinion » d'autant plus que le rapport adopté par la Convention pour « régler sa conduite » (le rapport de Lindet) n'avait pas suffisamment cla- rifié la situation : ses « principes » avaient été obscurcis par des « considérations trop générales ». « Chargez vos trois Comités de rédiger une adresse aux Français, dans laquelle ces prin- cipes seront exposés d'une manière simple, distincte et positive. Quand on osera proférer dans les sociétés populaires ou ail- leurs des principes opposés à ceux que vous avez proclamés, on sera banni... Si quelques fripons se disputent dans des libelles l'influence qu'ils voudraient exercer, s'ils disputent leur tête au châtiment qu'ils ont mérité, c'est à la majorité de la Convention nationale qu'ils voudraient entraîner, à laquelle ils voudraient faire partager leurs passions, à se montrer ferme, à mettre un terme à tous ces excès [1]. » De cette « fermeté » la Convention

---

1. *Moniteur*, t. XXII, pp. 132-133. Thibaudeau éclaire lui-même cet épisode ainsi que le contexte local dans lequel se situaient ses attaques contre les « terroristes » et « scélérats » de Poitiers dans sa brochure : *Histoire du terrorisme dans la Vienne*, Paris, s.d. (an III). Pour caractériser le règne de la Terreur à Poitiers, Thibaudeau évoque une image qui prend une valeur symbolique : « La guillotine était depuis longtemps à Poitiers; elle y était encore quelques jours après le 9 thermidor. Les terroristes avaient creusé une fosse sous l'échafaud, au pied de l'arbre de la liberté; ses racines, disaient-ils, devaient croître et s'étendre dans le sang des victimes » (*ibid.*, pp. 52-53). L'adresse proposée par Thibaudeau devait notamment constituer une « ferme réplique » au *Rap- port du Comité de correspondance de la Société des Jacobins*, du 5 vendémiaire, qui avait été « imprimé, affiché, distribué envoyé à toutes les sociétés affiliées, aux armées et aux quarante-huit sections de Paris ». Le *Rapport*, tout en n'osant pas condamner explicitement la politique de la Convention, formulait néanmoins des critiques très fermes. Ainsi, est-il constaté qu'après le 9 thermidor *une réaction cruelle s'est fait sen- tir*, comme en témoignent les « adresses multipliées » que font parvenir les sociétés affi- liées de tous les coins de la République. Le rapport dénonce vigoureusement ceux qui

donnera un exemple dès le lendemain; après une violente attaque de Legendre contre Collot, Barère et Billaud-Varenne, traités de « conspirateurs », elle décida de revenir à l'examen de leurs responsabilités lors de la Terreur, et, notamment, de leur complicité avec Robespierre. Elle rouvrait ainsi le débat qu'elle avait décidé, à peine un mois plus tôt, de clore définitivement...

Ainsi s'avérait-il une fois encore que les deux questions : *d'où venons-nous?* et *où allons-nous?* étaient inextricablement enchevêtrées, et que le démantèlement de la Terreur, sans revanche ni règlements de comptes, n'était qu'une possibilité abstraite et théorique. Mais ce furent surtout les « nouvelles de Marseille », fort opportunément présentées à la Convention le même jour par les trois Comités (de salut public, de sûreté générale et de législation), qui apportèrent la démonstration, si besoin était, que la sortie de la Terreur ne pourrait se faire qu'à travers des affrontements ouverts et au prix d'une « réaction » antijacobine.

L'affaire de Marseille, qui remonte à la deuxième décade de fructidor, mérite un rappel d'autant plus succinct qu'il nous est impossible d'évoquer l'histoire, particulièrement complexe, de la Terreur dans le Midi, dont elle ne constituait qu'un épisode. Sur plusieurs points elle est révélatrice de l'évolution globale de la situation politique dans le pays mais aussi des rapports entre la situation à Paris et les problèmes spécifiques que la sortie de la Terreur soulevait dans les départements. Le 20 fructidor deux nouveaux représentants en mission, Auguis et Serres, arrivent dans le Midi, déterminés, comme ils le formulent dans un rapport au Comité de salut public, de libérer le Midi « des monstres qui le gouvernaient et le tenaient sous l'oppression de la terreur et du crime insolent ». Du coup, le conflit devient inévitable avec les Jacobins marseillais du célèbre « club de la

affirment qu'un million d'hommes en nourrissaient en France les vingt-quatre autres millions. C'était une allusion transparente à un discours de Dubois-Crancé prononcé lors de la troisième sans-culottide, qui pour dénoncer les effets néfastes de la Terreur sur l'économie, avait parlé d' « un million » de personnes nourrissant « vingt-quatre millions » d'autres. Elle sera amplement exploitée par les Jacobins; ils se réclamaient de « vingt-quatre millions » qu'ils défendaient contre « un million ». Ainsi ils présentaient les enjeux des conflits essentiellement politiques comme des antagonismes sociaux, opposant le peuple, pauvre et laborieux, au « million » de riches et de profiteurs de la Révolution.

rue Thubaneau ». Assurément ces derniers ont félicité, avec enthousiasme, la Convention pour la « chute du tyran » le 9 thermidor, mais très rapidement ils ne dissimulent pas leurs inquiétudes face à la tournure que prend la situation politique. Ainsi ils dénoncent dans leurs réunions le « modérantisme », la libération des « aristocrates » et des « suspects ». Ils envoient une délégation à Paris pour faire leurs représentations à la Convention et aux Jacobins. Une autre « délégation » (« dix députés, chacun armé d'un sabre et d'un pistolet ») était dépêchée à la rencontre des nouveaux représentants en mission. Ceux-ci procèdent rapidement à l'élargissement des détenus (environ cinq cents en une semaine) et dénoncent comme terroristes aux Comités de la Convention les Jacobins marseillais ainsi que les autorités constituées que ceux-ci dominent. Le 26 fructidor ils font arrêter un certain Reynier – une des têtes du jacobinisme local, prêtre défroqué, cumulant les fonctions d'instituteur et de secrétaire de la Commission révolutionnaire de Marseille –, dont ils ont intercepté une lettre appelant à un « nouveau 2 septembre ». Les Jacobins voient dans cette arrestation une agression directe contre la Société dans son ensemble, un nouvel épisode de l'opposition du pouvoir central aux Marseillais. Ils accueillent par des huées Auguis et Serres et appellent à une « levée en masse ». Le 28 fructidor, Reynier, qui doit être conduit à Paris, est arraché à son escorte, à la sortie de la ville, par une centaine de Jacobins. Les représentants dénoncent cet incident comme une révolte caractérisée et un défi lancé à la Convention et au gouvernement révolutionnaire. Ils procèdent à l' « épuration » des autorités locales et informent la Convention de cette « affaire » dans les termes les plus alarmants. Or, à Paris, aux derniers jours de l'an II, les nouvelles de Marseille ne pouvaient que troubler les esprits. En pleine « guerre aux adresses », après les interventions très musclées de la délégation des Jacobins marseillais à la Convention et à la Société mère, la rumeur court qu'un bataillon armé, formé de Jacobins marseillais, monte sur Paris pour y procéder à un nouveau 10 août, mais cette fois-ci contre les Comités de la Convention. Babeuf, dans son *Journal de la liberté de la presse*, alarme l'opinion publique en affirmant que les troubles à Marseille ont été provoqués par les Jacobins afin d'assassiner la Convention. Face à ces rumeurs et à l'afflux à Paris, en provenance de plusieurs départements, du personnel terroriste qui se sent menacé et vient chercher refuge avec familles et amis, la Convention décide, lors de la séance de la troisième sansculottide (donc la veille de l'adoption du rapport Lindet), de procéder à l'expulsion, de la capitale, de toutes les personnes qui n'y résidaient pas avant le 1er messidor (cette mesure préfigure la loi de « grande police » qui sera adoptée le 1er germinal an III et qui décréta le renvoi à leur domicile de tous les « terroristes »). A sa séance de la cinquième sans-culottide, donc le lendemain de l'approbation du rapport de Lindet, la Convention décide d'intervenir elle-même dans les affaires marseillaises. Elle met hors la loi Reynier, appelle ses représentants à procéder aux arrestations des instigateurs de la rébellion, d'apposer des scellés sur les papiers de la Société jacobine et d'entreprendre son « épuration ». L'ordre de fermer le club arrive à Marseille le 4 vendémiaire, et les représentants en mission lancent des mandats d'arrêt contre 35 Jacobins soupçonnés d'avoir participé à l'enlèvement de Reynier. Le 5 vendémiaire, à une heure du matin, on procède aux premières arrestations (le président des Jacobins, Carle, grimpe sur le toit de sa maison, encerclée par des soldats, et se précipite dans le vide). Dans la ville, une émeute éclate. Une foule, d'environ quatre cents personnes, entoure la maison occupée par les représentants; un des « clubistes », un certain Marion, pénètre dans le bâtiment et demande « au nom du peuple souverain » l'élargissement immédiat de tous les Jacobins arrêtés. Les représentants essaient, d'abord, de dissiper l'attroupement puis ils font intervenir la troupe qui cerne le quartier et procède à l'arrestation de 96 personnes (dont 13 gendarmes). Le 7 vendémiaire Marion et quatre gendarmes sont condamnés à mort par une commission militaire; avant l'exécution publique ils chantent *La Marseillaise*. 250 personnes environ seront inculpées (les procédures traîneront jusqu'à la fin de l'an III), les autorités locales ainsi que le club lui-même seront radicalement épurés.

Lors de sa séance du 12 vendémiaire, la Convention est

informée de ces événements; elle prend connaissance des rapports des deux représentants en mission ainsi que des appels triomphalistes et vengeurs lancés par les nouvelles autorités de la ville. « Guerre à tous les traîtres! » proclamait le comité de surveillance de Marseille; « Représentants, il est de notre devoir de vous instruire des troubles qui ont agité notre commune dans la journée du 5 courant... Nous faisons les recherches les plus scrupuleuses pour connaître les auteurs et moteurs de cette rébellion liberticide... Nous sommes enfin parvenus à leur arracher le masque de patriotisme à la faveur duquel ils insultaient à la représentation nationale, ils égaraient le peuple sur ses véritables principes, et l'avilissaient pour parvenir plus sûrement à la contre-révolution qu'ils tramaient, et qu'ils eussent sans doute opérée si l'œil de la surveillance n'eût pas été ouvert sur leurs intentions perfides. Qu'ils tremblent, les traîtres! la justice nationale va les poursuivre, et le glaive nous vengera des coupables. » Les officiers municipaux de Marseille, nouvellement nommés, sont encore plus explicites et violents : « Représentants, ils ne sont plus, ces dominateurs forcenés, continuateurs du système de Robespierre. Grâces éternelles vous soient rendues, représentants, vous seuls pouviez abattre ce colosse effrayant; vous seuls pouviez délivrer Marseille, la République tout entière, de cette caste sanguinaire qui voulait tout victimer à son ambition... Comptez, représentants, sur ces hommes vertueux qui ont su se préserver du poison de la révolte; fléaux des ennemis du peuple, ils ont pris l'engagement solennel de les écraser, et ils ne puiseront leurs moyens que dans la loi, que dans les travaux de la Convention, qu'ils ne cesseront jamais de reconnaître pour le centre de l'autorité suprême, le point de ralliement où tout doit aboutir. » La Convention prend un décret approuvant les mesures de ses représentants et déclare que les troupes qui avaient maté la révolte ont bien mérité de la patrie [1].

---

1. Sur l'émeute jacobine du 5 vendémiaire et son contexte, cf. G. Martinet, « Les débuts de la réaction thermidorienne à Marseille. L'émeute du 5 vendémiaire », *in Actes du quatre-vingt-dixième Congrès national des sociétés savantes*, Nice 1965, Sec-

On a parfois vu dans l'émeute marseillaise une préfiguration des « journées » du 12 germinal et du 1er prairial à Paris. L'analogie ne semble pourtant guère valable. La foule à Marseille est, finalement, plus bruyante que violente. Elle est beaucoup moins désespérée que la foule parisienne : la faim, ce puissant facteur mobilisateur au printemps de l'an III, n'existe pas à Marseille. La foule marseillaise est composée presque uniquement d'hommes; contrairement à Paris, les femmes accompagnées d'enfants ne participent pas à l'attroupement. En ce sens, la foule marseillaise affiche plus nettement sa couleur politique : les Jacobins constituent son noyau et ne dissimulent guère leur méfiance, très « fédéraliste », à l'égard des représentants du pouvoir central qui se mêlent de leurs affaires. Quoi qu'il en soit, l'émeute jacobine à Marseille, accident de parcours finalement mineur, a joué un rôle important dans la détermination de la politique de la Convention. En effet, elle a consolidé la volonté de réagir fermement contre les Jacobins, voire d'en découdre une fois pour toutes. Elle a certainement influencé sinon le contenu, du moins le langage, particulièrement virulent de l'adresse solennelle au peuple français du 18 vendémiaire [1]. Une semaine plus tard, le 25 vendémiaire, la Convention votera son décret sur les sociétés populaires interdisant toute « affiliation, agrégation, fédération, ainsi que toutes correspondances, en nom collectif, entre sociétés, sous quelque dénomination qu'elles existent ».

En l'espace d'un mois, le virage a été pris et la réponse à la question : *où allons-nous ?* a été formulée en termes de revanche. La décision de la Convention, prise à la même période, le 22 vendémiaire, de faire accélérer le procès du Comité révolutionnaire de Nantes, consolidera ce choix poli-

tion d'histoire moderne et contemporaine, t. II, pp. 150-166; M.L. Kennedy, *The Jacobin Club of Marseille, 1790-1794*, Ithaca, pp. 128 et suiv.; M. Vovelle, *La Révolution* in E. Baratier, *Histoire de Marseille* (éd.), Toulouse, 1975, pp. 275 et suiv. A. Aulard, *Recueil des actes du Comité de salut public...*, *op. cit.*, t. XVI-XVIII.

1. Le langage particulièrement violent de cette adresse exprime une « réaction » dans la « guerre aux adresses » et à l'émeute à Marseille, mais il traduit aussi un nouveau rapport des forces au sein du gouvernement : le 15 vendémiaire, Lindet et Carnot avaient quitté, par le jeu de l'ancienneté, le Comité de salut public; le Comité de législation, où prévalaient les partisans prononcés d'une politique de revanche, avait été associé à l'élaboration de l'adresse.

tique et revigorera la volonté de démanteler la Terreur. Car, au-delà des révélations sur les massacres de Nantes, ce procès nourrira les images globales, les symboles mêmes de la *Terreur* et du *Terroriste*. L'influence de ce procès fut immense sur la désagrégation de l'imaginaire social conquérant de l'an II, sur le déclin et la fin des Jacobins ainsi que sur la répression accrue contre le personnel politique de la Terreur.

L'appel au peuple français du 18 vendémiaire a imposé le silence aux voix discordantes dans les adresses qui parvenaient à la Convention. Il n'a pas ralenti le flot de celles-ci mais a, au contraire, provoqué une nouvelle vague. Entre le 1er et le 15 brumaire la Convention reçoit plus de cinq cents adresses qui l'exaltent à l'unisson dans une belle unanimité retrouvée. « Un moment nous avons pu craindre la propagation des principes incendiaires que cherchaient à allumer les intrigants de Marseille; un moment nous avons pu craindre la continuation du règne de sang de Robespierre. Nous avons entendu la proclamation de la Convention. Nous avons applaudi aux sentiments de justice qui l'animent et de ce moment nous avons juré de nouveau de vivre pour la République et d'être inviolablement attachés aux principes et à la Convention... Notre centre est la Convention, périssent les traîtres, les intrigants les dominateurs et les fripons » (la société populaire et régénérée de Rodez, adresse parvenue le 14 brumaire). « L'adresse au peuple français nous est parvenue : trois fois la lecture en a été faite à la tribune, trois fois elle a été accompagnée et suivie des plus vifs et des plus nombreux applaudissements. Malheur à ceux qui la liront sans en être attendris, malheur à ceux dont l'âme féroce et corrompue aime à se repaître des larmes et du sang; ils sont à coup sûr des continuateurs ou des complices des triumvirs... Continuez, citoyens représentants, à vous rendre dignes de l'honorable mission qui vous a été confiée par un grand peuple. Frappez sans relâche les ennemis de la patrie, soyez sans pitié pour les agitateurs, les anarchistes et les fripons » (la société populaire et régénérée de la commune de Beaune, département du Doubs, adresse reçue

le 12 brumaire). « Qu'il est beau ce jour où le peuple français ravi d'admiration chante au milieu de la joie la plus
vive le triomphe de la vertu... Législateurs, notre bonheur
eût été extrême, si, témoins de notre enthousiasme, vous
eussiez entendu les louanges et les applaudissements couronner la lecture de votre adresse aux Français. Les principes
que vous y développez sont les nôtres. Nous abhorrons les
terroristes, nous leur jurons une haine implacable... Pères de
la Patrie, recevez nos hommages, restez à votre poste ! » (les
habitants de la commune de Villefranche d'Aveyron, adresse
datée du 30 vendémiaire). « Votre adresse au peuple français anéantit, sans retour, le règne de la Terreur, ce règne
qui légitimait la désolation des familles et l'assassinat des
Français ; le patriote respire enfin ; si le malveillant a pu
croire que la journée du 9 thermidor lui fut avantageuse,
qu'il lise votre adresse : il y verra le patriote protégé et la
chute certaine de l'ennemi de la patrie s'il ne se réunit de
bonne foi à la grande famille. Tremblez tyrans ! en vain tenterez-vous de nous désunir ! Les Français ne feront qu'un
peuple de frères et amis » (la société populaire et régénérée
de Port-Malo, adresse parvenue le 14 brumaire. [1])

Ces discours et langages expriment-ils la spontanéité des
sentiments antiterroristes ? Prolongent-ils plutôt le conformisme politique d'avant et d'après le 9 thermidor ? En réalité, les deux phénomènes se confondent. La Convention se
reconnaît d'autant mieux dans les adresses d'allégeance et de
félicitations qui lui parviennent, que celles-ci paraphrasent,
« au milieu d'enthousiasme et d'applaudissements », son
propre message et lui renvoient son propre discours.

---

1. Cf. AN C 325 CII, 1404 ; 1410 ; 1411. Lindet, dans son discours de brumaire
an III, sur la dénonciation contre les anciens membres des Comités, y soupçonne une
manipulation et s'élève contre « ces adresses, ces pétitions que l'on prétend faire envisager comme la manifestation de l'opinion publique ». Cf. R. Lindet, *Discours prononcé
sur les dénonciations portées contre l'ancien Comité de salut public et le rapport de la
commission des 27*, Paris, s.d. (germinal an III), p. 117.

CHAPITRE III

« *L'horreur à l'ordre du jour* »

DES PROCÈS EN CASCADE

« Le silence fait sur des actes énormes n'est pas le trait le moins curieux de cette étrange époque. La France put souffrir de la Terreur, on peut dire qu'elle l'ignora, et Thermidor fut d'abord une délivrance; mais ensuite une découverte : on allait les mois suivants de surprise en surprise [1].»

Cochin semble être surpris de cette « ignorance », vraie ou feinte, des réalités de la Terreur par un pays qui pourtant les revivait quotidiennement. Avec une intensité, qui avait varié en fonction des circonstances locales, la Terreur avait été présente partout. Sinon toujours sous la forme des « actes énormes » de la répression massive, du moins sous celle d'un cortège incessant de contraintes et d'oppression : les listes des « suspects », les visites domiciliaires, les taxes extraordinaires, les chicanes accompagnant la délivrance d'un « certificat de civisme », l'arrogance et la domination brutale, dans des milliers de bourgs, de ceux qui, hier encore, osaient à peine lever la tête. Le silence gardé sur les réalités de la Terreur était un des éléments du « système » lui-même. Plus exactement sous la Terreur, on n'arrêtait pas de parler d'elle, mais *la parole était monopolisée par le discours terroriste*, par sa rhétorique, ses

---

1. A. Cochin, *Les Sociétés de pensée et la démocratie*, Paris, 1921, p. 118.

symboles et son idéologie. A la tribune de la Convention, dans les journaux, lors des réunions des sociétés populaires, on fustigeait à perdre haleine les « ennemis du peuple », les « conspirateurs » et le « modérantisme ». Le *Bulletin du Tribunal révolutionnaire* publiait régulièrement des comptes rendus parfois des procès, souvent de procédures plus expéditives; les listes des condamnés à mort constituaient une rubrique quotidienne du *Moniteur,* en complément aux comptes rendus des séances de la Convention et des Jacobins. A Paris et dans plusieurs autres villes, la guillotine fonctionnait sur la place publique (tout au plus, l'avait-on déplacée de la place de la Révolution vers la périphérie), et le spectacle offert par l'échafaud attirait toujours son lot d'habitués. Le discours jacobin sur la Terreur avait précisément pour fonction de légitimer son objet en le sublimant par le symbolisme et la clameur exaltée, afin d'occulter la réalité hideuse : le roulement des charrettes emmenant les condamnés; les coups secs du couperet de la guillotine; la saleté, la promiscuité et les épidémies dans les geôles surpeuplées; mais aussi, chez chacun, le refoulement des peurs et des hantises qui travaillaient en profondeur les esprits sans pouvoir ni oser s'exprimer ouvertement, bien qu'elles fussent régulièrement entretenues par les rumeurs que sécrétait la répression quotidienne. Le 9 thermidor ne fut pas immédiatement le « jour de la délivrance ». Les premières libérations massives de détenus, la suppression de la loi terroriste du 22 prairial et la réorganisation du Tribunal révolutionnaire suivirent de peu les plus grandes « charrettes » de la Terreur parisienne lorsque les 11 et 12 thermidor les « robespierristes » furent conduits à l'échafaud. La véritable délivrance ne pouvait venir que de la libération de la parole : alors se diraient publiquement les peurs et les haines, alors se dévoileraient les souffrances vécues, au travers des « révélations ». Les premières de ces révélations, notamment sur la « conspiration des prisons », furent faites à la tribune des Jacobins « régénérés ». Ainsi Réal, qui venait d'être libéré de la prison du Luxembourg, fit le récit de ses propres expériences et appela à dire toute la vérité sur la Terreur.

« Pour bien détester le régime qui vient de finir, je crois qu'il est nécessaire d'en faire voir ses dégoûtants effets. C'est dans la peinture de maux que l'on faisait souffrir dans les prisons que l'indignation de bons citoyens doit trouver son aliment. Je laisse aux citoyens que la persécution avait plongés dans les différentes maisons d'arrêt le soin de faire connaître les horreurs dont ils ont été les témoins; pour moi, je vais vous dire ce qui se passait au Luxembourg. Je ne crois pas, comme on l'a dit dans certains rapports, que *la Révolution soit une vierge dont on ne doit pas lever le voile.* Un régime de fer, un état de mort, la sombre défiance peinte sur tous les visages et qui était profondément imprimée dans l'âme des prisonniers, à cause des espions répandus parmi eux, dont les occupations étaient de faire des listes et de donner de l'aliment au Tribunal révolutionnaire; la situation physique et morale des prisonniers, tout annonçait que le Luxembourg n'était qu'un vaste tombeau destiné à ensevelir des vivants [1]. »

A travers les « révélations », le discours idéologique qui légitimait la Terreur, comme le système symbolique qu'il déployait, se trouvaient confrontés à des réalités combien brutales. Ces « révélations » laissent éclater un défoulement collectif, et génèrent un *contre-imaginaire* intense. Les « surprises », les récits des horreurs, les souvenirs qui déferlent sur le pays au lendemain de la chute de Robespierre, deviennent un facteur souvent déterminant dans les grands choix politiques qui s'imposent à la fin de l'an II : car ils n'ajoutaient pas seulement des horreurs nouvelles à celles déjà connues; ils ne se contentaient pas de la condamnation, devenue, en quelque sorte, rituelle, du « dernier tyran ». Chaque nouveau récit soulevait et le problème de la Terreur et celui des *terroristes,* et de leur *responsabilité.* Les « révélations » n'exorcisaient pas seulement la peur de la veille; elles attisaient les haines du jour. Le désir de vengeance excédait les cas personnels de Robespierre et de ses acolytes exécutés au lendemain du 9 thermidor, pour embrasser tout un personnel politique, administratif et juridique impliqué – directement ou indirectement – dans l'exercice de la Terreur.

1. Dans la suite de son récit Réal apporte quelques exemples d'atrocités; or, « cette peinture affreuse excite des cris et des mouvements d'horreur; quelques citoyens *manifestent le désir que l'orateur ne continue pas ces descriptions révoltantes* ». Ces protestations et les débats qu'elles ont suscités illustrent l'enjeu politique et idéologique que représentait, au sein même des Jacobins, le dévoilement de la face cachée de la Terreur. Réal, finalement, continuera son récit. Cf. A. Aulard, *La Société des Jacobins, op. cit.,* vol. VI, pp. 343-345. Retenons à l'occasion que Réal jouera un rôle important dans le procès des 94 Nantais et, ensuite, dans celui des membres du Comité révolutionnaire de Nantes, en assumant la défense.

Les accusations portaient souvent contre un geôlier particulièrement abominable ou un membre d'un comité de surveillance, particulièrement zélé ou farouche. Mais eux-mêmes n'avaient-ils pas agi conformément à des lois d'exception ? Pourquoi dès lors seraient-ils les seuls à payer pour un « système de pouvoir » dont ils n'avaient été qu'un rouage ? Où l'on retrouvait la question obsédante : comment limiter la responsabilité *personnelle* dans les méfaits de la Terreur, sans que cela atteignît tous les échelons du pouvoir, du plus bas jusqu'au plus haut, du geôlier au conventionnel ?

Les procès du Comité révolutionnaire de Nantes et de Carrier furent les premiers grands procès politiques contre des « terroristes ». Le 10 thermidor Robespierre et ses acolytes avaient été exécutés sans autre forme de procès; à l'encontre des rebelles décrétés hors la loi, la procédure se ramenait à une simple constatation de leur identité. Le Comité révolutionnaire de Nantes eut droit, pour sa part, à un procès en bonne et due forme, avec un ministère public et une défense. Il n'y eut pas un *procès,* mais *une série de procès* qui formèrent comme un tout.

Les vicissitudes de l'histoire révolutionnaire avaient paradoxalement fait qu'après le 9 thermidor, la vie fut sauvée tant aux victimes de la Terreur à Nantes qu'à leurs bourreaux, tant aux notables nantais, déférés à Paris afin d'y être jugés pour conspiration et trahison par le Tribunal révolutionnaire, qu'aux terroristes nantais qui avaient fait emprisonner ces notables, puis s'étaient retrouvés eux-mêmes accusés de menées contre-révolutionnaires et emprisonnés dans les cachots parisiens.

Les faits remontaient à l'époque de la mission de Jean-Baptiste Carrier. Le 21 octobre 1793 (11 brumaire an II), il arrivait à Nantes comme représentant du peuple en mission auprès de l'armée de l'Ouest. Il était muni, comme tous les autres représentants en mission, de pouvoirs illimités afin de sauver la République, vaincre ses ennemis, assurer l'ordre républicain, punir les traîtres, mobiliser toutes les ressources demandées par les armées. Tâches particulièrement redoutables dans une région où sévissait la guerre de Vendée. Deux jours plus tard, une rumeur se propageait comme une traînée de poudre dans la société populaire Vincent-la-Montagne : un « complot fédéraliste » se préparait à Nantes, il visait à s'emparer du représentant en mission, puis à livrer la ville aux Vendéens. Dans ce « complot » seraient impliqués les notables et les plus importants négociants nantais. Le 24 brumaire, le Comité révolutionnaire, qui avait fabriqué et diffusé la rumeur, dressait une liste de 132 « comploteurs »; deux jours plus tard, Carrier contresignait l'ordre de leur arrestation et de leur transfert devant le Tribunal révolutionnaire à Paris. Le 7 frimaire (27 novembre 1793) le convoi des 132 notables nantais gagnait Paris à pied; il n'y parvint qu'au terme de quarante jours de marche. Ne survivaient que 97 personnes. Les conditions du voyage avaient été particulièrement éprouvantes, nous étions en plein hiver. A Paris, dès leur arrivée, ils furent répartis entre plusieurs prisons et maisons de santé. Trois prisonniers moururent encore.

Pendant ce temps, la répression terroriste battait son plein à Nantes et avait pris des formes particulièrement sauvages : fusillades en masse, noyades, emprisonnements arbitraires. La ville traversait une période dramatique : après la défaite des restes de l'armée vendéenne à Savenay, des milliers de prisonniers étaient acheminés sur Nantes, enfermés dans les entrepôts et hôpitaux transformés en prisons, en attendant d'être jugés par une commission militaire; des milliers de réfugiés, notamment des femmes et des enfants, cherchèrent refuge à Nantes, espérant échapper ainsi à la répression qui s'abattait sur le pays comme un rouleau compresseur. Une crise de ravitaillement éclata bientôt, ressentie très durement dans les prisons, où les conditions de vie étaient épouvantables. Une épidémie de dysenterie et de typhus éclata à son tour (en ville, sous l'effet d'une panique collective, on parla même de peste). La répression ne frappait pas seulement les Vendéens : dans la ville la chasse aux suspects et contre-révolutionnaires fut permanente. On voyait des collaborateurs des Vendéens partout; on s'attaquait aux familles soupçonnées d'avoir des parents émigrés et d'entretenir des rapports avec eux. Des « taxes révolutionnaires », sortes de contributions, furent levées et leur payement exigé d'un jour à l'autre; elles frappaient surtout les « riches », les « accapareurs » sur lesquels on rejetait la responsabilité de la disette. Le climat de soupçon, de délation et d'arbitraire était encore alourdi par les conflits entre les diverses autorités aux compétences mal définies, qui se disputaient le pouvoir : les autorités constituées dont les pouvoirs étaient de plus en plus diminués; le commandement militaire (Nantes était une place militaire); la société populaire Vincent-la-Montagne, aux tendances jacobines extrémistes, qui pratiquait une sorte de démocratie directe exerçant son « œil vigilant » face à des autorités dénoncées comme laxistes et complices des « suspects »; le Comité révolutionnaire, qui se confond largement avec les meneurs de la société populaire et qui a comme tâche la « surveillance révolutionnaire » de la ville dans son ensemble; la « compagnie Marat », sorte de police spéciale, au service du Comité révolutionnaire, recrutée parmi les éléments les plus « sûrs »; et pour finir, exerçant au-dessus de toutes ces instances son pouvoir suprême et illimité, Carrier.

Le représentant en mission prenait ses propres initiatives, tranchait les conflits de compétence, orientait et guidait lui-même la répression, et, ne se fiant, en fin de compte, qu'à lui-même, s'entourait de son propre réseau d'agents, espions et confidents. Cette situation, aggravée par la guerre de Vendée qui, malgré toutes les victoires, n'en finissait pas, et par la crise économique qui paralysait le port, ne pouvait qu'encourager l'arbitraire et les abus du pouvoir, les conflits, les délations et l'insécurité générale. Dans une ville d'environ 80 000 habitants, ces sentiments étaient fort diversement partagés, et nullement selon une « ligne de classe ». Si les élites au pouvoir, anciennes et nouvelles, étaient particulièrement exposées aux dangers de cette situation instable, c'était toute la ville qui entendait les salves des pelotons d'exécution, respirait les émanations nauséabondes qu'exhalaient l'Entrepôt, où s'entassaient les prisonniers, et les carrières proches de la ville, où s'entassaient les fusillés, voyait les corps charriés par la Loire [1].

1. Il est évident que je ne prétends pas résumer dans ces quelques lignes succinctes la situation, fort complexe, à Nantes pendant l'hiver de l'an II. On trouvera une excellente mise au point, qui se propose de démêler la vérité des légendes, tâche particulièrement délicate dans le cas de la Terreur à Nantes, dans deux ouvrages de synthèse :

La mission de Carrier à Nantes dura plus de quatre mois; il fut révoqué le 14 pluviôse an II (8 février 1795) par le Comité de salut public, qui, tout en le félicitant des travaux accomplis, lui recommanda de prendre du repos, avant que d'autres tâches lui soient confiées. Le rappel de Carrier avait été motivé, en réalité, par le rapport du « jeune Julien », commissaire spécial du Comité de salut public et homme de confiance de Robespierre. Rapport d'autant plus accablant que, par suite d'un malentendu, Carrier avait fort mal accueilli l'émissaire de Robespierre : il avait cru avoir affaire à un personnage mineur (Marc-Antoine Julien n'a que dix-neuf ans) et complice de la société Vincent-la-Montagne (les rapports tumultueux du représentant avec cette société traversaient précisément une phase assez délicate).

« La réunion des trois fléaux, de la peste, de la famine, menace Nantes. On a fait fusiller, peu loin de la ville, une foule *innombrable* de soldats royaux, et cette masse de cadavres, entassés, jointe aux exhalations pestilentielles de la Loire, toute souillée de sang, a corrompu l'air... Une armée est dans Nantes, sans discipline, sans ordre, tandis qu'on envoie des corps épars à la boucherie. D'un côté on pille, de l'autre on tue la République. Un peuple de généraux, fiers de leurs épaulettes, et broderies en or aux collets, riches des appointements qu'ils volent, éclaboussent dans leurs voitures les sans-culottes à pied, sont toujours aux pieds des femmes, aux spectacles ou dans les fêtes et repas somptueux qui insultent à la misère publique... Carrier est invisible à tous les corps constitués, les membres du club et tous les patriotes. Il se fait dire malade et va à la campagne afin de se soustraire aux occupations que réclament les circonstances, et nul n'est dupe de ce mensonge. On le sait bienportant, et en ville, on sait qu'il est dans un sérail, entouré d'insultantes sultanes, et d'épauletiers lui servant d'eunuques; on sait qu'il est accessible aux seuls gens d'état-major qui le flagornent sans cesse et calomnient, à ses yeux, les patriotes. On sait qu'il a, de tous côtés, des espions qui lui rapportent ce qu'on dit dans les comités particuliers et dans les assemblées publiques. Les discours sont écoutés, les correspondances interceptées. On n'ose ni parler, ni écrire, ni même penser. L'esprit public est mort, la liberté n'existe plus. J'ai vu dans Nantes l'ancien régime [1]. »

P. Bois (sous la direction de), *Histoire de Nantes*, Toulouse, pp. 260-281; J.-Cl. Martin, *La Vendée et la France*, Paris, 1987, pp. 206-247.
    1. E.B. Courtois, *Rapport sur les papiers trouvés chez Robespierre, op. cit.*, pp. 358-359; cf. aussi A. Lallié, *J.-B. Carrier, représentant du Cantal à la Convention*, Paris, 1901, pp. 247 et suiv. Dans la suite de son rapport, M.-A. Julien est un peu plus

Le départ de Carrier et l'arrivée de nouveaux représentants, Bô et Bourbotte, suffisent à installer à Nantes une atmosphère de règlement de comptes. Le Comité révolutionnaire dénonce deux collaborateurs directs et complices de Carrier, Fouquet et Lamberty, qui lui servaient d'espions. Tous les deux étaient également responsables des noyades; ils seront pourtant jugés et condamnés à mort pour avoir tenté de libérer illégalement des femmes vendéennes... D'autre part, les nouveaux représentants décident de sévir contre le Comité révolutionnaire, accusé de vols et de violence arbitraire. Arrêtés le 24 prairial (le 13 juillet), ses membres sont envoyés, le 5 thermidor, pour comparaître devant le Tribunal révolutionnaire de Paris (on leur a associé Phelippes-Tronjolly, ancien président du tribunal criminel révolutionnaire de Nantes). Presque simultanément, les 94 notables nantais, dispersés dans plusieurs prisons, sont réunis à Plessis, comme si Fouquier-Tinville se préparait à les juger.

On ne s'explique guère pourquoi le procès de ces 94 Nantais ne s'est pas tenu plus tôt ni pourquoi ils pourrirent des mois en prison. Lors de son procès, Carrier s'attribuera le mérite d'avoir retardé leur procès, en intervenant auprès de Fouquier-Tinville, ce qui est manifestement faux. Entre son rappel à Paris et le 9 thermidor, Carrier avait d'autres soucis : il se préoccupait surtout de sa propre tête, non pas de celle des notables nantais qu'il considérait comme un ramassis de fédéralistes et de contre-révolutionnaires. Une fois rentré à Paris, Carrier est plus ou moins impliqué dans le « complot hébertiste »; mais s'il ne tombe pas alors, il se sent néanmoins très menacé. Aux yeux de Robespierre, qui fait entièrement confiance au jeune Julien, Carrier, comme Barras, Fréron ou Fouché, sont autant d'exemples de représentants en mission qui avaient souillé la Terreur par leur comportement sur le terrain : luxe, vols, concussion, tyrannie, violence arbitraire,

nuancé : il reconnaît des mérites à Carrier, notamment d'avoir « dans un temps, écrasé le négociantisme, tonné avec force contre l'esprit merca..le, aristocratique et fédéraliste ». Le témoignage de Julien est certainement partiel et partial; le « robespierriste pur » qu'était à l'époque ce garçon de dix-neuf ans partage, en grande partie, la vision contradictoire de la Terreur propre à Robespierre lui-même. Arrêté après le 9 thermidor, le jeune Julien sera un témoin à charge dans le procès de Carrier.

etc. Or, Robespierre, la veille du 9 thermidor, pense encore à « épurer la Terreur », à rendre conformes ses réalités à ses principes. Les attaches hébertistes de Carrier le rendent encore plus suspect à ses yeux. Pour prévenir le danger, Carrier aurait apparemment trempé dans la préparation du complot anti-robespierriste. La légende (mais il en est plusieurs nimbant Carrier) voudrait que Carrier fût au premier rang de ceux qui, le 10 thermidor, suivaient la charrette conduisant Robespierre à l'échafaud, et qu'il le maudît.

Le retard du procès des notables nantais pourrait être dû à des problèmes purement « techniques », l'engorgement du Tribunal révolutionnaire (94 personnes, c'était, tout de même, une très grande « fournée »; Fouquier-Tinville, plus tard, s'attribua, lui aussi, le mérite d'avoir retardé ce procès car il aurait manqué de preuves). Le 9 thermidor sauve donc et les têtes des 94 Nantais, et celle de Carrier. Les 94 Nantais ne sont pas libérés dans les journées suivant le 9 thermidor. Leur procès (on leur adjoint Phelippes-Tronjolly, comme coaccusé) s'ouvre seulement aux derniers jours de l'an II, le 22 fructidor (le 10 septembre 1794). L'acte d'accusation reprend les charges originelles : conspiration contre la République, adhésion ou assistance au fédéralisme, sentiments royalistes, intelligence avec des émigrés, manœuvres visant à discréditer les assignats et à provoquer la famine. Goulin, Chaux, Grandmaison et Bachelier, anciens membres du Comité révolutionnaire de Nantes, sont tirés des prisons où ils croupissent dans l'attente de leur propre procès afin de venir témoigner à charge. Carrier dépose également comme témoin.

A la fin de l'an II, alors que *la justice est portée à l'ordre du jour,* le procès s'inscrit dans un tout autre contexte que les charges formulées pendant l'hiver. Il prend une tournure surprenante. Dès les premières heures, il se transforme en procès du Comité révolutionnaire de Nantes, dénonçant ses pratiques terroristes; il est instruit contre la Terreur en général, contre Carrier, en particulier, qui incarne la Terreur et le pouvoir illimité que la Convention lui avait délégué. Les accusés, et tout particulièrement Phelippes-Tronjolly, se transforment en accusateurs, interrogent les témoins, sur leurs agissements au nom du Comité révolutionnaire : les noyades, les vols, les actes de vengeance personnelle, le rançonnement des innocents... Les témoins accusés se défendent mal : ils nient certains actes, en avouent d'autres, mais chacun cherche surtout à se décharger de toute responsabilité et à compromettre les autres. Carrier ne déclare-t-il pas lui-même, avec indignation, qu'il ne savait rien des noyades ni des fusillades? Il n'avait pas « la moindre notion de toutes ces horreurs et actes de barbarie ». Au terme de cinq jours d'audience, où les révélations sur la Terreur à Nantes succédaient à celles sur les supplices qu'avaient subis les accusés lors de leur convoiement de Nantes à Paris, les défenseurs changent de rôle : leurs plaidoiries deviennent autant de réquisitoires. Sans doute, disait Tronçon-Découdray, un des défenseurs, il faut « terrasser l'aristocratie et le modérantisme, mais on ne doit pas perdre de vue les *machiavélistes modernes*... Quelques-uns des accusés ont été momentanément égarés, la plupart ont combattu pour la patrie et sont couverts de cicatrices honorables. Des assassinats exécrables ont profané la liberté : le tribunal doit un exemple à l'Europe; vous devez apprendre aux tyrans coalisés ce qu'est le vrai patriote et comment la justice lui est favorable. En octobre dernier un comité révolutionnaire fut établi à Nantes : il a trafiqué de la vie et de l'honneur des citoyens. Il était composé d'hommes vils et perdus de mœurs... Les citoyens ont été livrés à ces hommes pleins des maximes de Robespierre, ils ont versé des flots de sang; à chaque instant ils inventaient de nouvelles conspirations pour accuser des citoyens et les faire périr; ils disaient qu'il fallait égorger en masse tous les prisonniers ». Le verdict du tribunal, rendu le 28 fructidor, ne surprend pas. Si huit accusés sont reconnus complices « d'une conspiration contre la République » comme Phelippes-Tronjolly, « reconnu auteur et complice d'actes et arrêtés fédéralistes », le Tribunal fait jouer la fameuse clause intentionnelle, introduite après le 9 thermidor : nul n'a commis ces actes répréhensibles « méchamment, avec des intentions contre-révolutionnaires ». A l'encontre de tous les autres accusés, le Tribunal n'a pu retenir aucune preuve de délit. Tous les accusés sont donc acquittés. Le verdict est accueilli dans l'enthousiasme : « A peine le président a-t-il cessé de parler que la salle du Tribunal retentit des cris universels de *Vive la République!* tous les cœurs sont émus, tous les spectateurs ont les yeux fixés sur les infortunés Nantais, rendus à la patrie et à la liberté après de si longues souffrances [1]. »

Ainsi se termine le premier procès; son déroulement et son verdict annoncent une suite inévitable. La presse a donné une très large publicité au procès des Nantais, en insistant notamment sur les crimes du Comité révolutionnaire et, tout particulièrement, sur les noyades. Le nom de Carrier a été cent fois imprimé, prononcé. Le 8 vendémiaire an III (le 29 septembre 1794), le cas de Carrier, qui siège à la Montagne et s'active assez fiévreusement aux Jacobins, est pour la première fois évoqué à la Convention, en rapport avec les atrocités commises lors de la Terreur à Nantes. Carrier réplique, en publiant quelques jours plus tard, son *Rapport sur les différentes missions qui lui ont été déléguées* [2]. Entre-temps, le Tribunal révolutionnaire instruit, avec une certaine lenteur, le procès des membres du Comité révolutionnaire de Nantes; le 17 vendémiaire, l'acte d'accusation est dressé par Leblois, accusateur public. Cependant, l'impulsion décisive vient de la Convention. Le 22 vendémiaire, donc quatre jours après la proclamation de l'*Adresse au peuple français*, cet appel à la revanche que nous avons évoqué, Merlin (de Thionville) communique à la Convention de nouveaux documents sur les noyades des femmes et des enfants dans la Loire, et s'exclame : « La Convention devrait, s'il était possible, inventer de nouveaux supplices pour ces cannibales. » Du coup, l'Assemblée vote la motion demandant au Tribunal révolutionnaire de « poursuivre sans délai l'affaire du Comité révolutionnaire de Nantes, *ainsi que tous ceux qui se trouveront impliqués dans la même affaire* ». L'allusion à Carrier est transparente de même qu'est manifeste la volonté politique de faire de ce procès un avertissement, voire un cas exemplaire de la répression contre tous les « terroristes » et « buveurs de sang ».

1. Cf. AN W 449, n° 105, pièce 90. *Bulletin du Tribunal révolutionnaire*, p. 86; *Moniteur*, t. XXII, pp. 48-50; H. Wallon, *Histoire du Tribunal révolutionnaire de Paris*, Paris, 1881, t. V, pp. 345 et suiv.
2. Imprimé par l'ordre de la Convention nationale, Paris, an III; BN Lᶜ 3982.

« Il faut que le Tribunal révolutionnaire poursuive tous ces assassins, sans exception; il faut que le peuple voie frapper les coupables où ils se trouvent; il faut que le Tribunal instruise sans délai contre le Comité révolutionnaire de Nantes, et qu'il fasse justice de tous les monstres qui ont commandé les crimes qui ont été commis dans ce pays. Il ne faut pas nous le dissimuler, Citoyens, si une autorité supérieure n'avait pas commandé tous ces forfaits, on ne les eût pas commis. Ne souffrons pas que le système de ces hommes se continue plus longtemps, car ce serait assurer à ces monstres, à ces buveurs de sang l'impunité de leurs crimes [1]. »

L'acte d'accusation se distingue par sa violence.

« Tout ce que la cruauté a de plus barbare; tout ce que le crime a de plus perfide, tout ce que l'autorité a de plus arbitraire; tout ce que la concussion a de plus affreux, et tout ce que l'immoralité a de plus révoltant, compose l'acte d'accusation des membres et commissaires du Comité révolutionnaire de Nantes. Dans les fastes les plus reculés du monde, dans toutes les pages de l'histoire, même des siècles barbares, on trouverait à peine des traits qui puissent se rapprocher des horreurs commises par les accusés... Ces êtres immoraux sacrifiaient à leurs passions honneur et probité; ils parlaient patriotisme, et ils en étouffaient le germe le plus précieux; la terreur précédait leurs pas, et la tyrannie siégeait au milieu d'eux... La Loire roulera toujours des eaux ensanglantées, et le marin étranger n'abordera qu'en tremblant, sur les côtes couvertes des ossements des victimes égorgées par la barbarie, et que les flots indignés auront vomis sur ses bords... Des victimes innocentes, des enfants sortant à peine des mains de la nature, étaient désignés par ces nouveaux Caligula... Les BAIGNADES, c'est ainsi qu'ils qualifiaient un crime que Néron rougit d'avoir commis une seule fois sur une seule personne, et qu'eux, plus cruels et plus scélérats, ont commis plusieurs fois et sur des milliers de malheureux [2]. »

Le ton, la violence verbale prolongeaient parfaitement la tradition de l'institution et rappelaient étrangement la rhétorique de Fouquier-Tinville, qui attendait, à son tour, l'acte d'accusa-

1. Cf. *Moniteur*, t. XXII, pp. 226-228; interventions de Merlin (de Thionville) et d'André Dumont. Tous les deux semblent connaître l'acte d'accusation, prêt, comme nous l'avons dit, depuis quelques jours. Cf. AN W 493 n° 479, plaquette 3.
2. Cf. AN W 493 n° 479. « Acte d'accusation fait au cabinet de l'accusateur public, ce 17 vendémiaire, l'an trois de la République française, signé Leblois. »

tion. (L'histoire, par les traces qu'elle laisse dans les archives, se revêt parfois d'un symbolisme étrangement explicite; les actes d'accusation contre certains membres du Comité révolutionnaire de Nantes, Leblois, l'accusateur public, les rédige sur le papier qui porte comme en-tête... « Antoine Quentin Fouquier, accusateur public du Tribunal révolutionnaire, établi à Paris par décret de la Convention Nationale ». Le nouvel accusateur public se contente de barrer uniquement le nom de Tinville et d'inscrire, à la main, le sien. On sait que cela s'explique par la pénurie de papier et la succession trop rapide des événements. Mais quel beau symbole pourtant de la continuité de l'institution qui, successivement, a servi à installer la Terreur et à « juger révolutionnairement » les terroristes... Elle renouvelle d'ailleurs plus rapidement les accusés que son langage [1].)

A cet acte d'accusation les autorités ont donné la plus grande publicité; il n'a pas été seulement repris dans plusieurs journaux, mais édité sous forme de brochure et affiché dans les villes, à plusieurs milliers d'exemplaires. Dans une atmosphère surchauffée, s'ouvre le 23 vendémiaire le deuxième procès, celui du Comité révolutionnaire de Nantes. Dès le premier jour, les accusés adoptent une stratégie plus ou moins concertée; ils rejettent en bloc certaines accusations, se déchargent de la responsabilité des actes criminels sur Fouquet et Lamberty, les acolytes de Carrier qui, rappelons-le, furent condamnés et exécutés à Nantes; ils minimisent la portée d'autres actes en évoquant les circonstances de guerre civile dans lesquelles ils ont été accomplis. Mais l'argument majeur qu'ils avancent à leur décharge vise Carrier : tous n'étaient que les exécutants des ordres de Carrier, qui, lui, disposait de pouvoirs illimités. Le 1er brumaire, un des accusés, Goulin, s'exclame pathétiquement : les accusations tombent sur nos têtes; l'auteur de nos angoisses, « l'homme qui électrisa nos têtes, guida nos mouvements, despotisa nos opinions, est libre... Il importe à notre cause que Carrier comparaisse au tribunal. Qu'on interpelle tout Nantes : tous vous diront que Carrier seul provoqua, prê-

1. Cf., par exemple, AN W 493, n° 479, plaquette 3, n° 17; acte d'accusation contre Louis Naud.

cha, commanda toutes les mesures révolutionnaires ». Les tribunes, combles à chaque audience, ne restent pas indifférentes;
le public ne cesse de crier : « Carrier! Carrier! » De même,
après des dépositions, révélant des horreurs révoltantes, le
public clame : « Vengeance! Vengeance! » Le président, pour
ramener le calme dans la tribune, assure que le Comité de
sûreté générale est informé chaque jour du déroulement du
procès. (En cela, une fois encore, le Tribunal demeure fidèle à
la tradition bien établie sous la Terreur, de la collaboration la
plus étroite avec le Comité qui, des coulisses, influence le procès.)

Carrier, comme tout conventionnel, jouit depuis le 9 thermidor d'une sorte d'immunité parlementaire qui ne pouvait être
levée que par la Convention. Le 9 brumaire (le 30 octobre),
celle-ci entame une procédure, assez complexe, relative à
l'éventuelle mise en accusation d'un député. Le lendemain une
commission de vingt et un membres est nommée, par tirage au
sort, afin de statuer sur le cas Carrier. S'ouvre alors le troisième acte de l'affaire de Nantes : le 21 brumaire, la commission dépose son rapport et conclut « qu'il y a lieu à accusation
contre le représentant du peuple Carrier ». Il pouvait présenter
sa défense; néanmoins la Convention décida son arrestation
provisoire, en attendant le complément d'information, et,
notamment, la réunion de toutes les pièces à charge. Pendant
ces jours la tension monte; une masse de brochures attaquent à
la fois Carrier et les Jacobins, accusés de vouloir le soustraire à
la justice; des rixes éclatent en ville, notamment devant le siège
des Jacobins. Le 21 brumaire, le soir, la salle des Jacobins, rue
Saint-Honoré, est attaquée par la « jeunesse dorée », et le lendemain la Convention décide de suspendre les séances de la
Société. Le 29 brumaire, la Convention est saisie de l'adresse
des citoyens de Nantes et de la société populaire qui, en se
réclamant de la « justice portée à l'ordre du jour », demandent
de déférer Carrier le plus promptement devant le Tribunal
révolutionnaire. C'est un long et véhément réquisitoire. La
Convention en décide l'impression.

« Représentants du peuple français, vous qui déjà convaincus
que ce n'est pas par la terreur, dont l'empire affreux ne s'élève

qu'au milieu des forfaits et des délations, qu'on peut consolider un gouvernement heureux... nos cœurs en s'épanchant dans votre sein paternel se remplissent déjà d'espérances et de joie... Mais que veulent donc encore ces hommes féroces, toujours si prompts à criminaliser l'innocent, à accuser ceux qui les démasquent... Citoyens représentants, comme vous fidèles à nos serments, nous vous dénonçons l'infâme Carrier; ses forfaits s'élèvent de toute part contre lui; tout ici les atteste; nous le dénonçons à la représentation nationale qu'il a voulu avilir, nous le dénonçons au peuple entier dont il a trahi la confiance... Mais, Citoyens représentants, vous ne pouvez vous le dissimuler, Carrier n'est que lieutenant d'une faction pour qui le bonheur du peuple semble être un malheur; cette faction qui voulait ensevelir la liberté sous des monceaux de cadavres, assassiner la vertu, insulter au génie en détruisant les monuments des arts, outrager la nature en avilissant ses plus belles productions, en voulant dégrader l'espèce humaine, cette faction implacable qui déteste tout ce qui est beau et grand, et pour qui l'humanité même est un crime. Ah, représentants du peuple français, craignez que cette faction n'emploie tout pour suspendre le supplice de Carrier, afin de détruire les témoins qui pourraient le confondre, ou pour soustraire à un jugement un criminel dont elle appréhende les révélations [1]. »

Le 1er frimaire, Carrier commence enfin à répondre longuement devant la Convention aux accusations de la commission des vingt et un; le 3 frimaire par appel nominal la Convention se prononce, pour la mise en accusation de Carrier, à la quasi-unanimité (sur 500 votants, 498 pour le décret d'accusation, et deux *oui* conditionnels). Carrier est arrêté sur-le-champ et le 7 frimaire, il prend sa place sur le banc des accusés devant le Tribunal révolutionnaire.

Ainsi s'ouvre le dernier acte. Carrier devenu un des accusés, il faut que le tribunal, qui siégeait déjà depuis quarante-deux jours, reprenne le procès presque depuis le début, les principaux chefs d'accusation sont à redéfinir et il faut établir la part de responsabilité de Carrier par rapport à celle des autres accusés. Les audiences se prolongent jusqu'au 26 frimaire, jour où tombe le verdict : Carrier et deux membres du Comité révolutionnaire, Grandmaison et Pinard, sont condamnés à mort (et guillotinés le même jour) pour des crimes commis « avec des

---

1. Séance du 29 brumaire, *Moniteur*, t. XXII, pp. 543-546.

intentions criminelles et contre-révolutionnaires ». Le Tribunal reconnaît coupables de crimes et d'atrocités les 28 autres accusés : complicité dans les noyades et fusillades, vols, rançonnement, prélèvement de taxes vexatoires, actes arbitraires, oppression des citoyens par la Terreur, etc. Cependant, en constatant qu'ils ne les ont pas commis « avec des intentions criminelles et contre-révolutionnaires », le Tribunal les acquitte et les remet en liberté. Deux autres accusés sont acquittés car « ils n'étaient pas convaincus d'avoir exécuté les ordres arbitraires du Comité ». L'acquittement des accusés dont les crimes ont été démontrés le long des journées du procès provoque un joli tollé. Deux jours plus tard, la Convention décrète le renouvellement du Tribunal révolutionnaire et décide le renvoi des acquittés devant la justice criminelle.

Ainsi, entre le procès des 94 Nantais et l'exécution de Carrier se sont écoulés presque cent jours. Cent jours pendant lesquels ont défilé devant le Tribunal révolutionnaire des centaines de témoins; les comptes rendus des audiences ont été publiés dans le *Bulletin du Tribunal révolutionnaire,* dans le *Moniteur* et d'autres journaux; les résultats du scrutin nominal relatif à la mise en accusation de Carrier furent envoyés aux administrations locales et aux armées. Cent jours pendant lesquels le pays a été littéralement bombardé de révélations dont la portée dépassait les heures tragiques de l'hiver de l'an II à Nantes. D'autres procès suivront, dont celui de Fouquier-Tinville (germinal-floréal, an III). Jamais ils n'influeront autant que le firent les procès du Comité révolutionnaire de Nantes et de Carrier, le tour que prit la sortie de la Terreur. Les procès soulevaient des problèmes plus amples que ne le laissait supposer leur objet initial. Ils contribuèrent à créer contre les Jacobins et le personnel terroriste un sentiment d'horreur inexpiable. « La justice à l'ordre du jour », ce slogan thermidorien, ne signifiait pas seulement la libération des innocents; les procès y associaient l'exigence de *punir les coupables,* à tous les niveaux du pouvoir, jusqu'à la Convention elle-même. Les procès *légitimaient,* en quelque sorte, le *droit à la vengeance.* A partir de l'exemple nantais, ils établissaient le bilan, désastreux et odieux, de la Terreur ainsi que la responsabilité collective de son personnel. En cela, ils contribuèrent largement à compromettre, voire à détruire, l'imaginaire révolutionnaire de l'an II. Les procès ont, finalement, accéléré le passage de la question : *Comment démanteler la Terreur?* au problème : *Comment terminer la Révolution?*

LES « GRANDES MESURES »
ET LA TERREUR AU QUOTIDIEN

« Fouquet et Lamberty, fidèles agents de Carrier, faisaient trembler toute la ville de Nantes; et *non seulement ils avaient mis la terreur à l'ordre du jour mais encore l'horreur* », déclara un des accusés, Pierre Chaux au cours du procès du Comité révolutionnaire [1]. La Terreur à Nantes, tout particulièrement lors de la mission de Carrier, pose aujourd'hui encore des problèmes aux historiens. Les incertitudes sont nombreuses : le nombre de victimes dont les estimations varient; l'ampleur de la répression, les fonctions et les responsabilités respectives de ses acteurs sont mal mesurées – celles des représentants en mission, et notamment de Carrier, du Comité révolutionnaire, de la police occulte instituée par Carrier, avec Lamberty et Fouquet en tête; de deux commissions militaires, celle de Bignon et celle de Lenoir, qui condamnaient à mort les «bandits» après une procédure réduite au constat d'identité. Les incertitudes persistent aussi sur l'attitude ambivalente de la ville elle-même à l'égard de la répression; elle subit, certes, la Terreur, mais dans quelle mesure en fut-elle complice, approuvant, ne serait-ce que tacitement, le «nettoyage» de la ville de ces milliers de «bandits» qu'il faudrait nourrir en temps de disette et qui s'entassaient dans les prisons provisoires, véritables foyers d'épidémies [2]?

---

1. *Procès criminel des membres du Comité révolutionnaire de Nantes... instruit par le Tribunal révolutionnaire... Paris, l'an III, chez la veuve Toubon*, seconde partie, p. 243.
2. Il ne nous appartient pas de rouvrir le dossier de la Terreur à Nantes. A titre

Lors des procès du Comité révolutionnaire et de Carrier, ces incertitudes sont encore plus grandes. D'autant que ce procès spectaculaire est mal conduit par Dobsent, le président du Tribunal révolutionnaire. Sur les 240 personnes appelées à déposer au Tribunal comme témoins, 220 personnes répondirent à l'appel de leurs noms. Plusieurs témoins déposaient pendant de longues heures, et cela à plusieurs reprises, lors des phases successives du procès. L'acte d'accusation concernait 14 personnes; le verdict condamnait 33 accusés. En effet, en plus de Carrier dont le cas fut solidarisé, le Tribunal, au cours des audiences, décida d'arrêter des témoins dont l'interrogatoire avait démontré qu'ils étaient complices des accusés dans la perpétration de leurs forfaits. Au caractère chaotique du procès s'ajoute aujourd'hui la confusion des divers comptes rendus. A côté de la version quasi officielle du *Bulletin du Tribunal révolution-*

d'illustration seulement, évoquons quelques incertitudes, à commencer par les données chiffrées. Le nombre de victimes *directes* de la Terreur, c'est-à-dire de personnes exécutées, fait l'objet de plusieurs estimations. Ainsi, le nombre de noyades : pendant le procès, Phelippes-Tronjolly parle de 23 noyades; Michelet qui, pendant son séjour à Nantes, s'informait soigneusement auprès des témoins survivants, arrive à 7 noyades; Alfred Lallié, qui ne dissimule pas son hostilité à l'égard de Carrier et des terroristes nantais, estime qu'il y eut 20 noyades; Gaston Martin, très indulgent à l'encontre de Carrier, n'en compte que 8. Les estimations du nombre de noyés varient de quelques centaines à environ vingt mille (ce dernier chiffre est improbable; l'estimation la plus probale se situe entre 2 et 5 000; l'écart reste donc énorme). La commission de Bignon a probablement condamné à mort pas moins de 2 600 Vendéens; mais certaines estimations vont jusqu'à 3 500. Entre brumaire et pluviôse, on a guillotiné à Nantes plus de 200 personnes, c'est-à-dire en moyenne 2 personnes par jour. Cependant, les moyennes n'ont guère de sens dans ce genre de situation : en effet, certains jours on exécutait quelques dizaines de condamnés. Les estimations relatives au nombre de victimes *indirectes* de la Terreur, notamment celles mortes en prison, sont encore plus incertaines; il faut les compter par milliers : de janvier à août 1794 il y eut 12 000 inhumations et il fallut ouvrir une douzaine de nouveaux charniers. Michelet affirme que la répression contre les Vendéens jouissait de l'appui d'une grande partie de la population nantaise : « Tout ce monde (prisonniers et réfugiés vendéens) était malade d'une diarrhée contagieuse qui s'empara de la ville. Les décrets étaient précis : tuer tout. On les fusillait. Mais les morts tuaient les vivants. La contagion augmentait; deux mille Nantais meurent en un mois. L'irritation était grande à Nantes... Le petit peuple de Nantes criait qu'il fallait jeter toute cette Vendée dans la Loire. Les deux autorités de Nantes, le représentant Carrier, et le Comité révolutionnaire, en vive rivalité, s'observant, prêts à s'accuser si l'un ou l'autre donnait le moindre signe d'indulgence, *suivirent la fureur populaire*, substituèrent (sans souci des lois) la noyade à la fusillade » (Michelet, *Histoire du dix-neuvième siècle, op. cit.*, p. 115). Les ouvrages (*op. cit.*) de P. Bois et de J.-Cl. Martin, présentent l'état contemporain des recherches sur la Terreur à Nantes. Cf. également deux points de vue extrêmes et contradictoires : A. Lallié, *J.-B. Carrier, représentant du Cantal à la Convention*, Paris, 1901, et G. Martin, *Carrier et sa mission à Nantes*, Paris, 1924.

naire, sont publiées dans les journaux ainsi que sous forme d'ouvrages séparés d'autres versions des séances. De nombreuses divergences existent entre ces versions, voire des contradictions, qu'il est souvent impossible de trancher. D'ailleurs, pour la plupart des lecteurs contemporains ces divergences entre plusieurs récits des horreurs sont secondaires. Dans leurs esprits, les diverses estimations des victimes évoquées par des témoins, ainsi que la surenchère à laquelle ceux-ci se livrent en racontant les atrocités, n'ont qu'un effet cumulatif : ils se complètent et s'additionnent [1].

Sur les réalités de la Terreur à Nantes, les procès n'apportent pas seulement des témoignages bouleversants; ils y ajoutent tout un imaginaire fantasmatique sécrété par la Terreur. Les procès deviennent, pour ainsi dire, un lieu de défoulement collectif; les audiences contribuent, en retour, à enrichir et à diffuser cet univers fantasmatique. Les dépositions transpirent la peur et la haine conjuguées, et il est souvent difficile, voire impossible, de faire la part du vrai dans ce que rapporte la mémoire individuelle et collective. Les témoins se font l'écho de rumeurs et d'ouï-dire, un an après les événements. Dès lors que notre interrogation porte essentiellement sur *la fonction de ces procès dans la formation des mentalités antiterroristes*, sur leur rôle dans la maturation et la consolidation de la réaction antiterroriste, l'imagerie globale de la Terreur, telle qu'elle était effectivement diffusée, devient intéressante, y compris dans ses débordements. Michelet a su dire l'impact des procès sur l'opinion publique : « Ce fut un immense poème dantesque qui, de cercle en cercle, fit redescendre la France dans ces enfers encore mal connus de ceux-là même qui les avaient tra-

---

1. Cf. Phelippes dit Tronjolly, *Réponse au rapport de Carrier, représentant du peuple sur les crimes et dilapidations du Comité révolutionnaire de Nantes*, Paris, s.d. [an III]; A. Velasques, « Les procès de Carrier et du Comité révolutionnaire de Nantes », *Annales historiques de la Révolution française*, 1924, pp. 454 et suiv. On dispose d'au moins quatre versions des comptes rendus des audiences : 1. la version du *Bulletin du tribunal révolutionnaire* (version Clément); 2. version du *Journal du soir* (version Gallety); 3. version écourtée du *Moniteur*; 4. version publiée chez la veuve Toubon, (*op. cit.*). Pour le besoin de cette étude, il nous semblait inutile de relever les divergences, plus ou moins importantes, entre ces comptes rendus. Ainsi, pour alléger les notes nous contentons-nous, dans la suite, d'indiquer entre parenthèses le nom du témoin (ou de l'accusé) dont nous citons la déposition.

versés. On revit, on parcourut ces lugubres régions, ce grand
désert de terreur, un monde de ruines, de spectres. Des masses
qui n'intéressaient nullement les débats politiques, furent de
feu pour ces procès. Les hommes, les femmes et les enfants,
tous, du plus haut au plus bas, eurent le rêve des noyades,
virent la nuit la brumeuse Loire, ses abîmes, entendirent les cris
de ceux qui sombraient lentement [1]. »

L'impact des révélations sur la Terreur à Nantes tenait tant
aux témoignages sur la grande « horreur à l'ordre du jour »
qu'aux petits riens de la « Terreur ordinaire ». En effet, on
entendit au tribunal le récit des « grandes mesures », qui déter-
minèrent l'atroce particularité de la Terreur à Nantes : les
noyades, les fusillades par milliers, souvent sans jugement et
sans ménagement pour les femmes et les enfants; mais aussi la
banalité d'une répression commune à toutes les régions de
France : les cachots surpeuplés, les exactions et les rançonne-
ments exercés par les comités de surveillance à l'encontre des
« suspects » (ou de ceux qui n'étaient que « suspects d'être des
suspects ») à l'occasion de la demande d'un certificat de
civisme; les « taxes révolutionnaires » abusives; de petits vols
(quelques bouteilles de vin) lors d'une « visite domiciliaire »
qui, fort naturellement, supposait une fouille particulièrement
soigneuse de la cave, etc. Mais, par un étrange jeu de miroirs,
les vexations, les abus, les brimades, inséparables de la Terreur
au quotidien que tous subirent étaient soudain comme grossis
par le récit concurrent des horreurs nantaises. « Les grandes
mesures » leur donnaient un tout autre sens, amplifiaient les
peurs, le sentiment du danger couru, et, partant, la haine. La
Terreur nantaise soulignait en quelque sorte que la moindre
brimade et vexation pourrait n'avoir été que l'antichambre de
la mort par noyade ou fusillade. Tous ceux, membres des comités révolutionnaires où que ce soit, qui n'avaient su résister à la
tentation de tirer un avantage, même mineur, de leur pouvoir

---

1. Michelet, *op. cit.*, pp. 102-103. Comme s'il était fasciné par ce personnage réunissant républicanisme et cruauté, Michelet a diverses formules pour le décrire : « Carrier
surtout fut le *spectre baroque, bizarre et lugubre* qui saisit », *ibid.*, p. 103, note 1. Dans
les mêmes pages Michelet évoque les effets d'autres procès contre les « terroristes »,
mais il attache une importance particulière au procès de Carrier et du Comité révolutionnaire.

ou bien de manifester leur morgue à l'égard des « riches » et des « accapareurs », n'étaient-ils pas désormais des bourreaux virtuels des Carrier en puissance ? Ainsi, le grand récit sur la Terreur nantaise tissé au long des jours devant le tribunal suscitait l'horreur à l'encontre des abus commis ailleurs, puis bientôt, par l'identification avec les martyrs nantais de tous ceux qui n'avaient été que lésés dans leurs biens ou leur liberté, la répulsion pour toute la Terreur.

Des milliers de pages ont consigné des dépositions, souvent répétitives, ressassant les mêmes faits. Mais, d'une déposition à l'autre, on ajoute des détails, on surenchérit même, selon que recule la peur, qu'on se défoule de ses craintes, qu'on recherche le sensationnel, que monte la haine puis la vengeance. Plusieurs dépositions se distinguent par l'accumulation des horreurs que les témoins prétendent avoir vues ou, plus souvent, dont ils ont entendu parler. Les témoignages oculaires se confondent d'ailleurs très souvent avec des rumeurs et des ouï-dire. Quelques représentations globales de la Terreur et des terroristes se dégagent de l'ensemble et dessinent les lignes de force de l'imaginaire antiterroriste [1].

Deux images, qui prennent la valeur de symboles, résument

---

1. Rappelons les noms des inculpés dans l'acte d'accusation, qui reviennent à maintes reprises dans la suite de nos développements. 1. Jean-Jacques Goulin, membre du Comité révolutionnaire de Nantes, né à Saint-Domingue, âgé de 37 ans, demeurant à Nantes; 2. Pierre Chaux, âgé de 35 ans, né à Nantes, y demeurant, marchand et membre du Comité révolutionnaire; 3. Michel Moreau, dit Grand-Maison, âgé de 39 ans, né à Nantes, y demeurant, membre du Comité révolutionnaire; 4. Jean-Marguerite Bachelier, âgé de 43 ans, né à Nantes, y demeurant, notaire, membre du Comité révolutionnaire; 5. Jean Perrochaux, âgé de 48 ans, né à Nantes, y demeurant, entrepreneur de bâtiment, membre du Comité révolutionnaire; 6. Jean-Baptiste Mainguet, âgé de 56 ans, y demeurant, épinglier, membre du Comité révolutionnaire; 7. Jean Lévêque, âgé de 38 ans, né à Mayence, membre du Comité révolutionnaire de Nantes, y demeurant; 8. Louis Naud, âgé de 35 ans, né à Nantes, y demeurant, boisselier, membre du Comité révolutionnaire; 9. Antoine-Nicolas Bolognie, âgé de 47 ans, né à Paris, demeurant à Nantes, membre du Comité révolutionnaire; 10. Pierre Gallon, âgé de 42 ans, né à Nantes, y demeurant, raffineur; 11. Jean-François Durassier, âgé de 50 ans, né à Nantes, y demeurant, courtier pour le déchargement de navires venant de Saint-Domingue; 12. Augustin Bataille, âgé de 46 ans, né à la Charité-sur-Loire, ouvrier en indienne, demeurant à Nantes; 13. Jean-Baptiste Joly, âgé de 50 ans, né à Angerville-la-Martel, département de la Seine-Inférieure, fondeur en cuivre, demeurant à Nantes; 14. Jean Pinard, âgé de 26 ans, né à Christophe-Dubois, département de la Vendée, demeurant à Petit-Marc, département de la Loire-Inférieure. Ces cinq derniers étaient commissaires du Comité révolutionnaire. Cf. *Acte d'accusation...*, AN W 493, n° 479, plaquette n° 3.

à elles seules la Terreur à Nantes. La première est celle de la Loire ensanglantée, couverte de cadavres, roulant ses flots empoisonnés. Cette image figure dans l'acte d'accusation : « La Loire roulera toujours des eaux ensanglantées, et le marin étranger n'abordera qu'en tremblant, sur les côtes couvertes des ossements des victimes égorgées par la barbarie, et que les flots indignés auront vomis sur ses bords. » Pendant les procès, ce thème revient en permanence, enrichi de détails toujours plus horribles. « J'atteste avoir vu, sur les bords de la Loire, des cadavres nus de femmes vomis par ce fleuve ; j'ai vu des monceaux de cadavres d'hommes dévorés par les chiens et les oiseaux de proie ; j'ai vu dans des gabares submergées des cadavres encore attachés et surnagés à moitié » (déposition de la femme Laillet). Signe suprême de l'indignation d'une Nature offensée, le fleuve rejette les corps sur ses rivages. « J'ai vu les rives de la Loire couvertes de corps morts ; j'ai vu sur ses rives des cadavres d'enfants de sept à huit ans ; j'ai vu le cadavre d'une femme toute nue qui serrait encore son enfant dans ses bras ; j'ai vu des cadavres nus de jeunes filles et de jeunes garçons » (témoignage de Lambert, sculpteur à Nantes). « J'ai vu sur les rives de la Loire, jusqu'à Paimbœuf, une infinité de cadavres, dont beaucoup de femmes nues, et que les municipalités riveraines étaient obligées d'enterrer » (déposition de Baudet, constructeur de navires). Dans sa forme la plus stéréotypée l'image est reprise et consignée dans le célèbre livre de Prudhomme sur les atrocités de la Terreur, qui pendant quelques générations alimenta la mémoire collective. « Un homme digne de foi assura que pendant longtemps, et dans une étendue de dix-huit lieues, la Loire était, depuis Saumur jusqu'à Nantes, *toute rouge de sang*. Enflée par la foule immense de cadavres qu'elle roulait avec ses flots, elle portait l'épouvante à l'océan ; mais tout à coup une marée violente repousse jusque sous les murs de Nantes ces affreux monuments de tant de cruautés. Toute la surface du fleuve est couverte de membres flottant çà et là que se disputent avec acharnement les poissons voraces qui les déchirent. Quel spectacle pour les Nantais... qui s'interdisent l'usage de l'eau et des poissons [1]. »

1. L.M. Prudhomme, *Histoire générale et impartiale des erreurs, des fautes et des crimes commis pendant la Révolution française à dater du 24 août 1787*, Paris, an V,

L'autre image est celle d'une ville de 80 000 habitants
complètement terrorisée, livrée à l'arbitraire d'une bande de
« buveurs de sang » et de voleurs, où la lie du peuple prenait sa
revanche sur des honnêtes gens. La peur s'est abattue sur la
ville, comme une chape de plomb. « On ne saurait trop le répéter, la terreur était à l'ordre du jour; cette ville a été frappée de
la stupeur la plus accablante; tel qui se croyait innocent le soir,
n'était pas sûr d'être reconnu tel le lendemain; il serait difficile
de peindre l'inquiétude, l'anxiété des mères, des épouses,
lorsqu'elles entendaient le roulement des voitures, dans leurs
quartiers, à huit heures du soir; il leur semblait qu'elles et leurs
maris allaient être arrachés à leurs foyers pour être plongés
dans les cachots. Telle était la consternation de Nantes, et dont
Carrier et le Comité étaient seuls les auteurs » (déposition de
Lahenette, médecin de Charité à Nantes). Le nombre de personnes arrêtées est « incalculable » : « c'est principalement sur
les talents, la probité, la richesse que le Comité a exercé toute
son inquisition » (même témoin); « le Comité de Nantes a fait
incarcérer presque tous ceux qui avaient de la fortune, des
talents, des vertus et de l'humanité. Il avait toléré ce que l'on
appelait dans cette ville des *sabrades*; ce genre d'expédition est
relatif à sept ou huit prisonniers qui sortaient du Comité pour
être conduits à l'Entrepôt. Les conducteurs trouvant qu'il était
tard et que la course était trop longue, massacrèrent ces malheureux sous les fenêtres du Comité » (déposition de Georges
Thomas, officier de santé). Dans cette ville paralysée par la
peur de porter plainte, empestée par l'odeur des cadavres,
l'activité portuaire et commerciale, qui la faisait vivre, était
paralysée. « La probité, la vertu, les talents et la fortune étaient
alors autant de titres de proscription et la vertu a été assassinée
par le crime. D'après les principes des Hébert, des Chaumette,
des Roussin, des Robespierre et autres *vandalistes* on assassi-
nait le commerce, afin d'asservir la France » (déposition de Vil-
lemin, négociant à Nantes) [1].

vol. VI, pp. 337-338. Prudhomme avance le chiffre de 100 000 victimes de Carrier,
nombre auquel on arriverait « par un calcul approximatif avec les prisons, les mala-
dies », etc. Or, Nantes était une ville d'environ 80 000 habitants.

   1. Un des accusés, Bachelier, tenta, au début du procès, de justifier la politique de
répression. Elle comportait des mesures préventives et se proposait de mobiliser les
sans-culottes contre les « riches ». (Sur ce dernier point, Bachelier utilise une terminologie : « classe des riches », « capitalistes », etc., qui mérite d'être relevée) : « Carrier ne

Le fleuve débordant de cadavres évoque nécessairement les *noyades*. Leur révélation fut un des grands moments des procès. Les noyades résumaient à elles seules les horreurs de la Terreur nantaise. L'acte d'accusation contre le Comité constatait qu'on ne dispose de « preuves matérielles que d'une expédition de ce genre » mais, ajoutait-t-il, « on a l'aveu de plusieurs accusés qui déchirés par les remords, on été forcés de déclarer qu'il y en avait de *quatre à huit* ». Les estimations du nombre de noyades et de noyés changeront d'une audience à l'autre, d'un témoin à l'autre : 4 000 brigands noyés et 7 500 fusillés à la carrière de Gigant (déposition de François Coron, soldat de la compagnie Marat); trois ou quatre noyades lors desquelles ont péri 9 000 victimes (selon les dépositions d'Affilié le jeune, charpentier marinier qui a participé à la fabrication de gabares, et de Moutier, forgeron de Nantes qui assure avoir vu « toutes les noyades » qui avaient eu lieu dans son quartier); « 23 noyades et d'innombrables victimes », selon Phelippes-Tronjolly; Lamberty et Carrier auraient vanté leurs mérites en affirmant que « 2 800 sont déjà passés par la baignoire nationale » (déposition de Martin Naudille, ci-devant inspecteur de l'armée de l'Ouest). Le Tribunal ne s'efforce pas de vérifier ces données, ne serait-ce que par la confrontation des témoins. Pour les historiens ces estimations contradictoires posent des problèmes presque inextricables; pour les contemporains l'emportaient l'image globale et l'horreur du crime, le tableau de ces gabares coulées avec leur cargaison : femmes et enfants, prêtres et « brigands ».

Parler des noyades, c'est nécessairement évoquer les « mariages républicains », image qui a durablement marqué la mémoire collective. Reproduits sur maintes gravures, dès l'an

---

cessait de répéter que les riches favorisent la guerre de la Vendée; que les accapareurs étaient d'intelligence avec eux; que les riches ne donnaient aucun secours aux pauvres; qu'il y avait à Nantes un foyer contre-révolutionnaire... Toute la classe des riches était suspecte dans les circonstances difficiles où nous nous trouvions; il a donc fallu frapper également celui qui pouvait nuire, comme celui qui en réunissait le pouvoir et la volonté. Cependant peu de patriotes ont été arrêtés; nous avons principalement sévi contre la classe ci-devant nobiliaire et sacerdotale, contre les capitalistes qui ne voulaient rien faire pour la patrie; mais les vrais sans-culottes ont été épargnés. »

III, les « mariages républicains » avaient de quoi frapper les imaginations; ils devinrent le symbole de l'horreur des noyades. Dès le premier jour du procès du Comité, on évoque ce « mariage républicain », appelé aussi « mariage révolutionnaire », comme « ultime raffinement de cruauté ». « Il consistait à attacher, tout nu, sous les aisselles, un jeune homme à une jeune femme, et à les précipiter ainsi dans les eaux » (déposition de Lahenette, médecin de Charité, à Nantes). La description revint plusieurs fois au cours du procès et connut plusieurs variantes : les bourreaux dépouillent les hommes et les femmes, et les attachent, tout nus, deux à deux, par les bras et les poignets; ensuite on les fait monter sur le bateau où ils sont assommés avec « de grands bâtons » et poussés dans la Loire; « on appelle cela le " mariage civique " » (déposition de Thomas, officier de santé, rapportant le récit d'un batelier ivre qui aurait assisté à cette tuerie). Selon une autre version, les « mariages républicains » ne traduisaient pas seulement la cruauté mais aussi la perversion des bourreaux qui se délectaient de l'obscène et du scabreux. « J'ai entendu parler de ces mariages républicains qui se faisaient en attachant un vieillard à une vieille femme et un jeune homme à une jeune fille; on les laissait, tout nus, pendant une demi-heure dans cette attitude; on leur donnait des coups de sabre sur la tête et ensuite on les précipitait dans la Loire » (déposition de Fourrier, directeur de l'hospice révolutionnaire). Il semble plutôt douteux que ces « mariages républicains » aient été pratiqués d'une manière systématique. On ne peut exclure aucune grossièreté ni cruauté gratuite pendant les noyades, mais tous les récits sur les « mariages républicains » se fondent sur des ouï-dire, et aucunement sur des témoignages oculaires ou des aveux d'exécutants. La répression et le pillage terroriste semblaient commander que les victimes fussent nécessairement dévêtues et précipitées deux par deux, afin que la mort fauchât les Nantais dans un cortège d'obscénité et de perversion.

Les « grandes mesures » ne se limitaient pas aux noyades. Si les victimes ne disparaissaient pas dans la Loire, c'était alors dans les fosses communes (surtout celles creusées aux carrières de Gigant, toutes proches de Nantes). Les victimes, surtout des prisonniers vendéens, y furent exécutées par des moyens, pour ainsi dire, plus « classiques », moins spectaculaires : la guillotine ou les armes. Pendant les procès on parle relativement peu des « guillotinades », parce que les victimes avaient été condamnées au terme d'une procédure juridique, même sommaire. Et leurs cas avaient relevé non du Comité révolutionnaire mais du Tribunal révolutionnaire. L'idée de pratiquer les noyades naquit de la relative lenteur du Tribunal; plusieurs témoins évoquent les accès de colère de Carrier contre le Tribunal, ses ordres de juger et de guillotiner plus vite, sans inutiles « chicanes » juridiques. Les fusillades en masse des prisonniers vendéens faits au combat, armes à la main, permettaient parfois de liquider plus de 200 personnes en un jour, après un simple enregistrement de leur identité par la commission militaire de Bignon, elles soulevèrent cependant moins d'indignation que les noyades[1]. A lire les dépositions, on pourrait croire que la ville s'accommodait du massacre des prisonniers, dans le respect d'une légalité réduite à sa plus simple expression. Personne n'osait, il est vrai, contester ce simulacre de légalité, car cela serait revenu à dénoncer la Convention qui avait décrété cette procédure expéditive. Lors des audiences, on revint surtout sur les actes de non-respect de la fragile légalité révolutionnaire et les cas flagrants d'arbitraire et de sauvagerie dans la répression. Ainsi, tout au long des procès, est-il question

---

1. Que ces exécutions aient été confiées aux « hussards noirs » traumatisait les esprits, d'autant plus que des rumeurs couraient sur les horribles brutalités de ces troupes, notamment à l'égard des femmes. On en trouve l'écho dans une des dépositions. Le 28 pluviôse, « un officier, nommé Ormes, vient réclamer la force armée en faveur de cinq jolies femmes que des Américains ont arrêtées, et qu'ils insultent de toutes manières. Plusieurs hommes sont fournis, on se rend à la retraite des Noirs, on entend gémir leurs captives. Ces femmes, d'un commun accord, demandent à être emmenées. " Ce sont nos esclaves, répondent les Américains à notre invitation; nous les avons gagnées à la sueur de notre corps, et on ne nous les arrachera qu'à notre corps défendant... " Le combat allait s'engager lorsque la force armée, guidée par la prudence, préfère se retirer. [...] Deux jours après cet événement, les Américains, sans doute, rassasiés de leurs captives, les renvoient; l'une de ces malheureuses avait été obligée de souffrir les approches d'une centaine d'hommes; elle était tombée dans une espèce de stupidité et ne pouvait marcher. Peu de jours après, j'entends une fusillade; je demande ce que c'est; on me répond que ce sont les femmes des Américains qui viennent d'être fusillées » (déposition de J. Commerais, marchand miroitier). Aucune mention de cet épisode, ni d'un cas analogue, ne fut faite dans les autres dépositions.

d'un groupe de 80 cavaliers vendéens qui, après la défaite de Savenay, étaient venus à Nantes avec l'intention de se rendre et de déposer les armes. Or, Carrier avait donné personnellement l'ordre de les fusiller, sans jugement. Ce n'était qu'un épisode parmi toutes les atrocités mais il revêtait une grande importance, parce que plusieurs témoignages convergeaient (quoique la rumeur finît par prétendre que Carrier avait fait fusiller jusqu'à 500 cavaliers), et que Carrier avait eu l'imprudence de signer lui-même les ordres d'exécution. La Convention fit venir ceux-ci par courrier extraordinaire de Nantes et ces listes constituèrent une pièce à conviction de portée capitale.

Le cas de ces Vendéens s'inscrivait d'ailleurs dans un contexte plus large, souvent évoqué lors des audiences. Toutes ces atrocités n'expliqueraient-elles pas la perpétuation de la guerre de Vendée malgré les victoires républicaines ? Carrier fut ainsi accusé d'avoir prolongé la guerre par une répression à ce point cruelle qu'elle prévenait les Vendéens de capituler.

« Après l'affaire de Savenay je vis quatre de nos soldats amener des cavaliers brigands en grand nombre; j'entendis ceux-ci faire l'aveu de leurs erreurs, en témoigner les plus vifs regrets et offrir à se rendre à condition d'avoir la vie sauve... Si on voulait leur faire grâce, et à ceux qui restaient dans la Vendée, ils s'engageraient à amener leurs chefs pieds et mains liés et à déterminer la majorité de leurs communes à venir se ranger sous les drapeaux de la République. Si des propositions aussi avantageuses eussent été acceptées, il ne serait plus question de Vendée; mais les hommes de sang, les complices des despotes, étaient bien éloignés de donner leur adhésion à des mesures propres à les dépouiller des pouvoirs dont ils étaient investis... Aussi eus-je la douleur de voir massacrer, fusiller impitoyablement environ une centaine de ces brigands... et cette cruelle expédition se fit le lendemain de l'arrivée de ces hommes égarés, au mépris des proclamations qui leur promettaient sûreté et protection » (déposition de Girault, ex-avocat, ex-membre de l'Assemblée constituante).

L'accusé Naud compléta cette déposition; il avait effectivement transmis cette offre de capitulation à Carrier : « Je me permets de solliciter la grâce de nos frères trompés par des fanatiques et des contre-révolutionnaires. » « Foutre », s'écrie

Carrier. « Vous ne voyez donc pas que c'est un piège ? Vous ne savez pas votre métier; on vous trompe par une soumission apparente; on veut bouleverser la ville. Vous êtes des lâches, des jean-foutre qui ne savez pas faire face à l'ennemi. Point de grâce; il faut fusiller tous ces scélérats. »

Les horreurs de la répression en Vendée sont chaque jour évoquées : les habitants de Bouquenay et des hameaux voisins sont convoqués sous prétexte de leur délivrer les certificats de civisme, et sont fusillés (déposition de Renet, commandant de bataillon); des cadavres de femmes fusillées restaient entassés les uns sur les autres pendant plusieurs jours et les « cannibales » les appelaient, en riant, « la Montagne » (déposition de J. Delamarre, payeur général des dépenses publiques dans le département de la Loire-Extérieure; déposition de Bourdin, forgeron à Nantes). Les prisons, si on n'en était pas extrait pour être noyé ou fusillé, étaient de véritables mouroirs. « Ayant reçu l'ordre de la commission militaire d'aller constater la grossesse d'un grand nombre de femmes détenues à l'Entrepôt, je trouvais une grande quantité de cadavres épars çà et là; je vis des enfants palpitants ou noyés dans des baquets pleins d'excréments. Je traverse des salles immenses; mon aspect fait frémir les femmes : elles ne voyaient d'autres hommes que leurs bourreaux... Je constatais la grossesse de trente d'entre elles; plusieurs étaient grosses de sept ou huit mois; quelques jours après je viens voir ces femmes... Je le dis, l'âme brisée de douleur, ces malheureuses femmes étaient précipitées dans les flots! Ces tableaux sont déchirants, ils affligent l'humanité; mais je dois au tribunal le compte le plus fidèle de ce qui est à ma connaissance » (déposition de Thomas, officier de santé).

La focalisation sur les accusés, et, plus généralement, sur les agents de la Terreur, de toutes les haines que les procès font remonter à la surface refuse toute motivation idéologique aux accusés : très rares sont les dépositions qui leurs accordent, à titre de circonstances atténuantes, des « sentiments révolutionnaires exagérés » ou qui les considèrent comme des âmes égarées. En revanche, les accusés arguent de leurs « intentions révolutionnaires » tout en consentant d'être trompés. L'enjeu est de taille : le Tribunal est appelé à rendre son jugement en tenant compte de la « clause intentionnelle », des motivations révolutionnaires ou contre-révolutionnaires des actes incriminés. Mais le problème n'est, on le devine, pas uniquement juridique. Au-delà des attaques et accusations nominales s'esquisse une sorte de portrait collectif de tous les accusés, et, partant, du personnel terroriste. Les différences individuelles s'effacent et se confondent dans l'image global d'une bande de scélérats, des « buveurs de sang », des « cannibales » qui terrorisaient sans scrupule la ville entière. Leurs uniques motivations auraient été la haine, la cruauté, la cupidité et autres passions les plus ignobles. Massacreurs, ils étaient d'abord de franches canailles, des voleurs et des fripons. La Révolution ne les a pas appelés; ils ont appelé la Révolution de leur souhait pour s'emparer du pouvoir, s'enrichir et assouvir leurs passions les plus basses. L'acte d'accusation dressait d'emblée un tel portrait :

> « Sous le masque du patriotisme, ils ont osé commettre tous les forfaits; ils ont assassiné la vertu pour couronner le crime; ils ont sciemment exercé toutes sortes d'exactions... Ces êtres immoraux sacrifiaient à leurs passions honneur et probité; ils parlaient patriotisme, ils en étouffaient les germes les plus précieux... Loin d'éteindre et d'anéantir une guerre malheureuse qui déchire le sein de la patrie; ils en attisaient le feu par leurs cruautés; ils servaient les projets de nos perfides ennemis qui, pour nous subjuguer, ont recours à tout ce que la bassesse leur suggère, qui ne pouvant attaquer de front les républicains, cherchent dans leur sein les vils esclaves qui cachent sous le masque du patriotisme l'âme la plus scélérate et le cœur le plus corrompu [1]. »

Les accusés ne sont que la partie visible, car à jamais démasquée, d'une vaste association de malfaiteurs. La preuve en est qu'au cours des sessions du Tribunal plusieurs témoins seront encore démasqués et arrêtés; que Carrier, pourtant dénoncé comme l'inspirateur des noyades, des fusillades sans jugement et d'autres atrocités, ne s'assit sur le banc des accusés qu'à par-

---

1. *Acte d'accusation..., op. cit.* Inutile d'insister sur les conséquences pénales de cette caractérisation où la morale rejoint la politique. Loin d'être des révolutionnaires, comme ils le prétendent, les accusés seraient des *contre-révolutionnaires*, au service des « ennemis », des alliés des Vendéens. Du coup, la « clause intentionnelle » ne les concernerait pas. Nous aurons à revenir sur cette assimilation des « terroristes » aux agents de Pitt et de Coblence.

tir du 7 frimaire, soit quarante-deux jours après l'ouverture du procès du Comité révolutionnaire.

Les représentations des « terroristes » largement diffusées par le langage politique thermidorien, trouvent leur confirmation dans les dépositions des témoins. *Buveurs de sang, cannibales* : ce ne sont pas seulement des épithètes ou des métaphores; les accusés auraient réellement bu du sang et se seraient comportés comme des cannibales. Les dépositions apportent de remarquables exemples de l'effacement des frontières entre les souvenirs de la Terreur nantaise et les fantasmes qui travaillent en profondeur les esprits traumatisés. De ce travail de l'imagination collective ne citons que quelques exemples.

François Caron, ex-procureur, soldat de la compagnie Marat, apporte un témoignage bouleversant sur les préparatifs à la noyade, dans la nuit du 24 au 25 frimaire, à Bouffay où il s'est rendu avec les autres *Marat*. A cela il ajoute *ce qu'il a entendu dire*, des rumeurs qui couraient la ville. « On m'a assuré qu'on a arraché le fruit d'une femme près d'accoucher; qu'on l'avait mis au bout d'une baïonnette et qu'on l'avait jeté dans l'eau. » Les « terroristes », en parlant, à leur tour, des atrocités commises par des Vendéens, évoquent des images analogues : des femmes éventrées, autant d'actes de barbarie exprimant la volonté de détruire l'ennemi jusque dans sa descendance virtuelle. Les récits impossibles à vérifier témoignent de l'intensité de la haine des deux côtés : l'ennemi est désigné comme l'auteur des violences à la fois les plus cruelles et les plus archaïques. Le même témoin affirme que Goulin aurait déclaré à la tribune de la société populaire : « Prenez garde de recevoir parmi vous des modérés, des faux patriotes; il ne faut admettre que des *révolutionnaires, des patriotes ayant le courage de boire un verre de sang humain.* » Goulin protesta en vain « qu'on avait empoisonné ses observations » et qu'il ne voulait que paraphraser les célèbres paroles de Marat déclarant qu'il « aurait voulu pouvoir s'abreuver du sang de tous les ennemis de la patrie ». L'épithète de *buveur de sang* s'avérait exacte; la bande d'ennemis du genre humain qu'elle désignait aurait donc scellé son association par un rite chargé d'un symbolisme séculaire, celui du sabbat et du pacte avec le diable. Autre témoignage, autres actes symboliques : Pinard raconte qu'il avait rapporté, d'une de ses expéditions contre les Vendéens, des calices et des objets du culte ; or, Carrier lui aurait demandé de faire boire dans ce calice on ne sait quel mystérieux breuvage, tout en lui reprochant de n'avoir pas tué « tous ces bougres-là ». Jean-Baptiste O'Sullivan, âgé de trente-trois ans, maître d'armes, nommé par Carrier adjudant de la place de Nantes, dépose, comme témoin, au sujet des noyades à l'Entrepôt : Carrier lui aurait déclaré que les citoyens de Nantes étaient des contre-révolutionnaires et qu'il ferait venir 150 000 hommes pour exterminer tous les Nantais. Cependant le président lui pose une question sur ses propres exploits. « Ne vous êtes-vous pas exercé à saigner les brigands au col avec un couteau dont la lame était très étroite ? Ne vous êtes-vous pas vanté en disant : " J'avais regardé avec attention comment un boucher s'y prenait ; je faisais semblant de causer avec ces brigands ; je leur faisais tourner la tête comme pour regarder les poissons ; je leur passais le couteau dans la gorge et cela était fini. " » La salle réagit par des « frémissements d'horreur ». O'Sullivan explique, qu'ayant participé à la guerre avec les « brigands » et ayant vu leurs atrocités, il aurait pu, « dans un mouvement d'indignation », dire que « si je tenais les brigands, je les saignerais avec mon couteau, et ce pour venger mes frères... mais je suis incapable de mettre à exécution la saignée dont on parle, et que je n'ai pu entendre sans frémir moi-même ». Il est arrêté sur-le-champ et rejoint les accusés sur leur banc.

Une place toute particulière revient dans les témoignages à la compagnie Marat. Celle-ci jouissait d'un pouvoir énorme, presque illimité. « Elle avait le droit de faire des visites domiciliaires, d'incarcérer au besoin, sans l'avis du Comité. » Le Comité donnait une simple liste à la compagnie Marat, qui se transportait chez les individus désignés et les emprisonnait sur de simples notes, et quelquefois même dans la rue, « sur de simples soupçons ». Les *Marat* étaient, pour ainsi dire, le trait d'union entre les « grandes mesures » et la Terreur au quotidien : avec les membres du Comité, ils exécutaient les noyades,

mais ils volaient et pillaient également les « riches ». Ils rançonnaient les notables de la ville en les menaçant de les envoyer
à l'Entrepôt d'où on ne sortait que pour « boire la grande
tasse »; ils apposaient des scellés pour piller ensuite les appartements, et les magasins. Pour perpétrer tant de crimes, il fallait que s'associent les êtres les plus immoraux.

> « Une compagnie dite de Marat, formée soit par le Comité, soit
> par le représentant Carrier, compagnie composée d'êtres crapu
> leux, et pour ainsi dire, l'égout de la ville de Nantes, était l'instru
> ment fidèle de la barbarie du Comité; ces hommes, sur le front des
> quels le sceau de la réprobation était empreint, s'étaient fait
> nombre de partisans; ils y exerçaient la domination la plus tyran
> nique et flétrissaient à leur volonté dans l'opinion des despotes
> investis du droit de vie ou de mort, les honnêtes citoyens qui
> avaient le malheur de déplaire aux agents suprêmes du Comité [1]. »

Le Comité révolutionnaire aurait fait recruter cette compagnie selon des critères bien spécifiques. Les plus scélérats y
étaient admis et à chaque nomination Goulin aurait demandé :
« N'y en a-t-il encore un plus scélérat, car il nous faut des
hommes de cette espèce pour mettre les aristocrates à la raison... Voilà de beaux b...; y en a-t-il de plus scélérats » (déposition de Phelippes-Tronjolly. Goulin, interrogé par le président,
nie catégoriquement ces accusations comme « invraisemblables » : il avait été le premier à proposer de mettre aux voix
le choix des candidats et avait lui-même éliminé plusieurs
d'entre eux). Comme si ce mode de recrutement n'apportait pas
encore toutes les garanties nécessaires, les *Marat* auraient prêté
un serment spécial : « J'ai vu une affiche intitulée *Serment de
Marat*. Cette affiche était conçue de manière à faire frémir tous
les bons citoyens. On renonçait par ce serment à l'amitié, à la
parenté, à la fraternité, à la tendresse paternelle et filiale; on
faisait abnégation des sentiments les plus propres à honorer la
nature et le corps social » (déposition de Lamarie, statuaire et

---

1. *Bulletin du Tribunal révolutionnaire...*, procès de 94 Nantais, p. 162 (résumé de
plusieurs dépositions); cf. aussi H. Wallon, *Histoire du Tribunal révolutionnaire, op.
cit.*, vol. V, pp. 360-361.

officier municipal à Nantes; le texte de cette affiche, présentée dans la suite du procès, appelait, en se servant de la rhétorique et de l'emphase révolutionnaire, à se dévouer à la patrie et à la révolution, en ne tenant compte d'aucun intérêt particulier). Scélérats, ils étaient autant de *vandales*, gens incultes et illettrés auxquels répugnaient les arts et les talents. Certes, *Pierre Chaux*, un des meneurs du Comité, a trouvé utile de changer de nom et de s'appeler *Socrate* Chaux; il aurait pourtant mieux fait « en signant *Scélérat* Chaux » (déposition de Bô, représentant du peuple). Les *Marat* « brisaient de superbes tableaux; ils n'ont épargné que celui qui représentait la mort; ils disaient [aux prisonniers] avec une ironie cruelle : *Contemplez ce tableau!*, tout en disant aux prisonnières qu'*elles sont bonnes pour boire à la grande tasse* » (déposition de la veuve Mallet, marchande de tabac; elle se plaignit également que sous prétexte de réquisition, on lui avait volé de l'or, de l'argent et 700 livres en assignats). Goulin et Pinard sont accusés d'avoir signé un ordre dont l'exécution a permis d'extorquer plus de 3 000 livres en argent, bijoux et montres, à la famille Labauche (condamnée à la réclusion car elle avait des enfants soupçonnés d'émigration). Pinard ne nie pas avoir arrêté cette famille qui lui avait été signalée comme « de brigands », ni d'avoir gardé une partie de l'argent avec l'accord du Comité, mais il rejette avec indignation l'accusation d'avoir signé l'ordre de réquisition. Preuve qu'il ne s'agit là que d'une calomnie, il ne sait ni lire ni écrire (dépositions de Guignon et de Pinard sur l'affaire Labauche).

Le cas d'un certain Dhéron, le « coupeur des oreilles », résume, peut-être le mieux, le jeu inextricable qui s'installe entre les faits réels, macabres et atroces, et les fantasmes qu'ils font naître. Lors de l'audience du 1er frimaire, la citoyenne Laliet demande au Tribunal d'être entendue pour « déclarer un fait important ». Elle dépose, en effet, qu'après la déroute des Vendéens « un certain Dhéron se présente à la société populaire *avec l'oreille d'un brigand qu'il avait attachée à son chapeau avec la cocarde; il avait les poches pleines de ses oreilles, qu'il se faisait le plaisir de faire baiser aux femmes* ». Le témoin ajoute qu'elle connaît encore des « circonstances barbares » relatives à la « moralité des accusés » mais qu'elle n'ose pas les dire, craignant de manquer de respect au Tribunal. Après avoir aiguisé ainsi la curiosité, elle ne se laisse pas longtemps prier et complète sa déposition. « Ce même Dhéron *avait encore les mains pleines de parties génitales, qu'il avait la cruauté d'arracher aux brigands en les massacrant et qu'il en fatiguait également la vue des femmes.* » Quelques jours plus tard le Tribunal procède à l'audition dudit Dhéron, inspecteur des vivres militaire, comme... témoin à charge contre Carrier. En effet, Dhéron accuse Carrier de diverses atrocités; ainsi aurait-il donné l'ordre de faire fusiller tous les commissaires délégués par d'autres représentants en mission et qui voulaient faire partager les subsistances entre Nantes et d'autres villes. « F... je veux que tous les grains de la Vendée soient emportés; fusillez-moi tous ces bougres-là! », telle aurait été la réaction de Carrier qui refusa pourtant de confirmer cet ordre par écrit. Dhéron est alors interrogé sur ses propres exploits. Lors de l'interrogatoire assez confus, où interviennent encore d'autres témoins, Dhéron « a été convaincu de s'être *montré à la société populaire avec des oreilles de brigands et des parties génitales qu'il faisait baiser aux femmes* ». Il avoua d'ailleurs qu'il avait fait assassiner des enfants de treize et de quatorze ans qui faisaient paître leurs moutons. (Pour sa défense Dhéron ajouta que souvent les enfants de cet âge étaient porteurs de cartouches et espionnaient les troupes républicaines; il fit également valoir son courage et les services rendus lors des combats avec les « brigands ».) Sur-le-champ le Tribunal décide de le faire asseoir au banc des accusés, prévenu de plusieurs atrocités et assassinats reprochés au Comité révolutionnaire. Le Tribunal retiendra finalement dans son verdict la charge d'avoir assassiné des enfants et d'avoir « porté publiquement à son chapeau »... une oreille d'homme qu'il avait tué (tout en constatant qu'il ne l'a pas fait « avec intention contre-révolutionnaire »; il sera donc acquitté).

Le spectacle de Dhéron, tueur d'enfants, portant publiquement une oreille humaine à son chapeau, tel un trophée de chasse, est macabre et terrifiant. Transformer cette image en celle de Dhéron forçant les femmes à baiser les parties génitales arrachées aux Vendéens demandait tout un travail d'imagination morbide, relayé d'ailleurs par la rumeur publique. Ainsi la mort et la cruauté, la sexualité et la perversion se trouvaient-elles inextricablement réunies. L'histoire de Dhéron présente un cas extrême, mais pas isolé, nombre d'exemples pourraient être cités où se retrouvent les mêmes éléments et tendances de l'imaginaire morbide. Au cours du procès reviennent des récits sur les « orgies » et la violence sexuelle qui auraient pu trouver une belle place dans les romans du « divin Marquis ». Ainsi Robin, avec son complice, un certain Lavaux, autre homme de confiance de Carrier, aurait fait monter des prisonnières sur une galiote, pour « assouvir leurs brutales passions avec elles et ensuite ils les sabraient et les noyaient » (déposition de Chaux, coaccusé de Robin). Les noyeurs se rendaient « très familiers avec les femmes qu'ils faisaient servir à leurs plaisirs, lorsqu'elles leur plaisaient, et, pour récompense de leur complaisance, obtenaient l'avantage précieux d'être exceptées de la noyade. L'un de ces noyeurs, accoutumé à trouver des femmes dociles, me dit un jour : *Demain je viendrai te faire lever dans la nuit, je te dirai que je suis Mandrin et tu ouvriras* » (déposition de Victoire Abraham, veuve Pichot). Perrocheaux est accusé d'avoir exigé que la « fille Brétonville se livre à ses désirs impudiques »; ce n'est que sous cette condition qu'il promettait de faire relâcher son père (Perrocheaux rejeta cette accusation, en affirmant que c'est la mère de cette fille qui lui avait offert « la jouissance de sa fille et qu'il avait rejeté ces offres en observant à cette citoyenne qu'elle déshonorait la qualité de mère » (dépositions de Sophie Brétonville et de Perrocheaux). A plusieurs reprises est évoqué le cas de Lamberty, factotum de Carrier et un des organisateurs des noyades, qui avait été condamné et exécuté à Nantes, après le départ de Carrier, pour avoir enlevé « une belle comtesse vendéenne et sa femme de chambre de dessus d'une galiote » et sauvé leur vie « pour jouir d'elles » (déposition de Naud, coaccusé) [1].

1. Michelet parle longuement de cet épisode, en le présentant sous un tout autre éclairage. La « dame, qui n'était que trop connue » (mais il ne révèle pas le nom), était « une Vendéenne qui appartenait à la reine, et qui ne parlait que de la reine ». Or, Lamberty tomba amoureux d'elle, et, « homme d'action », osa la sauver et l'amena chez lui. C'était un « mystère d'amour, d'orgueil et de fureur », car enfin, « elle n'avait pas

Dans ce registre, on ne s'étonnera pas que Carrier dépassât tous les autres par sa cruauté, ses débauches et sa perversité. Ses « orgies » sont évoquées tout au long du procès, aussi bien par les témoins que par les accusés. Sur ses ordres on aurait retiré de l'Entrepôt des jeunes filles de moins de dix-sept ans pour les envoyer à sa maison de campagne, et en faire son « sérail », des « victimes de sa volupté » (déposition de Clairval, employé aux postes). Avec d'autres femmes, qu'il aurait réquisitionnées, il se livrait à « ses débauches ordinaires » et aux « orgies les plus crapuleuses » (déposition de Villemain, négociant à Nantes), il aurait également donné l'ordre de faire noyer une centaine de filles publiques (déposition de Jean Drieux, rentier). Trois femmes « éveillent les désirs impudiques de Carrier... Il les sacrifie à sa lubricité et quand il s'en est rassasié, il les fait guillotiner » (déposition de Phelippes-Tronjolly ; même le président a trouvé utile de faire remarquer à Tronjolly qu'il « pousse trop loin ses observations et ses inquiétudes »). L'histoire d'un dîner sur la galiote hollandaise dont Carrier a fait cadeau à Lamberty et qui servait aux noyades revient souvent : Carrier y aurait donné un dîner splendide, de 20 couverts, aux expéditionnaires » (avec ou sans filles, selon les versions). Un d'entre eux, appelé Legros, avait encore les moustaches rouges de sang ; on y chantait des chants montagnards, on buvait « aux calotins qui ont bu dans la grande tasse ». Lamberty amusait les convives en racontant comment il avait sabré des rescapés de noyade. Carrier lui-même y aurait lu le rapport qu'il avait envoyé à la Convention sur la noyade des prêtres ; il aurait crié « Tue ! Tue ! » et raconté n'avoir jamais éprouvé un plus grand plaisir qu'en regardant la

refusé, cette fière personne de le suivre, de vivre par lui. Apportant la mort en dot, elle acceptait son dévouement, voulut bien qu'il mourût pour elle... Il mourut pour elle seule. Il eut ce bonheur funèbre de l'avoir quarante jours » (Michelet, *Histoire du dix-neuvième siècle, op. cit.,* pp. 115-116). Ainsi l'épisode de la « belle comtesse » se transforme en une romantique histoire d'amour, de la passion qui surmonte les clivages sociaux et les haines politiques. Michelet ne cite pas sa source ; aurait-il profité des récits de l'érudit nantais Dugast-Matifeux, un républicain ardent qu'il fréquenta souvent lors de son séjour à Nantes ? Michelet passe d'ailleurs sous silence le zèle et les exploits de Lamberty lors des noyades mais exalte son courage sans faille dans la lutte contre les Vendéens et son dévouement à la République. Cf. *ibid.,* pp. 117-118 ; cf. G. Martin, *Carrier et sa mission à Nantes, op. cit.,* pp. 274-275.

grimace des prêtres mourants (dépositions de Jean Sandroc, chef de division des transports; de Jean Gauthier, coutelier, soldat de la compagnie de Marat; de Robin, coaccusé) [1].

Les récits sur la perversité de Carrier, dans l'imaginaire collectif, ont pour fonction précise de camper son image de *monstre*. Carrier cristallise en soi les « grandes mesures » et la Terreur au quotidien. Il ne parle que de « foutre » et de « bougre »; lors de la réunion de la société populaire, il tire son sabre et coupe les chandelles; il ne connaît que les mots « tuer », « guillotiner », « foutre à l'eau », comme réponse à toute plainte. Les témoins et les accusés, membres du Comité, se rejoignent pour accuser Carrier d'être le responsable de toutes les atrocités et les monstruosités de la Terreur à Nantes. « Carrier a mis en réquisition la terreur, la mort, la Loire, la guillotine et la contre-révolution », s'exclame Chaux qui demande : « Avons-nous donc nommé un représentant du peuple pour assassiner le peuple ? » Naud, autre membre du Comité, déclare : « Carrier lui-même vint à notre Comité pour nous traiter de contre-révolutionnaires. Nous étions des pères de famille; Goulin ne l'était pas, mais c'était l'agent et l'instrument aveugle de Carrier qui l'a perdu, et qui nous a perdus tous. » Goulin exigea le 1er brumaire, au nom de tous les accusés, la comparution de Carrier : « L'homme qui électrisa nos têtes, guida nos mouvements, despotisa nos opinions, dirigea nos démarches, contempla paisiblement nos alarmes et notre désespoir. Non, la justice réclame celui qui, nous montrant le gouffre où nous nous jetâmes aveuglément à sa voix, est assez lâche pour nous aban-

---

1. Carrier avait effectivement une maîtresse à Nantes, la femme de Le Normand, directeur de l'hospice des Ursulines. Après le rappel de Carrier à Paris, elle le suivit, accompagnée de son mari. Cf. A. Velasques, « Études sur la Terreur à Nantes », *Annales historiques de la Révolution française*, 1924, pp. 150 et suiv. Velasques rapporte, d'après des documents, quelques rumeurs qui couraient à Nantes, sur ce « mariage à trois », et notamment sur « La Normand » que « l'on appelait tout haut la putain à Carrier ». « Un jour il [Carrier] a dit à La Normand : " On m'a offert une superbe femme qui veut demander ma protection pour lui faire grâce; j'ai répondu à celui qui m'en a parlé : Est-elle belle? Qu'on l'amène chez moi. " Alors La Normand lui dit : " J'irai avec toi pour la voir. " J'ai entendu dire à celle-ci que Carrier avait fait conduire cette femme au château d'Aux (sur les rives de la Loire) et que le lendemain sur les quatre heures, elles et lui partiraient pour Aux et qu'ils auraient du plaisir en lui faisant boire une bonne tasse de thé à l'eau » (*ibid.*, p. 165).

donner sur le bord; il importe à notre cause que Carrier paraisse au tribunal. » A travers ces rumeurs, témoignages et fantasmagories, au fur et à mesure que progressaient les audiences, la *personne* de Carrier se trouvait chaque jour davantage au centre du procès du Comité révolutionnaire. Mais, à terme, le procès évolua : il n'eut bientôt plus à connaître de la personne mais du *problème* Carrier.

En effet, Carrier avait-il été autre chose que le trait d'union entre la Terreur locale et le pouvoir central, la Convention et ses Comités ? Dès lors que le procès permettait à chacun de reconnaitre dans la Terreur les méfaits dont il avait été la victime, le démantèlement du système terroriste amplifiait, en des termes nouveaux, la question des responsabilités : devait-on limiter les poursuites à tous les agents locaux de la banalité de la Terreur, ou bien l'élargir à tous les anciens membres des comités, représentants en mission, conventionnels –, fourriers et émissaires de la grande Terreur nationale ? Fallait-il faire le procès de la Terreur nantaise ou le procès de l'an II, de la Convention, et, partant, de la Révolution ?

UN PROCÈS À LA RÉVOLUTION ?

« La Terreur avait été la première calamité, une seconde qui perdit la République, fut le procès fait à la Terreur[1]. »

Ainsi parlait Quinet des grands procès des terroristes, particulièrement de Carrier et de Fouquier-Tinville, qui ne sont à ses yeux que des agents subalternes de la Terreur, de simples « ressorts » du « système de la Terreur ». Comment entendre « calamité » ? Quinet, semble-t-il, était proche des positions défendues par Lindet dans son discours des derniers jours de l'an II : il eût fallu sortir de la Terreur *sans revanche* et, selon une forte formule de Quinet, « décréter l'oubli[2] ».

Était-il vraiment possible – politiquement et psychologiquement – de sortir de la Terreur, de briser cette

1. E. Quinet, *La Révolution, op. cit.*, p. 628.
2. *Ibid.*

« machine » sans *dire publiquement la vérité sur la Terreur,* sans faire connaître ses réalités hideuses ? Et le dossier de la Terreur une fois entrouvert et la liberté de la presse assurée, pouvait-on ne pas élargir le procès fait à la Terreur ? L'historien n'a pas à conjecturer une sortie de la Terreur, sans procès des terroristes ni revanche, qui n'advint pas dans la réalité qu'il étudie. Tout au plus verra-t-il dans les vœux et les regrets de Quinet l'expression de la complexité de la situation à laquelle les thermidoriens eurent à répondre d'urgence et que les historiens du siècle dernier durent expliquer. Nous avons vu quelles furent les grandes étapes du démantèlement de la Terreur et comment celui-ci devint vite un processus avec sa logique propre, presque un engrenage. Un moment clé en fut le procès de Carrier, puisque le poursuivre revenait à faire le procès des *principes mêmes de la Terreur,* et de leur application dans la guerre de Vendée. Carrier ne se déchargeait d'ailleurs pas seulement sur les membres du Comité révolutionnaire de Nantes, les accusant d'avoir transgressé ses ordres et directives et de s'être livrés de leur propre chef à des actes aussi atroces qu'arbitraires ; il en appelait à la responsabilité des Comités de la Convention et de la Convention elle-même, qui lui avait confié le pouvoir illimité dont il disposait. Carrier, pour sa défense, arguait qu'il n'avait, somme toute, fait qu'appliquer la politique définie par la Convention, en se conformant rigoureusement à ses principes et en l'informant régulièrement de ses actes. Que le procès fait à Carrier s'élargît à un procès fait à la Révolution, le risque était évident, car le terroriste de Nantes n'était, aux yeux de l'opinion, pas seulement le « monstre » dénoncé au cours des procès, il était également un Jacobin fort « énergique ». N'oublions pas, en effet, qu'après le 9 thermidor, Carrier demeure un représentant du peuple en plein exercice de sa charge qui, par définition, comportait l'exigence de probité, de vertu et de patriotisme ; un conventionnel très actif : il attaque notamment Tallien en exigeant qu'il s'explique sur la « conspiration » qu'il aurait fomentée le 10 fructidor ; il propose de faire expulser de Paris tous les muscadins ; il demande la déportation de tous les aristocrates ; il intervient dans le débat sur la nouvelle organisation des Comités, etc. ; un Jacobin militant qui gagne en importance et joue un rôle de premier plan dans la Société épurée. Il se distingue, notamment, par son extrémisme et ses prises de position tranchées : il propose l'exclusion de Tallien, Fréron et Lecointre de la Société, il dénonce à plusieurs reprises le « système de modérantisme qui se met en place », il appelle la Société à se rendre en masse à la Convention pour « l'aider à écraser l'aristocratie », il proteste contre les calomnies dont les Jacobins sont l'objet et les exhorte à se réunir pour combattre leurs ennemis, il fait partie de la commission chargée de rédiger une adresse de la Société s'inspirant de la fameuse adresse de la société populaire de Dijon, il profère des menaces à peine voilées contre les « aristocrates qui lèvent la tête »... Jusqu'à son propre procès, Carrier est à la Convention un Montagnard (ou plutôt, un « Crétois », comme on commence à surnommer les rares qui se réclament encore de la Montagne), et à la Société un Jacobin « avancé ». Rétrospectivement, le personnage demeure difficile à cerner : il ne pouvait, même au plan le plus individuel, ne pas être transformé par sa mission et d'*agent* de la Terreur, ne pas en devenir le *produit*.

Son nom se retrouve partout : dans les comptes rendus des séances de la Convention, dans ceux des séances des Jacobins et, finalement, dans ceux des audiences du Tribunal révolutionnaire, trois rubriques qui, à cette époque, voisinent dans presque tous les journaux ; on discute sans cesse de lui dans les « groupes » aux Tuileries et au Palais-Égalité ; on publie sur lui des dizaines de libelles. Carrier est donc au cœur des conflits et des manœuvres politiques, il polarise les passions.

La Convention bute vite sur le problème de la levée de l'immunité parlementaire de Carrier (la terminologie est un peu anachronique). Au lendemain du 9 thermidor, elle s'était accordé, nous l'avons vu, une protection juridique minimale pour se prémunir contre un nouveau 31 mai ou un nouveau 9 thermidor : elle avait interdit à ses Comités d'arrêter les représentants du peuple sans accord préalable de la Convention ; elle n'avait pas cependant précisé la procédure à suivre au cas où un représentant en mission serait dénoncé. Du 2 au 7 brumaire, elle définit laborieusement cette procédure. Débat juridique et politique, qui révèle une méfiance généralisée – chacun, du fait de ses agissements sous la Terreur, craint que la procédure ne puisse se retourner contre lui – et le souci de se protéger contre la « tyrannie » d'un groupe sur la Convention [1]. La procédure élaborée est donc relativement complexe : toute dénonciation d'un conventionnel doit être d'abord examinée par trois Comités réunis (de Salut public, de Sûreté générale et de législation). Si ces Comités, après examen, trouvent la dénonciation fondée, la Convention procède à la nomination, par tirage au sort, d'une Commission des vingt et un qui examine, à son tour, la dénonciation; puis, si nécessaire, propose à la Convention de se prononcer, par un scrutin nominal, s'il y a lieu d'accepter un décret d'accusation et de faire comparaître l'inculpé devant le Tribunal révolutionnaire. La procédure accorde des garanties légales à l'accusé et, notamment, le droit de présenter sa défense publiquement, devant la Convention. La discussion sur l'établissement de la procédure est faussée dès le début – les participants *savent* qu'il s'agit de définir des modalités qui s'appliqueront immédiatement à Carrier sans jamais, toutefois, que son nom soit prononcé. La Convention vote une loi qui ne statue pas sur un cas particulier. Ce légalisme prouve quels progrès ont été accomplis pour effectivement « porter la justice à l'ordre du jour » et témoigne de la ferme volonté d'aller de l'avant, de saisir la Convention du cas de Carrier et, partant, de le traduire devant le Tribunal [1].

En effet, pour tous ceux qui veulent amplifier la « réaction » antijacobine, démanteler l'appareil de la Terreur, châtier ses militants, et *last but not least,* prendre leur revanche en toute légalité, le cas de Carrier constitue une aubaine. La Convention semblait vouloir d'une pierre, faire plusieurs coups : condamner le représentant en mission Carrier pour les crimes nantais; porter un coup à la Société en poursuivant le Jacobin Carrier; se laver, enfin, de toute responsabilité dans la Terreur – donc éviter un procès à la Révolution – en amputant sa représentation d'un conventionnel érigé en symbole de la Terreur. Sur ce dernier point, la Convention pouvait arguer que Carrier ne

---

1. *Moniteur*, t. XXII, pp. 314-315; 361-367.

l'avait pas *vraiment* informée des mesures de répression mises en œuvre pour combattre les « brigands ». C'était une chose d'avoir approuvé en leur temps, au cours de séances où l'exaltation et la rhétorique révolutionnaire se mêlaient à la peur, des rapports faisant allusion à la Loire – ce « fleuve révolutionnaire » qui avait englouti des prêtres et des brigands –, et c'en était une tout autre de prendre connaissance, à l'automne de l'an III, grâce aux comptes rendus des audiences, des réalités de la Terreur nantaise. Voilà qui était compter sans la réaction de Carrier. Dès le début de la campagne visant à son inculpation et à sa comparution, Carrier est fermement décidé à se défendre et à identifier sa cause avec celle de tous les « patriotes persécutés », voire avec celle de la République et de la Révolution. Mettant à profit la procédure décrétée par la Convention, il publie plusieurs versions de sa défense conçues comme autant de contre-attaques; il se défend devant la Convention, réfutant point par point, le rapport de la Commission des vingt et un; il redéveloppe ses arguments le 3 frimaire, la veille du scrutin dont l'issue lui sera fatale; il ne capitulera pas, et se défendra encore devant le Tribunal contre les autres accusés qui le chargent. Cette défense, au-delà de ses astuces tactiques et de ses sincères convictions, répond à une logique politique qui révèle une extraordinaire charge idéologique[1].

Carrier suit plusieurs lignes de défense convergentes : a) il réfute en bloc toutes les accusations, comme des calomnies n'étant fondées sur aucune preuve écrite si ce n'est des témoignages douteux; b) il rejette la responsabilité de certains crimes et délits sur le Comité révolutionnaire qui aurait agi de son propre chef, et dont il se désolidarise; c) il « relativise » la Terreur à Nantes et en Vendée en rappelant les circonstances extraordinaires auxquelles ne pouvaient alors s'appliquer les

---

1. Nous nous référons dans la suite aux documents suivants : *Rapport de Carrier représentant du peuple français sur les différentes missions qui lui ont été déléguées,* Paris, an III, AN AD XVIII A 15; *Suite du rapport de Carrier représentant du peuple français sur sa mission dans la Vendée,* Paris, an III; *Discours prononcé par le représentant du peuple Carrier à la Convention nationale, dans la séance du soir du 3 frimaire,* AN AD XVIII A 15. Ces pièces présentent les grandes lignes de la défense de Carrier; s'y ajoute la longue réfutation du rapport de la Commission des vingt et un à la séance du 2 frimaire, cf. *Moniteur,* t. XXII, pp. 561 et suiv. Par la suite nous indiquons dans le texte les références à ces pièces, après les citations respectives.

normes et les critères redéfinis un an plus tard, dans une tout autre situation politique; d) il impute la responsabilité des actes qu'on lui reproche, notamment le recours systématique à la violence, à la Convention qui les avait ordonnés; en le poursuivant, la Convention se ferait ainsi un procès à elle-même; e) il présente la campagne dont il est l'objet comme un maillon d'une vaste conspiration contre-révolutionnaire, visant à s'en prendre d'abord à lui, puis, par élargissements successifs, au gouvernement révolutionnaire, à la Convention et, pour finir, à la République.

Sur le premier point, la tâche de Carrier est relativement aisée. Le rapport de la Commission des vingt et un reprenait les accusations portées lors du procès par des témoins, dont il était difficile, dans leurs dépositions, de démêler les faits des rumeurs, la réalité des fantasmes. Ainsi Carrier a beau jeu de démontrer qu'il n'avait jamais donné l'ordre de faire noyer les prostituées. « Calomniateurs infâmes, montrez donc mes ordres, mes arrêtés. Je vous prouverai moi, que je les destinais à coudre les guêtres et les culottes des défenseurs de la patrie. J'en atteste toute la ville de Nantes... Mes collègues qui m'ont remplacé, les ont appelées à la même destination. L'auraient-ils pu faire si j'avais eu la barbarie de les faire périr ? » (*Rapport...*, p. 23); de même pour les noyades d'enfants. Les témoins qui l'affirment ne peuvent apporter aucune preuve écrite, alors qu'on peut constater que l'accusateur public « a appelé en témoignage toute l'écume de l'aristocratie nantaise, des complices, des correspondants des brigands, il a appelé des brigands et des chouans. Actuellement on s'étonne sans doute des tableaux effrayants dont on cherche tous les jours à renouveler la scène au Tribunal révolutionnaire; mais ne voit-on pas que l'aristocratie ne crée, ne grossit les fantômes que pour épouvanter la crédulité, alarmer la sensibilité et sacrifier l'innocence et le patriotisme ? » (*Suite du rapport...*, pp. 9-10, 19-20). Il se peut qu'il ait fait trop confiance au Comité révolutionnaire de Nantes; mais sur qui d'autre pouvait-il s'appuyer pour réaliser sa mission, sinon sur ce Comité qu'il n'avait pas nommé et qui était déjà formé avant son arrivée ?

Carrier joue avec le feu. Il ne nie pas les faits avérés, telles

les noyades. Il refuse seulement d'en assumer la responsabilité faute de *preuves écrites,* d'ordres signés par lui. Cette tactique finira par se retourner contre lui, puisqu'on l'a vu, la Convention fera venir de Nantes des documents *signés* par lui qui apportaient la preuve qu'il avait donné l'ordre de fusiller, *sans jugement* un groupe de cavaliers vendéens, des femmes et des enfants, et qu'il avait donné l'ordre de libérer un de ses agents, Lebatteux, arrêté sur ordre d'un autre représentant en mission, Tréhouard, outrepassant ainsi ses pouvoirs. Les pièces signées étaient rares, mais elles confirmaient certains témoignages, et du coup, laissaient présumer la véracité de tous les autres. D'ailleurs, comment pouvait-on croire que *tout Nantes savait* qu'on pratiquait les noyades, et que seul Carrier n'était pas au courant ? Il était en outre le seul qui pouvait les faire cesser, même s'il n'en avait pas donné l'ordre.

Carrier est un juriste trop habile pour ne pas percevoir la faiblesse et les failles de cette ligne de défense. Du coup, il s'acharne à compromettre tel ou tel témoin, pour en conclure que les autres sont également des « brigands ». Il exalte ses mérites pendant sa mission, ses exploits lors des affrontements avec des « brigands » et, surtout, il insiste sur ses efforts incessants pour sauver Nantes de la famine et des épidémies. A l'image du « monstre sanguinaire », il oppose les louanges dont les Nantais le couvraient : « Si les mesures qu'on cherche aujourd'hui à exagérer avaient été réellement exécutées, pourquoi ceux qui en font aujourd'hui des images capables d'effrayer quiconque ne connaît point la perversité de certains hommes, ont-ils gardé le silence pendant près d'un an... On m'a vu dans toutes les fêtes publiques au milieu du peuple et avec le peuple... Citoyens, autorités constituées, personne dans la cité de Nantes... ne m'a porté aucune plainte, aucune réclamation. La terreur, dira-t-on, commanda le silence; mais je ne me suis jamais aperçu qu'elle fût imprimée dans Nantes; j'ai toujours vu autour de moi, toutes les fois que je me suis présenté au public, une foule de citoyens qui s'empressaient à me témoigner leur satisfaction de me voir au milieu d'eux. [...] On parle des malheurs de Nantes; mais quels sont donc les maux qui ont affligé Nantes durant ma mission! Quoi! j'ai approvisionné cette commune pendant six mois, sans recevoir pour elle aucun secours du gouvernement; [...] je l'ai préservée de toute invasion, de toute attaque de la part des brigands; le peuple de Nantes, assemblé dans une fête publique, m'a couvert de couronnes civiques quinze jours tout au plus avant mon départ; je les ai reçues pour nos braves défenseurs » (*Suite du rapport...,* pp. 7-8; 12). Carrier semble sincèrement croire à l'enthousiasme spontané que lui avaient manifesté les Nantais. A l'image de l' « homme féroce », il oppose le témoignage de ses électeurs du Cantal, qui attestent « mon humanité, ma bienfaisance et mon amour brûlant pour la patrie et pour la liberté » (*Rapport...,* p. 32 : y était jointe une adresse de la société populaire d'Aurillac, signée par deux cent cinquante membres, et accompagnée d'une liste des noms d'une cinquantaine de citoyens qui l'ont votée « et n'ont su signer », confirmant que « le Cantal s'honore d'avoir donné le représentant Carrier à la Nation »).

Carrier développe une argumentation *politique.* Il faut d'abord *relativiser les événements,* les replacer dans le contexte politique et historique de la guerre de la Vendée. Ainsi, parle-t-on beaucoup des atrocités révolutionnaires, tout en les exagérant; on oublie, en revanche, les *atrocités vendéennes.* Aux horreurs évoquées pendant le procès, Carrier oppose, pour ainsi dire, des « contre-images », encore plus atroces. « Organes impurs d'un parti contre-révolutionnaire, vous avez le front du crime mais vous voilà démasqués! Le peuple verra que vous avez été uniquement affectés de quelques événements qui l'ont vengé des ennemis bien reconnus de la République, et que vous n'avez pas versé une seule larme, écrit une seule ligne sur les massacres commis par les contre-révolutionnaires, sur les massacres plus nombreux encore qu'ils se seraient permis s'ils avaient triomphé » (*Rapport...,* pp. 25-26). Carrier déverse horreurs et atrocités vendéennes : le « prêtre cannibale » célébrant la messe entouré de sang et de cadavres (*Rapport...,* p. 26); un curé constitutionnel embroché vivant après qu'on l'eut mutilé dans les parties les plus sensibles de son corps et cloué, encore vivant, à l'arbre de la liberté (*Rapport...,* p. 26); les femmes qui se jettent par la fenêtre avec leurs enfants et que les brigands poignardent dans la rue (*Rapport...*, p. 27); huit cents patriotes mis en pièces à Machecoul, enterrés encore vivants, leurs bras et leurs jambes dépassant seuls, tandis que les brigands ont lié leurs femmes, en les forçant d'assister aux supplices de leurs maris; puis les brigands les clouèrent à leur tour, vivantes, ainsi que leurs enfants, aux portes de leurs maisons (*Suite du rapport...*, p. 23); les patriotes auxquels les brigands ont enfilé des cartouches dans le nez et la bouche avant d'y mettre le feu pour les faire périr dans des tourments épouvantables (*Suite du rapport...*, p. 23). Carrier reprend à son compte l'image de la Loire ensanglantée : « Vous déplorez, d'un accent piteux le sang dont la Loire et l'Océan, selon vous, ont été rougis. Mais on voit ce qui vous a portés à agrandir cette image capable d'attendrir en leur [les bourreaux des républicains] faveur; c'est qu'en effet dix mille brigands, qui étaient en guerre avec nous, y ont été précipités. Ils faisaient feu sur nos braves marins pour passer la Loire les armes à la main, rentrer dans leurs foyers, et éterniser la guerre de la Vendée; notre canon, en brisant leurs embarcations, les a plongés dans la Loire... Ainsi mes ennemis ont peint avec toute la chaleur imaginable la perte de quelques ennemis de la chose publique, et ils ont gardé toute la froideur, toute l'indifférence sur le massacre de tant de républicains » (*Rapport...*, p. 29).

Si les patriotes ont parfois « à l'aspect de tant d'atrocités usé de quelques représailles un peu violentes » (*Suite du rapport...*, p. 25), ces excès illégaux étaient inévitables et compréhensibles. Il s'agissait de représailles provoquées par les cruautés abominables des « brigands »; et il convient de ne jamais oublier qu'il est « *des malheurs inséparables des révolutions* », encore qu'il se fût agi aussi d'une guerre civile, « de la guerre la plus longue, la plus désastreuse qui ait encore existé sur la terre » (*Suite du rapport...*, p. 28). Seul compte le résultat : la défaite des Vendéens. « Quand le pilote assailli par la tempête amène son navire au port, lui demande-t-on comment il a tracé sa route ? » (*Rapport...*, p. 31). Les *critères moraux* propres au temps de paix ne s'appliquent guère aux *époques exceptionnelles* des guerres et des révolutions. S'affliger des excès *après* la victoire, « quand le calme est revenu », juger des *moyens* sans prendre en considération les *fins* qui les dictèrent, c'est ignorer la justice en politique : « Il serait cruel, il serait de la dernière des injustices, de juger un citoyen, un représentant du peuple, suivant *les lois et le régime actuels, sur des faits de révolution* qui se sont passés il y a un an : il ne peut, il ne doit l'être que d'après les *lois et les circonstances au milieu desquelles il a fait ses opérations...* Reportez-vous à ces temps malheureux que le burin de l'histoire aura de la peine à crayonner; formez-vous-en une juste idée... et dites ce que vous eussiez fait à ma place; auriez-vous pu, auriez-vous su empêcher tous les maux, tous les excès qui ont eu lieu? » (*Suite du rapport...*, p. 16; *Rapport...*, p. 19). La Convention elle-même n'a-t-elle pas couvert d'applaudissements les nouvelles annonçant la victoire au Mans quand « toute l'armée catholique fut mise en déroute; les prêtres, presque toutes les femmes, presque tous les enfants, tombèrent sous les coups des révolutionnaires » (*Suite du rapport...*, p. 5). Carrier cite maints autres cas analogues où la Convention a applaudi, approuvé et décrété la publication dans son *Bulletin* des nouvelles qui annonçaient des victoires et leur coût en vies humaines et en biens détruits, dans le même temps où elle confirmait ses ordres d'écraser les « brigands » et d'appliquer, avec toute la sévérité, la loi suprême, *celle de sauver la République*. Elle doit donc assumer la responsabilité de ses actes et leurs conséquences. En persécutant ceux qui ont exécuté ses ordres, *la Convention se fait un procès à elle-même*.

« Prenez-y bien garde, mon affaire est *la planche qui sauvera ou anéantira la représentation nationale... C'est le procès à la Convention même qu'on veut intenter*, puisqu'elle a approuvé, commandé par des décrets les mesures prises partout par les représentants du peuple qui ont été en mission. Il était aussi politique que sage de terminer promptement l'affreuse guerre de la Vendée; c'était le vœu fortement exprimé par la volonté de la Convention nationale, la volonté du peuple français manifestée à grands cris; son salut et le triomphe de la liberté politique l'exigeaient impérieusement; j'ai concouru puissamment à remplir cette importante tâche, et cependant je suis aujourd'hui abreuvé de tout le fiel de la calomnie, vexé, diffamé pour *des mesures de détail* auxquelles je n'ai pris ni pu prendre aucune part. *Qu'elles sont donc bizarres, les vicissitudes de la révolution...* Quelles purent être mes intentions? Certes, je n'en ai eu d'autres que de sauver la République... Les brigands de la

Vendée [...] étaient hors la loi; la Convention *a ordonné qu'ils seraient tous exterminés* dans un délai déterminé; elle a applaudi à la mesure de les fusiller aussitôt qu'ils étaient pris; l'improuver aujourd'hui, faire le procès à ceux qui l'ont exécutée, c'est faire le procès à elle-même, puisqu'elle l'a décrétée... *Mes intentions étaient les vôtres, si je pouvais me tromper, l'erreur serait commune entre nous;* vous ne pourriez la convertir en crime » (*Suite du rapport...*, p. 29; *Discours du 3 frimaire...*, pp. 11-15).

Carrier, martelant ce dernier argument, montre qu'au cœur du débat est soulevée la question fondamentale de la *légitimité même de la violence révolutionnaire*, de la volonté souveraine et illimitée du peuple. Dès lors, nul ne pourra échapper au procès fait à la Révolution : ni, aujourd'hui, le représentant en mission Carrier, ni demain les membres des anciens Comités, les autres représentants en mission, tous ceux qui « ne purent empêcher les maux » nécessaires commis à Lyon, à Marseille, à Toulon (Fouché, Collot, Barras, Fréron...). Déjà on commence à faire le procès de la journée du 31 mai. Pourquoi ne pas, ensuite, mettre en accusation toute l'armée de l'Ouest qui a exécuté l'ordre de fusiller les brigands ? Et les autres armées qui exécutent l'ordre de la Convention de ne pas faire de prisonniers anglais et hanovriens ? Et puis les hommes du 10 août : n'ont-ils pas tué des gardes suisses *après* la victoire du peuple ? Et finalement les vainqueurs de la Bastille qui tuèrent l'intendant Bertier après l' « affaire du 14 juillet » ? Derrière « l'intrigue », Carrier dévoile une logique infernale :

« C'est faire *le procès à la Révolution elle-même* par cette manière insidieuse et adroitement contre-révolutionnaire de séparer les faits et les événements de la révolution, des crises révolutionnaires qui les ont amenés... C'est faire le procès au peuple tout entier, puisqu'il a fait toutes les révolutions, puisqu'il en est des maux qui en sont inséparables : qu'on le juge donc, qu'on le punisse en masse! C'est faire le procès à la liberté elle-même, puisqu'elle ne peut se défendre que par *une lutte continuelle, énergique et révolutionnaire* contre les ennemis, et l'union des patriotes chargés de la protéger et de la conserver » (*Suite du rapport...*, pp. 27-29).

L'argumentation de Carrier suit, sur ce point, le discours

révolutionnaire paradigmatique. Il ne se voit, sans doute, pas plus coupable que les autres « terroristes », ex-représentants en mission qui s'acharnent maintenant sur lui. Le procès qu'on veut lui intenter ne peut donc s'expliquer que par des raisons occultes qui relèvent d'une « conspiration ». Le même « complot » qui le vise entend perdre également les sociétés populaires, les Jacobins, et tous les « patriotes avancés ». Concluant sa dernière intervention devant ses pairs, Carrier s'exclame :

> « La Convention s'est bien aperçue que c'est le procès du royalisme contre la liberté, du fanatisme contre la philosophie. Celui qu'on me suscite réunit ces deux caractères. C'est une foule de royalistes, de fanatiques de Nantes et de la Vendée qui poussent leurs hurlements contre moi... Prenez-en bien garde, citoyens, dans les chocs des partis, comme dans les chances orageuses de la révolution, les passions, l'opinion du moment, conduisent toujours à des excès funestes : le retour au calme en fait déplorer les suites, mais les regrets sont tardifs et superflus. La raison et la philosophie ont réhabilité la mémoire de Calas; mais nous n'avons plus que des larmes stériles à verser sur sa tombe. »

Jusqu'au 22 brumaire, date de la fermeture des Jacobins, Carrier semble croire qu'une fois encore la logique et la prudence politiques l'emporteront, qu'elles dicteront aux conventionnels la fermeture du dossier de leur responsabilité collective (« *même la clochette du président dans cette salle est coupable* », aurait-il dit). Il compte que l'instinct de solidarité jouera d'autant que la Convention se trouvera, une fois de plus, sous la pression des Jacobins et des sociétés populaires, soutenus par les députés montagnards.

Pourtant, cette tactique politique, dont les prémisses n'étaient pas tout à fait erronées, se retourne contre Carrier. Car la même analyse des enjeux politiques aboutit à des conclusions opposées : il faut que la Convention rejette toute responsabilité collective et, du même coup, charge au maximum le seul Carrier. Les rapports de police signalent bien que dans les « groupes » et dans les sections l'affaire Carrier fait l'objet de discussions passionnées. « Les uns, envisageant cette affaire, craignent qu'on y assure l'impunité à des crimes inséparables de grandes révolutions; d'autres y voient l'intention non équivoque de faire le procès aux crimes de la Révolution, pour avoir le prétexte de le faire à cette même Révolution; telle est la véritable source de tous les débats dans les groupes [1]. » Condamner Carrier revient à mettre fin à ce flottement d'une partie de l'opinion publique et à répondre aux attentes de ceux, nombreux, qui voyaient dans cette condamnation la plus élémentaire des justices. Carrier pouvait éventuellement compter sur l'appui des Jacobins et de la « Crète ». Pour quiconque souhaitait accélérer la liquidation du pouvoir des uns et des autres, l'occasion rêvée était fournie par le procès du Jacobin Carrier. A cette stratégie la majorité de la Convention se rallie. Car le comportement de la Convention n'est plus celui de fructidor an II : elle peut rouvrir le dossier des responsabilités de la Terreur, dans la mesure où le rapport des forces a radicalement changé.

Les Jacobins sont dans une impasse après le décret de la Convention; la Société ne peut plus correspondre avec d'autres sociétés populaires, et, partant, assumer son rôle de Société mère. La participation aux séances, tant des membres que du public, ne cesse de diminuer (vers la mi-brumaire elle est réduite à quelque trois cents personnes); les Jacobins sont dénoncés par les journaux, leur club est décrit comme un « repaire de brigands » selon l'expression de Merlin (de Thionville). L'appel du 18 vendémiaire les vise, qui dénonce les « patriotes exclusifs » partisans du rétablissement de la Terreur. L'isolement des Jacobins va croissant, de plus en plus rares sont les représentants qui assistent à leurs séances. Les Jacobins n'ont plus de projet politique cohérent à opposer à la politique de vengeance antiterroriste dans laquelle s'engage de plus en plus le gouvernement. Ils ont beau dénoncer le fait qu'on les assimile aux « terroristes », c'est vers eux seuls qu'affluent les plaintes des « patriotes persécutés » et du personnel départemental de la Terreur victime de la répression. Ils ne cessent de dénoncer la trop grande

---

1. Rapport du 19 brumaire, an II, *in* A. Aulard, *Paris pendant la réaction... op. cit.*, vol. I, pp. 228-229.

liberté de la presse qui ne profite qu'aux « aristocrates » et « contre-révolutionnaires », mais ces attaques avivent les articles et les pamphlets antijacobins. Que faire alors de Carrier ? Il était *un des leurs*, une des figures marquantes de la Société déclinante, un des derniers Montagnards « avancés ». La Société était visée à travers les attaques contre lui. Mais, les révélations sur la Terreur à Nantes et le rôle que Carrier y avait joué, ainsi que l'ouverture par la Convention de la procédure de mise en accusation du représentant en mission, faisaient de lui le symbole même du « buveur de sang ». La Société ne se décide pas à le lâcher complètement : ce serait capituler devant les attaques antijacobines et abandonner la cause de tous les « patriotes persécutés et calomniés » dont Carrier devenait dans le même temps le symbole, c'était se priver du soutien des derniers militants. Mais s'engager trop avant dans la défense de Carrier, c'était se poser face à l'opinion publique en partisans des noyades et des fusillades et encourager la « chasse aux Jacobins ».

En brumaire, l'affaire Carrier occupe de plus en plus les Jacobins. On critique, lors des séances de la Société, le déroulement du procès du Comité révolutionnaire : les accusés y obtiennent difficilement la parole pour se défendre, alors que défilent les témoins munis de passeports délivrés par les Chouans. On dénonce les « libellistes », les « aristocrates déguisés » et les « muscadins » qui, dans des pamphlets calomnieux ainsi que dans les « groupes », profèrent des menaces à l'adresse de la Convention en insinuant que « le peuple se soulèvera si on ne lui livre pas Carrier [1] ». La tension est extrême lors de la séance du 13 brumaire. Que se passe-t-il exactement ? Difficile de reconstituer les faits. Depuis des semaines, le compte rendu officiel publié dans le *Journal de la Montagne* et repris, plus ou moins fidèlement, par le *Moniteur* (ou encore par les *Annales patriotiques*) ne recoupait plus les versions et les rumeurs publiées par la presse antijacobine. A propos de la séance du 13 brumaire, ces divergences sont flagrantes. Quelle que soit la vérité, la

---

1. Cf. A. Aulard, *La Société des Jacobins, op. cit.*, vol. VI, pp. 629 et suiv.; *Journal du Perlet*, n° 770.

version de la presse antijacobine trouva la plus grande
audience, y compris lors des débats à la Convention. Ainsi,
selon le *Messager du soir,* un des orateurs (Bouin) aurait
proclamé que « les patriotes ont d'autant plus de raisons de
défendre Carrier que *c'est leur propre cause qu'ils défendent.*
Quel est celui de nous [...] qui dans les départements ou dans
les sections n'a pas été contraint, pour sauver la patrie, de
prendre des mesures de rigueur contre les muscadins, les
modérés et les brissotins? Il invite donc tous *les révolutionnaires énergiques à faire un rempart de leurs corps à Carrier».* Le *Journal de Perlet* prêta à Crassou, président de
séance les propos suivants : « Il lui semble que *ce procès est
moins celui de Carrier que celui de tous les hommes révolutionnaires et de tous les Jacobins.* Il pense que c'est à eux
qu'on en veut, et que par conséquent, ils doivent se défendre
mutuellement. Il ne songe point que le peuple songeât à se
soulever, si la Convention absolvait Carrier... Il invite les
Jacobins à *opposer aux horreurs reprochées à Carrier* le
tableau de celles commises par les brigands. » Mais tous les
journaux, y compris le *Journal de la Montagne,* se retrouvent
pour citer les paroles allusives et menaçantes proférées par
Billaud-Varenne : « *Le lion n'est pas mort quand il som-
meille, et à son réveil il extermine ses ennemis* [1]. »

Ces propos interviennent dans un contexte de très grand
trouble : lenteur de la procédure de la Commission des vingt
et un qui tarde à présenter son rapport sur Carrier, rumeurs
sur la préparation par les Jacobins d'un « complot » contre la
Convention [2], rixes, de plus en plus violentes, dans les

---

1. *Messager du soir,* n⁰ 809; *Journal de Perlet,* n⁰ 773; A. Aulard, *op. cit.,* t. VI,
p. 631.
2. Ainsi plusieurs journaux font état de « nouvelles alarmantes » sur l'insurrection
qui se prépare au faubourg Saint-Antoine : on y aurait même acheté 20 000 bonnets
rouges, comme « signes de ralliement » (cf. *Journal de Perlet,* n⁰ 783). A la Convention,
le 16 brumaire, il est question d'une mystérieuse lettre de Suisse, interceptée par le
Comité de sûreté générale qui signale le projet contre-révolutionnaire d'opposer la
Convention aux sociétés populaires, de mettre celles-ci en « état de révolte contre la
représentation nationale, de les agiter par le moyen des membres les plus influents »
(*Journal de Paris,* n⁰ 47). Duval, dans ses souvenirs, rapporte le bruit, propagé entre
autres par Fréron, selon lequel les Jacobins seraient disposés à attaquer la Convention
à main armée et à égorger tous ses membres qui voulaient anéantir le règne de la Terreur. G. Duval, *Souvenirs thermidoriens, op. cit.,* vol. II, pp. 16 et suiv.

« groupes », provoquées par la « jeunesse dorée » qui fait « la chasse aux Jacobins » en criant *Vive la Convention!* et campagne de presse, de plus en plus virulente, contre les Jacobins.

La presse, et plus généralement les feuilles non périodiques (pamphlets, brochures) qui s'en prennent aux Jacobins, sont d'un niveau très médiocre : elles n'entendent pas convaincre, mais attiser les passions. L'insulte y tient lieu d'argument, leurs titres le disent assez : *Les Jacobins sont f..... et la France est sauvée*; *Les parties honteuses des Robespierre restées aux Jacobins*; *Pendant que la bête est dans le piège, il faut l'assommer*; *Le rempart de Carrier traîné dans la boue ou le tarif des montagnards Jacobins*; *Places à louer pour voir passer Carrier le jour qu'il ira à la guillotine, avec description du dîner que ses plus intimes amis doivent faire ce même jour* [1]. Ce n'est là qu'un symptôme de la persistance tout au long de la Révolution d'une production pamphlétaire vulgaire et de qualité douteuse, qui coexiste avec les déclamations

1. A titre d'échantillon, deux extraits. « Quel est donc le motif secret qui les fait s'exhorter les uns aux autres, à faire de leurs corps un rempart à Carrier ? L'intérêt personnel ou le délire ? Est-ce la fraternité ? Ce sont peut-être tous motifs ensemble, la fraternité du crime, l'intérêt de leur propre salut et le délire de la peur. Avant de prononcer là-dessus, fais-toi cette question simple : un homme d'honneur, un homme réellement vertueux soutient-il un scélérat ? Ceux qui ne rougissent pas de le soutenir sont-ils donc des hommes de ce caractère ? Consulte ton cœur, je suis sûr qu'il te répondra sans balancer : non, et voilà le tarif des montagnards jacobins », *Le Rempart de Carrier*, s.l.d. (Paris, an III).
Et voici le deuxième exemple :
(Air : *Allons enfants de la Patrie*) :
Du fer, du feu quel assemblage
Frappe sans choix les Lyonnais,
Collot punit par ce carnage,
Ceux dont il souffrit les sifflets;
Tout tombe, innocent et coupable;
Enterrés à demi vivants
On a vu leurs corps palpitants
Mouvoir et soulever le sable.
Joins CARRIER au trépas, monstre de cruauté, Collot, (*bis*) ne l'as-tu pas mieux que
                                                                      lui mérité.
Carrier a commencé la marche, suivez messieurs..., s.l.d. (Paris, an III). Retenons finalement une tentative jacobine de pasticher les pamphlets de ce genre et d'en détourner les effets. Ainsi, sous le titre alléchant *Leurs têtes tremblent ! A votre tour après Carrier, Messieurs Barère, Collot d'Herbois, Billaud-Varenne, Vadier, Vouland, Amar. Et vous tous qui composiez les anciens Comités de Salut public et de sûreté générale*, s.l.d. (Paris, an III), le lecteur trouve un texte satirique qui tourne en dérision les accusations contre les « patriotes énergiques ».

pathétiques et les élans rhétoriques. Une sorte de correspondance s'installe entre ces deux registres : les pamphlets ne font que traduire le sublime et le pathétique en langage vulgaire et scabreux. Mais les pamphlets antijacobins sont devenus des instruments très efficaces pour former l'opinion publique. Le monopole de la parole, détenu par les Jacobins pendant la Terreur, est définitivement brisé. Certes, la presse pro-jacobine vivote, privée des subsides gouvernementaux. Si les comptes rendus des séances des Jacobins continuent d'être publiés dans la plupart des journaux, les discours grandiloquents qui y sont prononcés sont partout moqués. La parole jacobine *ne représente plus l'instance idéologique*, comme c'était le cas pendant la Terreur. Elle prétend toujours *être légitimée par le peuple*, mais cette prétention creuse est tournée en dérision. De ce renversement des rôles, de la résurgence de l'opinion publique qui légitime la parole antijacobine, les Jacobins ne prennent que difficilement la mesure. Leur désarroi s'exprime bien dans la fallacieuse distinction opérée, nous l'avons vu par Chasles entre l' « opinion du peuple » qui demeure silencieuse mais pro-jacobine, et « l'opinion publique » qui s'exprime à haute voix mais, hélas, « est en contre-révolution »...

La campagne de presse est redoublée dans sa violence, par l'apparition *d'un nouvel acteur politique : la « jeunesse dorée »*. Son intervention musclée portera le coup de grâce à la Société de la rue Saint-Honoré. L'historien connaît mieux aujourd'hui l'histoire de la « jeunesse dorée », sa composition sociale, ses formes d'action, grâce à certains travaux [1]. La « jeunesse dorée » (ou encore les « muscadins ») se recrute surtout parmi la moyenne bourgeoisie, notamment dans le milieu de la « basoche ». Elle se compose de « jeunes gens » qui, sous divers prétextes, se sont dérobés à la réquisition militaire et peuplent, comme clercs et commis, les bureaux des notaires et des avocats, ceux de l'administration locale et centrale (où ils voisinent parfois avec d'anciens militants sans-culottes qui cherchent refuge dans l'administration mili-

---

1. Notamment F. Gendron, *La Jeunesse dorée. Épisodes de la Révolution française*, Québec, 1979; rééd., Paris, 1983.

taire ou dans l'appareil du Comité de sûreté générale). La
« jeunesse dorée » se caractérise surtout par ses options politiques ainsi que par les formes de son organisation. Après le
9 thermidor, elle incarne la réaction antiterroriste et antijacobine, elle traduit en actes la volonté de revanche (on retrouve d'ailleurs dans ses rangs des parents ou des amis des
victimes de la Terreur; faire partie de ceux-ci est un titre de
gloire). Plus ou moins homogène socialement (mais on y
trouve aussi des « ci-devant », comme le célèbre marquis de
Saint-Huruge, un de ces aventuriers politiques produits par
la Révolution), la « jeunesse dorée » n'est pas pourtant homogène politiquement, elle ne dispose d'aucun projet positif
politique (ainsi on y trouve des républicains modérés, des
monarchistes de diverses couleurs ainsi que des opportunistes
qui suivent le pouvoir thermidorien), son homogénéité lui
vient uniquement de ses formes d'organisation et d'action. Il
s'agit de commandos armés de bâtons, de barres de fer, de
gourdins ou de fouets, formant des bandes enrégimentées qui
comptaient, dans l'ensemble et aux moments de leurs plus
grands effectifs, environ deux à trois mille personnes. Au
début de l'an III, ces bandes s'emparent de l'espace public
laissé inoccupé par le relâchement de la mainmise policière et
politique du pouvoir terroriste. Ainsi, la « jeunesse dorée »
occupe les *cafés* (dont le café de Chartres, au Palais-Égalité,
où s'installe une sorte d'état-major), la *rue* (notamment les
lieux où se forment les « groupes » qui discutent politique,
aux Tuileries, au Palais-Égalité, devant la Convention, etc.),
les *tribunes* de la Convention, les *assemblées* des sections. La
« jeunesse dorée » agit par détachements qui, selon un « plan
de bataille » établi d'avance, s'attaquent aux objectifs précis :
« chasse aux Jacobins » dans les « groupes » et dans les
assemblées sectionnaires où l'on provoque des rixes et des
troubles; mise à sac de cafés prétendument « jacobins »;
attaque, avec bastonnades, des colporteurs de journaux ou
pamphlets jacobins ainsi que des libraires qui les vendent;
bientôt viendront les actions dans les théâtres où les commando-
dos huent les acteurs compromis par leur « collaboration »
avec les « terroristes », ou dans les lieux publics où la jeu-

nesse dorée détruit les symboles légués par l'an II (bustes de Marat, bonnets phrygiens, etc.). En nivôse an III, *Le Réveil du peuple* devient l'hymne de la « jeunesse dorée » et les commandos imposent dans les lieux publics, notamment dans les théâtres, de chanter cet appel à la vengeance. La « jeunesse dorée » représente ainsi une forme spécifique, et sous plusieurs aspects inédite, de la *violence révolutionnaire*. Il est cependant facile de constater que sur plusieurs points elle retourne l'*expérience*, pour ainsi dire, technique de l'usage de la violence, rodé par les sans-culottes. Mais elle ne se groupe pas selon les lieux d'habitation et, partant, l'appartenance à une section ou à une société populaire. Le commandement est assuré par des « chefs » et non par des clubs; les lieux de rassemblement sont autres que ceux qui étaient consacrés par la tradition révolutionnaire. Les formes de violence sont parfois imitées, parfois inédites (huées dans les théâtres, bris de bustes, reprises obligatoires de chants, etc.). La « jeunesse dorée » devient une sorte de force auxiliaire du Comité de sûreté générale, qui la laisse faire ou même l'incite à agir; à certains moments critiques, il mobilise et commande directement les détachements de la « jeunesse dorée » (notamment pendant les journées de prairial, quand le Comité distribue des armes aux « jeunes gens » afin d'aider à pacifier le faubourg Saint-Antoine). La résistance opposée par les Jacobins et les militants sectionnaires à la « jeunesse dorée » était d'autant plus faible qu'ils ne jouissaient plus de la protection du pouvoir.

Le 19 brumaire, une centaine de « jeunes gens » s'attaquent à la salle de réunion de la Société, y jettent des pierres et des bouteilles; la bagarre se répète le lendemain. Le 21 brumaire, au soir, des « jeunes gens », environ 300 personnes, se rassemblent pour attaquer le siège des Jacobins, rue Saint-Honoré, aux cris de *Vive la Convention! A bas les Jacobins!* Chemin faisant elle grossit et ce sont pour finir presque 2 000 personnes qui s'attaquent au Club; le président est obligé de suspendre la séance, les Jacobins (à peine une centaine...) sortent sous les crachats, les coups de pied et de poing des « jeunes gens ». Les femmes sont retroussées et fouettées, sous les rires et les insultes de la foule. Le Comité de sûreté générale laisse faire jusqu'au petit matin, avant d'envoyer une patrouille, laquelle s'empare des clefs et ferme la porte des Jacobins. Comme si elle répétait la scène de la nuit du 9 au 10 thermidor. Cette fois pourtant, la fermeture sera définitive. La Constitution garantissant l'existence des sociétés populaires, la fermeture est présentée comme une suspension provisoire des séances, acte de simple police imposé par le souci du maintien de l'ordre public. Ainsi prit fin la Société. L'Assemblée avait adopté le décret sur la clôture des Jacobins presque sans débat, et à l'unanimité (moins une voix, celle d'un conventionnel mineur, Marbeau-Montant). Encore un « très petit nombre de députés » a-t-il pris part au vote. La fermeture des Jacobins était la chute d'un symbole et marquait la fin d'une époque [1].

Carrier avait donc accéléré la fin des Jacobins; il était inévitable que celle-ci entraînât à son tour sa chute. Le 21 brumaire, la Convention avait décidé que Carrier serait en état d'arrestation chez lui, sous la garde de quatre gendarmes. Le scrutin nominal, qui commence le 3 frimaire et dure jusqu'à quatre heures du matin, scelle l'échec de Carrier. La Convention retrouve, une fois encore, son unanimité : elle vote le décret d'accusation par 500 voix et deux *oui* conditionnels.

Relativement peu nombreux furent les représentants qui, dans l'exposé de leurs motifs, citèrent les accusations portées pendant le procès du Comité révolutionnaire de Nantes. On évoqua, certes, les noyades (« un genre de supplice aussi nouveau qu'atroce », dit Laurent; « actes les plus barbares et anthropophages », s'exclame Élie Dugène), mais un seul représentant fit allusion aux « mariages républicains ». Un député (Lequinio) aura le courage de déclarer qu'au cours de son séjour à Nantes (trois jours) il « n'a pas vu d'orgies ». Couturier (de Moselle) affirma que « ce ne sont point les

1. Cf. Moniteur, t. XXII, pp. 489 et suiv.; A. Aulard, *La Société des Jacobins, op. cit.*, t. VI, pp. 643 et suiv.; *id., Paris sous la réaction thermidorienne*, l. c., vol. I, pp. 226 et suiv. *Journal de Perlet*, nᵒˢ 813, 814, 815; G. Walter, *Histoire des Jacobins*, Paris, 1946, pp. 347 et suiv. F. Gendron, *op. cit.*, pp. 46 et suiv.

noyades, les fusillades ni même les soupapes prétendues de l'invention de Carrier qui fixent mon opinion, parce que le mode de destruction des ennemis et des brigands contre la République ne peut être jugé criminel que par son intention bonne ou mauvaise ». Les ordres d'exécuter sans jugement des Vendéens qui voulaient se rendre sont souvent cités; mais plus fréquemment encore le fait que Carrier, en outrepassant ses pouvoirs, et en annulant les ordres de Tréhouard, a commis un « attentat à la représentation nationale » digne des « tyrans du Comité de salut public ». Selon Patrin (Rhône-et-Loire) « les atrocités commises par Carrier sont affreuses, elles font frémir la nature et appellent sur sa tête la vengeance des lois. Mais son plus grand crime, à mes yeux, c'est l'attentat formé contre la puissance souveraine du peuple en défendant de reconnaître comme représentant du peuple notre collègue Tréhouard ». D'autres conventionnels réfutent l'argument de Carrier selon lequel avec sa mise en accusation la Convention se mettrait elle-même en accusation. Bentabole déclare : « C'est en vain qu'on cherche à vous persuader que lorsque la Convention nationale se voit forcée de sévir contre un homme qui s'est jeté dans le parti de la révolution, c'est attaquer la révolution... La Convention doit s'empresser d'annoncer à toutes les nations que, lorsque le sang innocent a été versé, on ne peut pas en éluder la vengeance à l'abri d'une révolution glorieuse, qui ne peut être appuyée par le crime, et qui sera le triomphe de la vertu. »

Sur la suite à donner à l'accusation de Carrier et à son procès, dont l'issue fatale ne semble guère susciter de doute, un clivage certain apparaît : pour les uns, il ne s'agit que d'une première mesure, la condamnation de Carrier appelle, comme sa suite logique, l'ouverture d'autres procédures analogues, notamment contre les anciens membres des Comités. Tel est, par exemple, le sens que Lecointre donne à son vote. « Les crimes de Carrier appartiennent autant et plus à la majorité des membres des Comités de gouvernement qui les ont connus, permis, tolérés pendant dix mois, sans les avoir réprimés, punis ou dénoncés à la Convention nationale... Ces derniers crimes sont donc autant leurs crimes que ceux de

Carrier, sans cependant que Carrier cesse d'en être criminel. » L'embarras est, en revanche, manifeste chez les « Crétois » qui votent *oui* mais en formulant des réserves et en
demandant que ce décret d'accusation soit le dernier et mette
fin aux dénonciations contre les représentants du peuple :
« J'espère que l'impassible et pure justice de la Convention
nationale veillera sur les suites des dénonciations qui se multiplient contre ses membres », déclara Billaud. Romme, qui
présidait la Commission des vingt et un et dont la position
avait été longtemps hésitante, émit finalement un vote favorable, précisant son souhait que tous ceux qui seraient
reconnus coupables de « déclarations calomnieuses » fassent
l'objet de poursuites rigoureuses et que « les débats qui vont
avoir lieu au Tribunal soient imprimés et distribués à la
Convention et qu'aucun autre écrit ne puisse être jeté dans le
public sur cette affaire [1] ».

L'unanimité de la Convention exprimait, en fin de compte,
ses *déchirements profonds*.

A l'annonce du résultat du scrutin, Carrier voulut attenter
à ses jours (il en fut empêché par le gendarme qui le surveil-
lait) et il mourut courageusement (cela comptait beaucoup
aux yeux des spectateurs sensibles aux gestes pathétiques,
après avoir vu des milliers de condamnés passer par la
« petite fenêtre »). Ses dernières paroles, face à une foule
immense rassemblée autour de l'échafaud, furent « Vive la
République ! » C'est à peine si la presse thermidorienne dissi-
mula sa déception : elle eût préféré que sa mort fût celle d'un
lâche.

Tant la mort de Carrier que le procès du Comité révolutionnaire de Nantes n'apportèrent en définitive aucune
réponse satisfaisante à la question : pourquoi toutes ces horreurs sous la Terreur et, plus généralement, pendant la
guerre de Vendée ? Fallait-il y voir l'œuvre de « monstres

---

1. Cf. *Moniteur*, t. XXII, pp. 589-596 ; AN C 327CII 1430-1431. N'ayant pas
l'intention d'analyser le scrutin dans son ensemble, nous n'avons pas repris ici d'autres
problèmes évoqués dans les motivations (par ex. les doutes exprimés sur la valeur de
certains témoignages, l'absence de pièces signées par Carrier, etc.).

sanguinaires » qui avaient accaparé le pouvoir et imposé leur tyrannie ? Ou ne fallait-il pas plutôt déplorer que certains « maux » fussent inséparables de toute grande révolution et de toute guerre civile ? Il était d'autres explications plus révélatrices des obsessions de l'imaginaire révolutionnaire. On retrouvait d'abord le vieux schéma explicatif du complot aristocratique et royaliste. Bien qu'il pût sembler a priori qu'il se prêtât fort mal à l'interprétation de la Terreur nantaise, on ne saurait sous-estimer son enracinement dans l'imaginaire révolutionnaire et sa plasticité. Quelques publicistes mineurs n'hésitèrent donc pas à dévoiler le complot diabolique, projeté par les tyrans coalisés : à force de crimes et de malheurs ils espéraient « faire repentir le peuple français d'avoir voulu ouvrir les yeux à la lumière, cueillir les arbres de la liberté ». Ils se proposaient ainsi de « révolter du spectacle des horreurs la nation aux mœurs douces », afin de rejeter ensuite sur le gouvernement révolutionnaire tous les malheurs et les crimes. Ainsi s'expliqueraient, notamment, les crimes de Carrier et d'autres scélérats qui, sous le masque du patriotisme exclusif, cachaient leur vrai visage d'agents du Britannique Pitt. De même Fouquier-Tinville, par ses agissements scélérats et criminels, ne cherchait qu'à avilir la Révolution, donc à rétablir la royauté. La fable de Robespierre-roi renouvelait quelque peu son récit, mais revenait toujours à la même structure explicative de l'histoire : il n'est meilleurs alliés que les pires ennemis [1].

Une autre interprétation mérite que l'on s'y arrête un peu plus longuement : celle développée par Babeuf dans ses écrits consacrés à Carrier et à son procès [2].

1. Baralère, *Acte d'accusation contre Carrier présenté aux Comités réunis, à la Convention nationale et au peuple français*, Paris, an III; Dupuis, représentant du peuple, *Motifs de l'acte d'accusation contre Carrier*, Paris, an III; J.-B. Buchez et P.-C. Roux, *Histoire parlementaire de la Révolution française*, Paris, 1838, t. 34, p. 27 : *Acte d'accusation contre Fouquier-Tinville*. Leblois reprend dans cet acte d'accusation plusieurs clichés thermidoriens : Fouquier aurait projeté de « dépeupler la France », d'en faire disparaître surtout « le génie, les talents, l'honneur et l'industrie ».
2. G. Babeuf, *On veut sauver Carrier! On veut faire le procès au Tribunal révolutionnaire. Peuple prends garde à toi!* sans lieu ni date (Paris, an III). G. Babeuf, *Du système de dépopulation ou la vie et le crime de Carrier. Son procès et celui du Comité révolutionnaire de Nantes. Avec des recherches et des considérations politiques sur les vues générales du Décemvirat dans l'intention de ce système; sur sa combinaison avec la*

Babeuf réfute catégoriquement la thèse selon laquelle la Terreur aurait été imposée par des « circonstances » et que les terroristes n'auraient agi que pour sauver la patrie. Il reprend à son compte toutes les horreurs déployées au long des procès. La responsabilité de la Terreur n'incombe pas à quelques monstres et scélérats qui se seraient emparés du pouvoir (même si Carrier était un monstre comme le démontrent « les moins équivoques témoignages »). Il faut en réalité dévoiler toutes *les circonstances cachées* qui ont concouru à donner à ces « naturels carnivores » latitude pour agir avec l'accord de ceux qui « se mêlent de la régie de la société ». Ainsi la guerre de Vendée n'a pas provoqué l'instauration de la Terreur, contrairement aux affirmations des anciens Comités. Cette guerre n'a existé que parce que les gouvernants l'ont voulue. « Il faut arracher... le voile qui a empêché de découvrir jusqu'ici, qu'il n'a existé une insurrection de la Vendée, que parce que d'infâmes gouvernants l'ont voulu, et qu'il entrait dans leur plan affreux *(sic)*. » Les Vendéens étaient des gens paisibles, aux mœurs simples et auxquels il suffisait de faire entendre la bonne parole républicaine, prêchée par des patriotes dévoués, pour les gagner à la bonne cause. Pourquoi alors la guerre ? Le mot de l'énigme est donné par la découverte du « système de dépopulation et de nouvelle disposition répartitive de richesse entre

---

guerre de la Vendée et sur le projet de son application à toutes les parties de la République, Paris, an III. Nous n'analyserons pas la place de ces textes dans l'évolution des idées de Babeuf. Ils traduisent, certainement, un moment de grande confusion. A peine libéré de prison, après le 9 thermidor, Babeuf exprime toute sa haine contre Robespierre, le gouvernement révolutionnaire et les Jacobins. Il en fait de même dans son *Journal de la liberté de la presse* qui était, à côté de *L'Orateur du peuple* de Fréron, une des plus véhémentes feuilles « thermidoriennes ». Babeuf condamne la Terreur mais veut aussi comprendre comment un tel « despotat » put surgir du cours de la Révolution. En même temps, il semble croire que le 9 thermidor marque un premier retour aux vrais principes révolutionnaires, notamment à l'exercice de la liberté dans une sorte de démocratie directe et décentralisée. Les révélations apportées par le procès de Carrier et du Comité révolutionnaire de Nantes approfondissent encore la confusion de ses idées. Dans notre perspective, ces textes sont particulièrement intéressants en raison même de cette confusion : *La Vie de Carrier*, texte assez rare, n'a pas suscité un grand intérêt pendant deux siècles. Ce n'est qu'à l'occasion du bicentenaire que ce texte a été réédité par R. Secher et J.-J. Bregeon (Paris, 1987). D. Martin a consacré au « système de dépopulation » une communication, au colloque *La Légende de la Révolution*, actes du colloque de Clermont-Ferrand (juin 1986), présentés par Ch. Croisille et J. Ehrard, avec la collaboration de M.-Cl. Chemin, Clermont-Ferrand, 1988.

ceux qui doivent rester; [cela] explique tout, guerre de la Vendée, guerre extérieure, proscription, guillotinades, foudroyades, noyades, confiscations, maximum, réquisitions, largesse à certaine portion d'individus, etc. » A l'origine, il y aurait donc le projet, conçu par Robespierre qui aurait constaté « calcul fait, que la population française était en mesure excédente des ressources du sol [1]... que les bras étaient trop nombreux pour l'exécution de tous les travaux d'utilité essentielle... Enfin [et c'est là l'horrible conclusion] que la population surabondante pouvait aller à tant [il nous manque le bordereau des fameux législateurs], qu'il y aurait une portion de sans-culottes à sacrifier... et qu'il fallait trouver les moyens. » A cet objectif se sont jointes d'autres préoccupations : les propriétés étaient tombées dans un petit nombre de mains et il fallait les redistribuer pour assurer l'égalité; or, cela ne pouvait se faire sans taxation excessive des riches et « sans attirer d'abord toutes les propriétés sous le gouvernement ». Robespierre ne pouvait réussir qu'en « immolant les gros possesseurs et en imprimant une terreur si forte qu'elle fût capable de décider les autres à s'exécuter de bonne grâce ». Cet « immense secret dévoilé » explique donc tous les mystères : les « exécrations nationicides » l' « anthropophagisme », et la Vendée devenue le champ expérimental d' « un infâme but politique inouï : *sarcler la race humaine* ». Ce projet diabolique a déjà coûté à la France un million d'habitants. Il ne se limitait pas d'ailleurs uniquerment à la Vendée et à la guerre extérieure; il existait aussi un « plan sérieux » d'organiser la famine à Paris, moyen le plus efficace de « dépeupler la France ». Ainsi s'explique le fait que « les phalanges républicaines transformées en légions d'Erostrates et en horribles bouchers humains, eurent, armées de cent mille torches et de cent mille baïonnettes, fait palpiter un semblable nombre d'entrailles, et combustionner autant de malheureuses retraites agricoles ». C'est dans « le gouverne-

---

1. Babeuf semble partager l'idée malthusienne qu'il attribue à Robespierre : elle serait prouvée par « la seule mesure certaine, le relevé du produit total de la culture et de l'économie rurale... puisque tous les arts possibles sont incapables de produire à eux tous une livre de pain de plus ». Cependant, selon Babeuf, la réponse à ce problème pourrait et devrait être pacifique et égalitaire.

ment révolutionnaire qu'il faut chercher tous les malheurs de la république ». La Convention porte la plus lourde responsabilité : elle a formé et appuyé ce gouvernement; elle a donné son accord aux lois « brûlantes et égorgeantes, elle a tant sanctionné d'autres de la même carnassité *(sic)*, qu'il faut bien croire très vrai ce qu'elle dit, que Robespierre était plus fort lui seul, que tous les membres ensemble ». La découverte de ce plan machiavélique permettra donc de punir les vrais coupables, qui servaient le « despotat », et dont les crimes appellent vengeance. Mais ce « mot de l'énigme heureux et justificatif » permet surtout d'innocenter la Révolution : le dévoilement de la conspiration et de son « système terrible » l'assure de retrouver sa pureté originelle [1].

Le texte est hallucinant dans le déploiement d'une fantasmagorie en quête du fin mot de l'histoire, mais où se laissent facilement reconnaître, amalgamés et mixés, les grandes peurs qui hantaient l'Ancien Régime et les nouveaux spectres enfantés par la Révolution : la conspiration et le complot ténébreux; le pacte de famine; la Terreur comme machination conçue par des forces occultes et mise en œuvre par des « monstres anthropophages ». Il est remarquable par le développement d'une logique des obsessions qui conduit à la perception, même fantasmatique, de la Terreur comme un système de pouvoir apte à exclure, donc à éliminer des milliers, voire des millions, de citoyens à seule fin d'assurer la réalisation des objectifs révolutionnaires.

Le procès de la Terreur devenait celui de la Révolution. Non pas la Révolution française comme phénomène historique, puisqu'une de ses phases était désormais cette exigence même de vérité qui poussait à analyser l'enchaînement ayant conduit des principes de 1789 aux massacres de Nantes et à la guerre civile; mais la Révolution comme figure démiurgique de l'imaginaire de l'an II. Ainsi, se félicitant de la fer-

---

1. La principale source sur laquelle s'appuie Babeuf en découvrant le « mot de l'énigme », est une brochure de J. Vilatte, *Causes secrètes de la Révolution*, Paris, an III, dont certains passages, très librement interprétés, ont suggéré à Babeuf l'idée du « complot infernal ». Vilatte, coaccusé dans le procès de Fouquier, fut condamné à mort, malgré sa dénonciation de Robespierre.

meture du club des Jacobins, un journal thermidorien écrivait cette phrase terrible : « Ils ne nous noieront plus, ils ne nous mitrailleront plus, *ils ne canonneront plus le peuple français pour le rendre meilleur.* ¹ » La fermeture du club fut l'événementment marquant du démantèlement de l'héritage symbolique et politique de la Terreur. Il y en eut d'autres : le retour des députés girondins, les dénonciations redoublées des membres des anciens Comités, l'élimination par la « jeunesse dorée » des symboles de l'an II – bonnets rouges et bustes des « martyrs de la liberté ». On ne pouvait s'arrêter là : bientôt la Constitution de 1793 fut mise en cause. S'attaquant à l'imaginaire terroriste, Thermidor affrontait des problèmes politiques et culturels. Car la Révolution, héritière des Lumières, n'avait pas seulement conduit à la « tyrannie », elle avait également engendré une monstruosité qui contredisait à la fois ses origines et ses objectifs et qu'elle voulait à jamais bannir : *le vandalisme.*

---

1. *Gazette historique et politique de la France et de l'Europe, 25 brumaire an II.*

CHAPITRE IV

Le peuple vandale

NOS ANCÊTRES, DES VANDALES ?

En 1912, Antoine Aulard rentre indigné de sa visite à Avignon. Le guide, en présentant aux touristes les monuments, ne cessait d'insister sur les destructions et les ravages commis pendant la Révolution. Vérifications faites, il s'est avéré que dans tous ces ravages la Révolution n'était pour rien : ils avaient été accomplis sous l'Empire ou même sous la Restauration. « Voilà ce que valent les leçons des cicérones officiels. Leur bavardage n'est cru que des gens crédules. Mais c'est dire qu'il est cru de la majorité. Tous les jours en certains édifices nationaux et en toutes les régions de la France, il y a un bonhomme officiel, qui, par ordre ou sans ordre, déverse l'odieux sur la Révolution, présente *nos aïeux comme des vandales, comme des brutes*, et cela quand il est prouvé que le Comité de salut public, la Commission des arts, le Comité d'instruction publique s'ingénièrent en 1793, et en l'an II, c'est-à-dire en pleine Terreur, à maintenir, à défendre le patrimoine d'art de la France, et s'y ingénièrent avec la sollicitude la plus compétente et la plus éclairée [1]. »

L'indignation d'Aulard traduit parfaitement la dimension

---

1. A. Aulard, « Boniments contre-révolutionnaires », article publié *in La Dépêche de Toulouse*, 2 décembre 1912, repris *in Révolution française*, vol. 63, 1912.

des débats passionnés que suscitait le « vandalisme révolutionnaire » de la part de toute une historiographie aux yeux de
laquelle l'histoire de la Révolution était « un récit des origines,
donc un discours sur l'identité [1] ». A l'époque de l'offensive
culturelle de la Troisième République et de la guerre scolaire,
le « vandalisme révolutionnaire » acquiert une importance toute
particulière. Si les polémiques historiques prennent parfois un
tour homérique, c'est que leur enjeu dépasse largement leur
objet apparent : les monuments, les œuvres d'art ou les bibliothèques détruits pendant la période révolutionnaire. Qu'il y eût
des destructions, personne ne le conteste; personne, non plus,
ne se propose de les défendre, d'en faire l'apologie : c'est chose
impensable à une époque adonnée au culte du Progrès et de la
Civilisation. Si on débat âprement de leur ampleur et, surtout,
pour savoir qui en est responsable, si les uns cherchent à inventorier minutieusement les ravages et à démontrer qu'ils
n'étaient guère le fruit du hasard mais d'un projet prémédité,
tandis que les autres affirment que les destructions ne furent
pas plus nombreuses sous la Révolution qu'à d'autres époques
de guerre et de troubles et qu'on détruisit autant, sinon davantage, plus tard (« oui, sous la Restauration! » s'exclame avec
satisfaction Aulard), et qu'elles étaient des accidents contraires
à la cause et à la politique révolutionnaires, c'est que tous
cherchent à défendre ou à dénoncer précisément des « aïeux ».
Les « hussards noirs » de la République auraient-ils comme
ancêtres des « vandales » ? Qu'en serait-il alors de leur mission
civilisatrice et, partant, de l'œuvre civilisatrice de la République si fière de ses origines révolutionnaires ?

A relire les polémiques de la fin du XIXᵉ et du début
du XXᵉ siècle – et pour autant que l'on sache s'extraire du problème des « ancêtres » – on est frappé par le fait que les thèses
respectives des dénonciateurs du « vandalisme » et de leurs pro-
tagonistes « républicains et révolutionnaires » sont beaucoup
moins contradictoires que complémentaires [2]. A condition de

1. F. Furet, *Penser la Révolution française*, pp. 18-19.
2. Citons, à titre d'exemple, d'un côté, G. Gautherot, *Le Vandalisme jacobin. Destructions administratives d'archives, d'objets d'art, de monuments religieux à l'époque
révolutionnaire*, Paris, 1914; et de l'autre : E. Despois, *Le Vandalisme révolutionnaire,
fondations littéraires, scientifiques et artistiques de la Convention*, Paris, 1885.

limiter la polémique à ce qui en est le cœur, c'est-à-dire la question de la destruction des biens culturels et de la responsabilité qui en incomberait aux pouvoirs révolutionnaires (mais, nous allons le voir, le discours sur le vandalisme, dès la Révolution, ne se limite guère à cette seule question), on serait tenté de donner raison à chacun.

Les pouvoirs révolutionnaires successifs ont-ils voulu préserver de la destruction et de la dilapidation les biens culturels, les œuvres d'art, les livres, les manuscrits anciens? Ont-ils mis sur pied une politique de conservation ainsi que des institutions chargées d'exécuter cette politique? Oui, certainement. Longue est la liste des décrets des Assemblées successives qui statuent sur les mesures relatives à la conservation des livres, des chartes, du mobilier, des tableaux, des monuments qui, une fois nationalisés, devaient être soigneusement inventoriés et déposés dans des entrepôts réservés à cet effet. Les premières mesures datent de novembre 1789; des mesures complémentaires sont prises en 1790 (octobre), en 1791 (mai-juin), en 1792 (septembre), etc. En décembre 1790 est créée la Commission des monuments, composée de savants, d'érudits, de bibliographes et d'artistes, chargée de surveiller « la conservation des monuments, des églises et maisons devenus domaines nationaux » et, tout spécialement, de prendre soin des monuments qui se trouvent à Paris ainsi que des « dépôts de chartes, titres, papiers ». En pleine Terreur, en octobre 1793, un mois après la loi sur les suspects, la Convention décrète des mesures énergiques contre les abus qui se font dans le pays et qui provoquent la « destruction des monuments, des objets des sciences et des arts, de l'art et de l'instruction ». La Commission des monuments jugée peu efficace (mais également peu « sûre » politiquement) est remplacée par un nouvel organisme, la Commission temporaire des arts à laquelle la Convention montagnarde demandait « l'exécution de tous les décrets concernant la conservation des monuments, des objets des sciences et des arts et leur réunion dans des dépôts convenables »; elle exigeait la présentation de nouveaux moyens qui assureraient la conservation efficace des monuments et cela « dans toute l'étendue de l'Empire [1] ». Cette liste des arrêtés, décrets, mesures, institutions pourrait être facilement prolongée.

Les pouvoirs révolutionnaires successifs sont-ils cependant responsables de destructions, les ont-ils sinon inspirées, du moins tolérées ? Sans aucun doute, et les preuves en sont nombreuses. La même longue liste des décrets, arrêtés, etc. qui répète les mêmes appels et admonitions montre déjà en elle-même à quel point ceux-ci demeuraient inefficaces sinon inadaptés à la situation. Toutes ces mesures de protection contre la dégradation des monuments s'imposaient comme la conséquence d'autres décisions des pouvoirs révolutionnaires qui mettaient inévitablement ces biens culturels en péril. La mise à la disposition de la Nation des biens du clergé, la confiscation des biens des émigrés ainsi que l'aliénation de ces biens nationaux, furent autant de mesures qui entraînaient nécessairement des déménagements forcés de bibliothèques entières, des collections de chartes et de tableaux, leur entassement dans des dépôts improvisés et inadaptés, et, par conséquent, des ravages inéluctables, pour ne rien dire des vols, de la spéculation déchaînée sur des objets d'art ou des manuscrits précieux. La vente, à vil prix, des cloîtres et des châteaux les livre à la démolition. Le fameux décret du 14 août 1792 sur la suppression des « signes de la féodalité » qui exigeait de ne « laisser plus longtemps sous les yeux du peuple français les monuments élevés à l'orgueil, au préjugé et à la tyrannie » condamnait à la destruction d'innombrables objets d'art et monuments. Certes, la Convention introduisit des restrictions, mais un mois après ce décret l'énormité des ravages qu'il avait entraînés fut si évidente qu'il fallut ajouter de nouvelles restrictions, dispositions, admonitions. Et pourtant, à l'été et à l'automne 1793, toute une série de décrets proscrit tous les armoiries et « emblèmes de la royauté » dans toutes les maisons, parcs, enclos, églises, etc. Et que dire de la vague déchristianisatrice, de toutes ces cloches et

1. F. Rücker, *Les Origines de la conservation des monuments historiques en France (1790-1830)*, Paris, 1913. Les procès-verbaux de l'une et de l'autre Commission témoignent de leurs efforts infatigables pour faire face à ces tâches immenses, cf. *Procès-verbaux de la Commission des monuments*, publiés et annotés par L. Tuetey, Paris, 1902-1903; *Procès-verbaux de la Commission temporaire des arts*, publiés par L. Tuetey, Paris, 1912.

toitures enlevées, des tours des églises détruites au nom de la Raison et de la « sainte Égalité », des sculptures défigurées, des objets de culte fondus ?

On objecte, du côté « républicain », qu'il ne s'agissait là le plus souvent que d'abus dénoncés précisément par le gouvernement révolutionnaire lui-même, que la vague déchristianisatrice fut de courte durée, que des sculptures et des autels furent défigurés ou détruits en grande partie par les armées révolutionnaires exerçant une déchristianisation sauvage elle-même rapidement stoppée, que certaines mesures, enfin, étaient imposées par les « circonstances extérieures », l'armée manquant de bronze pour fondre ses canons. Ces arguments, plus ou moins valables, ne contredisent guère ceux avancés par les « dénonciateurs » du vandalisme. La vague iconoclaste ne s'inscrivait-elle pas dans une politique lancée par les élites du pouvoir, partie d'« en haut » et peu suivie par « en bas » ? Les braves sans-culottes qui se livraient à cet iconoclasme n'étaient-ils pas encouragés – notamment en l'an II – par le pouvoir et les sanctions ne sont-elles pas demeurées lettre morte ? Ne continuait-on pas à agioter et, du coup, à dévaster *à froid* (l'exemple de Cluny est le plus frappant), tout au long de la période du Directoire quand les « circonstances extérieures » n'existaient pas ?

Aucun des camps en présence ne semble attacher de l'importance à la période thermidorienne, où s'affirme pourtant le discours dénonciateur du vandalisme. Les uns, parce qu'il leur répugne de privilégier la « réaction » qui aurait eu le mérite d'arrêter les destructions alors qu'à ses heures « héroïques » la Révolution se voulait très fermement la protectrice des arts et de la culture. D'ailleurs, les créations culturelles de la période thermidorienne – tels l'École polytechnique, l'École normale ou le musée des Monuments français – s'inscrivaient dans le prolongement des initiatives lancées pendant la période montagnarde. Les « détracteurs » du vandalisme minimisent l'importance de Thermidor pour de tout autres raisons. Thermidor, en fin de compte, a dénoncé le vandalisme sans véritablement en briser le cours. Un même élan dévastateur, inhérent à la Révolution, la traverserait de part en part, son intensité marquant des différences d'une période à l'autre. Rien n'a été reconstruit après Thermidor et le musée Lenoir était, tout au plus, un cimetière de sculptures mutilées, dont la prétendue conservation n'était, très souvent, qu'une autre manière de mutilation. Les discours polémiques sur le vandalisme consentent, toutefois, que la volonté de destruction était plus affirmée qu'effective. Après tout, Lyon, ville que la Convention avait condamnée à disparaître, existe toujours... Les uns y voyaient la preuve que la violence verbale l'emportait souvent sur les actes et que la Révolution, même si elle tombait parfois dans des excès toujours dictés par les « circonstances extérieures », réussissait finalement à les surmonter. Les autres y trouvaient confirmation d'une volonté dévastatrice qui, faute de temps et de moyens matériels, n'avait pu pleinement se réaliser. Sinon, la France aurait été privée de tout son patrimoine culturel.

Les uns comme les autres ne font que mettre en évidence les contradictions internes à la politique culturelle de la Révolution. Celle-ci afficha, dès ses débuts, une vocation culturelle qui fit naître à la fois des espoirs et des rêves et causa des échecs. Elle se voulait la fille des Lumières, la seule héritière légitime de l'« esprit éclairé ». Du coup, le pouvoir révolutionnaire s'accorde le rôle de *gestionnaire* sinon de tout le patrimoine culturel national, du moins de la partie qui, en raison de différentes mesures politiques et sociales – confiscation des biens du clergé et des émigrés (mais ces mesures n'avaient-elles pas également une dimension culturelle ? peut-on les comprendre hors de cet aspect ?) –, s'est trouvée précisément *nationalisée*. C'est au pouvoir représentant la Nation qu'il revient de mettre ces biens culturels au service de celle-ci et non plus d'une poignée de privilégiés, d'être le protecteur des arts, de les installer donc dans un espace *culturel* qui serait solidaire de l'espace *politique* démocratique. Ce devoir et cette responsabilité, les pouvoirs révolutionnaires les revendiquent hautement et constamment ; du coup, ils butent sur toutes les difficultés pratiques que présente la gestion effective des biens culturels nationalisés : manque de locaux, de personnel compétent dont on exige loyauté au nouveau régime, manque de moyens financiers, etc. Sur cette insuffisance d'infrastructure se greffe, notamment pendant la période « héroïque », l'illusion révolutionnaire : grâce à l'« énergie révolutionnaire », que Barère comparait au soleil d'Afrique qui fait pousser plus vite les plantes, tout projet pourrait se réaliser très rapidement, en l'espace sinon de quelques mois, d'au moins une ou deux années. Or, le « soleil révolutionnaire » fait, certes, pousser rapidement une moisson de projets; quant à leur réalisation, le soleil n'y suffit plus : la masse de biens culturels à gérer se révèle trop importante (plus d'un million de livres s'entassent dans les dépôts improvisés, à travers le pays tout entier), et si les moyens sont pauvres, les fins sont imprécises. 89 se veut le continuateur d'un certain passé culturel mais surtout une *rupture* qui donne à l'Histoire un nouveau départ. Son ambition est donc *régénératrice et purificatrice*, notamment face à un patrimoine culturel souillé par des siècles de tyrannie et de préjugés. Mais régénérer et purifier sont deux termes de l'époque qui cachent mal une insurmontable contradiction : il faut conserver le passé, mais pas *tout* le passé et à condition qu'en soit *éliminé* ce qui n'est pas digne du regard d'un peuple luimême régénéré, ce qui ne mérite pas d'être retenu et intégré à une nouvelle civilisation à construire. (Que ce peuple, dans sa majorité, plonge encore dans les « préjugés » et l'analphabétisme, les élites en sont conscientes mais elles n'en découvriront les effets politiques et culturels qu'au cours de la Révolution.) Les élites révolutionnaires ne doutent pas qu'elles disposent d'un critère infaillible, fondé à la fois sur les acquis des Lumières et sur l'essor de la Révolution, pour procéder au tri dans l'héritage. Or, ces critères demeureront toujours flous, et seront sans cesse remis en question. Ils s'avéreront pratiquement indéfinissables. Les frontières mêmes entre la destruction et la conservation sont mouvantes, insaisissables. Les exemples abondent. Ainsi, le fameux décret sur la suppression des « emblèmes de la royauté et de la féodalité » chargeait la Commission temporaire des arts de « veiller » à la conservation des objets qui pourraient « intéresser essentiellement les arts ». Mais les statues royales intéressaient-elles « essentiellement » les arts ou bien étaient-elles de simples « emblèmes de la tyrannie »? Effacer d'un tableau les armoiries qui y étaient représentées, cela revenait-il à le détruire ou à le conserver? En l'an II, Urbain Domergue, chef du Bureau de la bibliographie, veut accélérer le travail d'établissement du catalogue collectif de tous les livres nationalisés, travail immense qui traîne malgré les efforts de la Commission qui en est chargée. Entre-temps, les livres, entassés dans les dépôts improvisés, s'abîment. Pour *conserver* donc ce que « le génie a enfanté pour le bonheur et la gloire des peuples », ne faudrait-il pas se *débarrasser* des ouvrages inutiles et nocifs, comme, par exemple, ceux qui « ne valent pas le carré de papier sur lequel on a copié les titres »? Ainsi faudrait-il « porter le scalpel révolutionnaire dans nos vastes dépôts de livres et couper tous les membres gangrenés du corps bibliographique ». Domergue consentait, tout au plus, à conserver un ou deux exemplaires « de toutes les productions de la sottise humaine » au même titre que le botaniste place dans son herbier des plantes vénéneuses. Le reste, tout ce fatras théologico-aristocratico-royaliste, on pourrait le vendre à l'étranger. La République en tirerait un double profit : « elle gagnerait de l'argent pour ses armées et elle porterait, dans l'esprit de ses ennemis, par le moyen de ces livres, le vertige et le délire [1] ».

On retrouve les mêmes contradictions et, du coup, des projets extrémistes qui se proposent de les trancher par l'application du « scalpel révolutionnaire », dans la politique et l'œuvre scolaires de la Révolution. Au cœur même du discours politique s'installe un débat passionnant et passionné sur le ou les choix des modèles formateurs de culture et de morale, rapports entre culture et pouvoir, tradition et innovation, libéralisme et dirigisme, religion et laïcité dans une société démocratique qui est encore à inventer [2]. A ces problèmes complexes s'ajoute la ques-

---

1. *Rapport fait au Comité d'instruction publique* par Urbain Domergue, chef du Bureau de la bibliographie, *in* J. Guillaume, *Procès-verbaux du Comité d'instruction publique de la Convention nationale*, Paris, 1891-1907, vol. II, p. 798. Le remarquable ouvrage de P. Riberette, *Les Bibliothèques françaises pendant la Révolution (1789-1795). Recherches sur un essai de catalogue collectif*, Paris, 1970, met en évidence toutes les contradictions et difficultés dans lesquelles se débat l'entreprise de former le « catalogue collectif ». Le Comité d'instruction publique a d'ailleurs rejeté les propositions de Domergue.

2. Nous avons plus largement discuté ces problèmes *in Une éducation pour la démocratie. Textes et projets de l'époque révolutionnaire*, présenté par B. Baczko, Paris, 1982, pp. 8-58.

tion religieuse qui traverse toute l'expérience culturelle révolutionnaire (et, tout particulièrement, l'expérience pédagogique). La Révolution n'a pas le même contenu universel en tous lieux et en tous temps, les mêmes actions ne revêtent pas nécessairement la même signification culturelle et sociale. Ainsi des gestes iconoclastes : au cours de certaines fêtes révolutionnaires à Paris, quand on brûlait solennellement les titres féodaux, les organisateurs veillaient à préserver les anciennes chartes, considérées comme des « monuments précieux ». Tel n'était pas du tout le cas des paysans qui allumèrent des feux de joie dans les campagnes pendant la « Grande Peur » ou les fêtes de l'an II. L'iconoclasme déchristianisateur, inspiré et dirigé d'en haut par les élites révolutionnaires, n'avait pas nécessairement la même signification culturelle que les actions dévastatrices perpétrées par les armées révolutionnaires dans les petits bourgs et villages. Le pouvoir jacobin s'imaginait centralisateur; dans la réalité, la France demeurait beaucoup plus fédéraliste. Un décret unificateur se réalisait fort différemment, selon les départements et les communes, se greffant sur des conflits et des antagonismes traditionnels locaux. Le Comité révolutionnaire qui décida de détruire à Ermenonville, dans le parc qui entourait l'île des Peupliers et le tombeau de Rousseau, les bustes des philosophes car ils représentaient « des Anglais » commit, certes, un acte « vandale ». Il était également « vandale » de détruire, systématiquement et en engageant un entrepreneur spécialisé, les tombes royales à Franciade, ci-devant Saint-Denis, de même qu'il était « vandale » d'installer une raffinerie de sucre dans l'abbaye de Saint-Germain qui causa un incendie accidentel, en 1794, détruisant ainsi une des plus riches bibliothèques; actes également « vandales » : l'agiotage sur les biens nationaux et la démolition, aussi rapide que possible, de tel ou tel hôtel, tel ou tel cloître. La liste en serait longue. Ces actes sont vandales par leurs effets destructeurs et leurs ravages irréparables, mais ils sont pourtant distincts dans leurs significations socio-culturelles et idéologiques. Il existait pendant la Révolution plusieurs *vandalismes*, de même qu'il y eut plusieurs déchristianisations [1]. Ces vandalismes se

1. *Cf.* R. Cobb, *Les Armées révolutionnaires, instrument de la Terreur dans les départements,* Paris, 1963, vol. II; B. Plongeron, *Conscience religieuse en révolution,* Paris, 1969.

confondent trop souvent. Raison de plus pour cerner, dans la mesure du possible, leurs différents types et formes, l'ampleur et les particularités de chacune de leurs vagues selon les régions afin de saisir plus distinctement un phénomène culturel et social complexe [1]. L'analyse des types de discours tenus à l'époque sur le vandalisme permet déjà de comprendre les enjeux symboliques et culturels de la Terreur.

DES BARBARES AU MILIEU DE NOUS...

Dans le langage issu des Lumières, les vandales font figure de « plus barbares des barbares »; on parle même de « vandales barbares [2] ». C'est un lieu commun de la rhétorique révolutionnaire que de désigner comme « barbare » le passé à détruire : les privilèges, les lois injustes, le système fiscal, les corporations et même les anciennes écoles. Barbare signifie à la fois tyrannique et ignorant. Autre lieu commun d'un discours qui se veut à la fois révolutionnaire et éclairé : toute tyrannie repose sur l'ignorance et génère la barbarie. L'Ancien Régime, barbare et tyrannique, a nécessairement maintenu la Nation dans l'ignorance; la liberté, elle, ne peut être fondée que sur les Lumières; elle est l'ennemie naturelle de l'« ignorance barbare [3] ».

Cependant l'accusation de barbarie est portée également contre la Révolution, dès le lendemain du 14 juillet. C'est la violence révolutionnaire qui est surtout visée. Pour un Rivarol, la prise de la Bastille n'était guère un acte héroïque et fondateur de la liberté. Il n'en retient que l'image de la « ville bar-

1. Cf. D. Hermant, « Destruction et vandalisme pendant la Révolution française », *Annales E.S.C.*, nº 4, 1978, travail novateur qui fait éclater le cadre traditionnel et propose plusieurs directions intéressantes de recherche, dont nous ne partageons pas toutes les conclusions.

2. Cf., P. Michel, *Un mythe romantique. Les Barbares, 1789-1848*, Lyon, 1981; D. Hermant, *op. cit.*

3. On retrouve ce *topos* dans les textes consacrés à l'éducation nationale; cf., par ex., dans B. Baczko, *Une éducation pour la démocratie, op. cit.*, les propos de Mirabeau (p. 79), de Talleyrand (p. 109), de Romme (p. 269), de Barère (p. 429). Nous rencontrerons le même lieu commun, mais le contexte politique sera tout autre, dans le discours thermidorien contre la tyrannie de Robespierre.

bare » et de sa populace qui massacrait des innocents, promenait leurs têtes sur des piques, les « mains rougies de sang ».
Cette même populace, une « espèce de sauvages », « tout ce que
les galetas et les égouts de la rue Saint-Honoré peuvent vomir
de plus vil », égorgea les gardes du corps du roi à Versailles, le
6 octobre, puis escorta le roi et sa famille à Paris, promenant de
nouveau, sous les yeux de ses prisonniers, des têtes fichées sur
des piques. « Malheur à ceux qui remuent le fond d'une
nation! Il n'est point de siècle de lumière pour la populace; elle
n'est ni française, ni anglaise, ni espagnole. La populace est
toujours et en tout pays la même : toujours cannibale, toujours
anthropophage [1]. » La montée de la violence révolutionnaire,
notamment après la journée du 10 août et lors des massacres de
Septembre, fut encore plus stigmatisée comme « barbare » et
« vandale ». Il s'agissait dans le discours contre-révolutionnaire,
d'une expression de l'indignation et de la peur, mais également
d'une sorte d'exorcisme de la Révolution qui demeurait, au
fond, incompréhensible. « Barbare », la Révolution venue d'ailleurs, une invasion qui se situe hors de l'histoire, comme une
catastrophe naturelle ou encore une monstruosité (le rapprochement avec les « cannibales », monstres humains, est révélateur).

Seul Mallet du Pan, observateur et analyste contre-
révolutionnaire des plus perspicaces, recourt à l'idée-image du
vandale non plus seulement pour flétrir la Révolution, mais
pour la *comprendre*. Dès 1790, il relève que l'analogie entre les
événements révolutionnaires et les invasions barbares a une
portée explicative limitée. Elle n'est pertinente que si elle permet de faire ressortir la *nouveauté*, le caractère inédit de la
Révolution. Certes, par ses aspects féroces et hideux, la Révolution rappelle l'invasion des Barbares, évoque cette « mémorable subversion ». Mais, cette fois-ci, les « Huns et les Hérules,
les Vandales et les Goths ne viendront ni du Nord, ni de la mer
Noire, *ils sont au milieu de nous* ». Au-delà de la « mobilité des
événements » qui se précipitent à un rythme jusqu'alors
inconnu, il faut dégager la « nature destructive » de la Révolu-

1. Rivarol, « Journal politique et national », *in* Rivarol, *Œuvres complètes*, Paris,
1808, vol. IV, pp. 64 et suiv., pp. 286 et suiv. Dans les récits de massacres, les termes
« barbares », « vandales » et « cannibales » reviennent sans cesse; d'autre part, les pamphlets révolutionnaires décrivent le roi comme « buveur de sang » et « cannibale ».

tion ainsi que son enjeu global. Pour les faire ressortir, Mallet du Pan fait appel à un néologisme tout récent dont l'emploi même souligne le caractère inédit du phénomène révolutionnaire. L'enjeu de la Révolution, ce n'est plus, comme on le pensait à ses débuts, l'ancien ou le nouveau régime, la République ou la monarchie, mais la *civilisation*. Du coup, le combat contre la Révolution n'est pas une affaire intérieure française; ce n'est pas non plus une guerre, comme tant d'autres, entre nations et États. Mallet du Pan lance un appel à une nouvelle croisade au nom de la « civilisation ». Toute la « vieille Europe » se trouve en danger de mort face à ce « système d'invasion » de l'intérieur qui ne ressemble à aucun autre. C'est le « dernier combat de la civilisation » dans lequel « chaque Européen est aujourd'hui partie [1] ».

Ce ne fut qu'au terme d'un long et singulier détour que les élites révolutionnaires en viendront à découvrir étrangement, à la suite de Mallet du Pan, que les « barbares » pourraient se trouver au milieu d'eux. Certes, elles rejettent avec indignation les accusations aristocratiques : la Révolution n'est pas une force purement destructive. Au contraire, ses objectifs et son œuvre sont essentiellement constructifs. Si la régénération de la Nation passe par la destruction, c'est que le passé était précisément « barbare », à l'instar de la Bastille, symbole de la « tyrannie barbare ». De même, les ennemis intérieurs et extérieurs de la Révolution deviennent des « hordes sauvages et barbares » que les tyrans coalisés ont lancées contre la France. Mais une sorte de hantise de la « barbarie », qui pourrait s'installer dans la Révolution elle-même et pervertir sa cause, travaille en sourdine les esprits. Elle se manifeste ouvertement face à l'explosion de la violence brutale et aveugle, notamment après les massacres de Septembre que les Girondins dénoncent comme « barbares » et sur lesquels les Jacobins appellent à « jeter le voile ». Elle se manifeste également dans les interminables

---

1. Cf. M. Mallet du Pan, *Considérations sur la nature de la Révolution française et sur les causes qui en prolongent la durée*, Londres, 1793, pp. v et suiv., pp. 27 et suiv. Ces « barbares au milieu de nous » sont autant « de brigands sans pain et leurs chefs sans propriété », « un peuple délivré de la crainte du ciel et de celle des tribunaux ». Avec la levée en masse, la France est transformée en une « vaste caserne » et « chaque sans-culotte militant aura le droit à la distribution des terres et du butin », *ibid.*, p. 34.

débats sur le nouveau système d'éducation publique quand force est de constater que la Révolution, en abolissant les anciennes institutions, a créé un énorme vide qu'elle n'arrive pas à combler. Du coup, la Nation risquerait de plonger dans l'ignorance et dans la barbarie. « Ne faisons pas, comme nous reprochent nos ennemis domestiques, une révolution des Goths et des Vandales », s'écriait Mirabeau en 1791, en défendant son projet d'éducation publique et en appelant les Constituants à soutenir les « talents », les arts et les lettres, afin que soit écarté ce danger que la Révolution, « ouvrage des lettres et de la philosophie puisse faire regretter au génie le temps du despotisme [1] ». Dans les débats sur l'éducation publique en décembre 1792 et au printemps 1793, cette inquiétude se fait de plus en plus vive et emprunte le même vocabulaire. Ainsi, Fouché ne la cache guère dans son rapport du 8 décembre 1793, présentant à la Convention au nom du Comité d'instruction publique le projet de décret sur la vente des biens de collège : « Les maisons d'éducation dans nos départements n'offrent plus aux yeux que des ruines [...]. On dirait que nous allons retomber dans la *barbarie de notre première origine*; on dirait que nous ne voulons que la liberté du sauvage qui ne voit dans la Révolution que le plaisir stérile de bouleverser le monde et non le moyen de l'ordonner, de le perfectionner, de le rendre plus libre et plus heureux; on dirait que, semblables aux tyrans, nous laissons l'homme, à dessein, dans les ténèbres et l'abrutissement, pour pouvoir le transformer, au gré de nos intérêts et de nos passions, en bête féroce. » Certes, ce n'est qu'une calomnie; néanmoins elle saisit « certains traits » pour les retourner contre la Révolution. Inquiétude que l'on refoule en exaltant le peuple qui ressent déjà profondément « qu'il ne peut être libre qu'avec l'instruction, que la liberté et l'instruction sont inséparables et qu'elles ont besoin de s'unir pour perfectionner la nature humaine, et pour combler notre double espoir de devenir l'exemple et le modèle de tous les peuples de la terre [2] ». Inquiétude redoublée, comme en témoignent les documents de la Commission des monuments et les décrets renouvelés de la Convention, face à la destruction des livres, la dégradation des

---

1. Mirabeau, *Travail sur l'éducation publique*, in B. Baczko, *op. cit.*, pp. 79-80.
2. Cf. J. Guillaume, *Procès-verbaux...*, *op. cit.*, vol. I, p. 340; cf. également *ibid.*, p. 122 (intervention de J.-M. Chénier), pp. 276-277 (texte de Jeanbon Saint-André).

tableaux, la mutilation des sculptures, qui sont pourtant devenus des « biens de la Nation », ce qui devrait assurer leur protection. La responsabilité en est rejetée sur les étrangers et les
malveillants, sur les « outrages des aristocrates » (ils détrui-
raient, exprès, leurs propres biens dès qu'ils en seraient déposs-
sédés...), sur les spéculateurs cupides et sur l'ignorance. Autant
de forces hostiles à la Révolution et, du coup, *extérieures* à
elle [1]. Même l'ignorance n'est qu'un héritage d'un passé néfaste
et barbare. On évite pourtant soigneusement de dire clairement
qui se signale par cette ignorance qui est autant un constat
qu'une marque infamante. Car à trop marquer qui est ignorant ne risque-t-on pas d'insulter le symbole clé de tout l'imaginaire révolutionnaire : le Peuple souverain ? Comment celui-ci
pourrait-il être ignorant ? Le déclarer, ce serait s'inscrire au
rang de ces contre-révolutionnaires qui « nous peignent aux
yeux des nations comme un peuple féroce et barbare, qui veut
vivre dans la plus crasse ignorance, même celle des premières
vérités [2] », et le risque encouru serait grave à l'époque de la loi
sur les suspects. L'implicite et le tu ne se laissent deviner que
dans la désignation du *destinataire* de ces appels qui prennent,
parfois, un tour pathétique. Le peuple, « armé de sa massue »,
a pu, au début de la Révolution, « frapper tout »; maintenant,
en l'an II, ce peuple, nouvel Hercule, doit comprendre que
« ces maisons, ces palais qu'il regarde encore avec les yeux
d'indignation ne sont plus à l'ennemi; ils sont à lui ». Et c'est à
lui, « peuple français, protecteur de tout ce qui est utile et
bon », qu'il revient de se déclarer « l'ennemi de tous les ennemis
des lettres » de même que de veiller à ce que « les mains égarées » n'aillent pas détruire ce qui fut respecté même par les
« conquérants barbares [3] ».

1. Cf. L. Tuetey, *Procès-verbaux de la Commission des monuments, op. cit.*;
F. Rücker, *op. cit.*, pp. 26-29; 76 et suiv.; 93 et suiv.
2. Arrêté du district de Jussey (Haute-Saône) du 8 floréal an II, cité d'après
P. Riberette, *op. cit.*, p. 51.
3. *Instruction sur la manière d'inventorier et de conserver, dans toute l'étendue de la
République, tous les objets qui peuvent servir aux arts, aux sciences et à l'enseignement*,
Paris, an II. Ce texte, discuté par la Commission temporaire des arts en novembre-
décembre 1793, fut adopté le 15 ventôse an II (5 mars 1794) par le Comité d'instruction publique. Rédigée, certainement, par Vicq d'Azyr, l'instruction fut signée par Lindet, en sa qualité de président de la Commission temporaire des arts, et par Bouquier,
président du Comité d'instruction publique. Cf. J. Guillaume, *Procès-verbaux..., op.
cit.*, vol. III, p. 545.

On pourrait multiplier les citations illustrant le dilemme, sinon l'impasse des élites révolutionnaires : préserver intactes, au-delà de tout soupçon de barbarie, les représentations de la Révolution et du peuple souverain, et dénoncer d'une manière ou d'une autre des actes « barbares » qui, de toute évidence, ne sont pas le fait des princes ou des prêtres mais s'inscrivent, bel et bien, dans les comportements, patriotiques et civiques, des armées révolutionnaires, des comités de surveillance, des agents de la République, couverts, sinon encouragés par un représentant en mission. En d'autres termes, comment dénoncer la « barbarie » et les « barbares » comme forces *extérieures et hostiles* à la Révolution quand, de toute évidence, on constate la présence des « barbares au milieu de nous » ? Comment le faire, surtout en pleine Terreur, quand les mots sont soigneusement pesés et que la peur travaille les élites intellectuelles issues de l'Ancien Régime même si elles sont sincèrement acquises à la cause révolutionnaire (ce qui n'est pas toujours, et de loin, le cas). Ces obstacles, le discours révolutionnaire les contourne en glissant de la condamnation fort vague des « barbares » à l'invention du *complot vandale*. Simple amalgame, truquage et habile manipulation des mots ? Les choses se révèlent plus complexes. En admettant même qu'il ne s'agisse là que d'une simple manipulation, les manipulateurs ne sont-ils pas eux-mêmes manipulés par des représentations qui leur échappent ? La réussite, sociologiquement parlant, d'une représentation – et celle du « complot vandale » en sera une belle illustration – est révélatrice de l'imaginaire collectif dans lequel elle s'inscrit comme du discours qui la diffuse. Le « complot vandale » n'amalgame pas seulement deux mots mais également *deux hantises*. La première est celle des élites politiques et intellectuelles confrontées avec la « barbarie » que la Révolution a fait surgir des rangs du peuple et dont les destructions sont le signe le plus visible, symbole d'un danger qui menace toute une culture dans laquelle ces mêmes élites se reconnaissent et à laquelle elles s'identifient. Mais une deuxième hantise – qui nous est devenue familière avec la rumeur sur Robespierre-roi – mine l'imaginaire et les mentalités révolutionnaires, avec une tout autre ampleur sociologique : la peur du complot protéiforme qu'ourdissent sans cesse les ennemis de la cause révolutionnaire [1].

Cette seconde hantise connaîtra, sous la Terreur, une étonnante plasticité manipulatoire. L'heure était à la suspicion généralisée contre ceux qui n'avaient pas encore été démasqués, qui se cachaient dans l'armée, dans les comités et sociétés révolutionnaires, dans la Convention elle-même. Toute une *technique visant à exploiter* cette hantise au service d'un combat politique se rodait alors. Elle était largement utilisée non seulement par les professionnels de la politique au niveau national (et, bien évidemment, par la police) mais également pour régler des comptes au plan local. Dans la représentation du « complot », les « ennemis démasqués » sont interchangeables. L'art et la technique de la manipulation s'exercent par l'amalgame qui efface les frontières entre tous les « ennemis » possibles, notamment entre ceux qui sont visibles et extérieurs – les tyrans, les aristocrates, etc. – et ceux qui « se cachent » et se terrent dans les rangs du peuple. La technique manipulatoire est plastique : elle procède par sortes de moulages du profil de l' « ennemi » nouveau, à démasquer, sur le modèle fourni par l' « ennemi » ancien, déjà « dévoilé ». Dans une conjoncture politique tortueuse, aux brusques embardées, le glissement d'idéologies et de croyances vers la pure manipulation devient inéluctable (inversement, la pratique de la manipulation alimente à son tour les soupçons, les délations, la surenchère idéologique, tant le jeu politique finit par n'impliquer qu'un nombre toujours plus restreint d'auteurs, taraudés par des rancunes et des animosités personnelles). La « découverte » du « complot vandale » n'est qu'un exemple de ce jeu complexe de la hantise et de l'idéologie, de l'imaginaire social et de la manipulation où, dans un temps court et dans un contexte précis, la crainte politico-culturelle du « danger barbare » se retourna en un discours politico-policier.

Le 21 nivôse an II, Grégoire présente à la Convention, au nom du Comité d'instruction publique, le rapport sur les ins-

---

1. Sur l'idée de complot et sa place centrale dans l'imaginaire révolutionnaire, cf. F. Furet, *op. cit.*, pp. 79 et suiv.

criptions des monuments publics. Ainsi est-il proposé aux législateurs qui ont déjà décrété des « mesures de sagesse » d'en joindre d'autres afin d'assurer « la conservation des inscriptions antiques dont le temps a respecté l'existence ». Le rapport, à une seule exception, n'innove guère dans le discours sur la dégradation des monuments. La Convention a « sagement ordonné la destruction de tout ce qui portait l'empreinte du royalisme et de la féodalité ». Même les « beaux vers de Borbonius inscrits sur la porte de l'Arsenal » n'ont pas trouvé grâce et à juste titre car « ils étaient souillés par la flatterie envers un tyran ». (Il s'agissait d'Henri IV.) Mais ces sages décrets sont insuffisants car on détruit également des monuments antiques qui doivent être conservés « dans leur totalité ». Ces monuments sont « des médailles sous une autre forme et quel est l'homme sensé qui ne frémit pas à la seule idée de voir porter le marteau sur les antiquités d'Orange ou de Nîmes ». Les détruire serait un acte barbare. Or, la seule nouveauté dans le rapport de Grégoire est justement la définition de la barbarie : « On ne peut inspirer aux citoyens trop d'horreur pour ce *vandalisme* qui ne connaît que la destruction. » Le mot est souligné dans le texte pour mettre en évidence qu'il s'agit d'un néologisme. Rétrospectivement, son introduction a été considérée comme une sorte de tournant dans l'histoire du discours sur les « vandales ». Le texte ne brille pourtant pas par son originalité. Il suit les clichés déjà évoqués et le « vandalisme » est rapidement attribué à la « barbarie contre-révolutionnaire » qui cherche à « nous appauvrir en nous déshonorant ». Les agents du « vandalisme » ne sont guère distingués d'autres contre-révolutionnaires, toujours perfides. En plaidant la cause des inscriptions anciennes (« les détruire serait une perte; les traduire serait une espèce d'anachronisme »), Grégoire fait l'éloge de la supériorité du français – destiné à devenir l' « idiome universel » dont rêvait Leibniz – sur les langues anciennes, de même qu'il exalte la supériorité des révolutionnaires français sur les « antiques républicains ». Certes, « nous chérissons leur mémoire », mais qui pourrait préférer « sous aucun rapport d'être grec ou romain, lorsqu'il est français » ? Exaltation ou figure rhétorique qui en rappelle une autre : dans son rapport

sur le projet de décret proposant la suppression d'anciennes
académies, Grégoire n'hésitait pas à déclarer que « presque
toujours le vrai génie est sans-culotte [1] ».

Trois mois plus tard, à l'occasion de son rapport sur la
bibliographie, Grégoire revient à la charge contre les « contre-
révolutionnaires » qui détruisent nos monuments. Si le néologisme « vandalisme » n'est pas repris, le discours innove sur un
autre point. En évoquant « les trames de nos ennemis pour avilir et appauvrir un peuple qui, malgré leurs tentatives, sera
toujours riche et toujours grand », ces ennemis qui commettent
des crimes pour « nous les imputer en nous traitant de barbares », Grégoire ne se contente pas de dénoncer la dégradation
des monuments. Le danger est beaucoup plus grave et global.
Ainsi, « on avance, sans distinction des talents utiles ou nui-
sibles, qu'un savant est un fléau dans un État ». D'autre part,
« à Paris, à Marseille et ailleurs on proposait de brûler les
bibliothèques » sous le prétexte que « la théologie, disait-on,
c'est du fanatisme; la jurisprudence, des chicanes; l'histoire, des
mensonges; la philosophie, des rêves; les sciences, on n'en a pas
besoin ». Toute la culture est donc menacée et cela au moment
même où, plus que jamais, il faut « révolutionner les arts ».
Cette œuvre ardue devrait se faire pourtant conformément à la
ligne tracée par la Convention et ses Comités et non pas d'une
manière sauvage et désordonnée. Ainsi, il faut mettre des
« livres absurdes à l'index de la raison » mais ceux-ci pourraient faire l'objet d'un échange avec l'étranger. Quant aux
« ennemis » responsables de ces « actes barbares », Grégoire
reprend les clichés anciens : aristocrates, spéculateurs étrangers, etc. Mais sur cette liste-litanie il inscrit un ennemi nouveau : « des sots ont calomnié le génie pour se consoler
d'en être dépourvus »; les contre-révolutionnaires qui détrui-
saient les monuments se dissimulaient « *sous le masque du*

---

1. *Rapport sur les inscriptions des monuments publics,* par le citoyen Grégoire, *in
Œuvres* de l'abbé Grégoire (reprint), Paris, 1977, vol. II; *Rapport et projet de décret
présenté au nom du Comité d'instruction publique, le 8 août 1793, ibid.* Sur l'histoire
du néologisme lui-même cf. J. Guillaume, « Grégoire et le vandalisme », *Révolution
française*, 1901; F. Brunot, *Histoire de la langue française*, Paris, 1967, t. IX, pp. 857
et suiv.; M. Frey, *Les Transformations du vocabulaire français pendant la Révolution
(1789-1800)*, Paris, 1925, p. 265.

patriotisme ». Allusions vagues que le texte ne précise pas; d'ailleurs, l'impression domine que le réquisitoire contre les « sots » et les « faux patriotes » menaçant les sciences et les talents a été ajouté au dernier moment à un rapport portant sur un autre objet, les travaux sur la bibliographie [1]. Cependant, le contexte même dans lequel s'inscrit ce rapport éclaire ces allusions. En effet, Grégoire parle à la Convention le 22 germinal, dix-huit jours après l'exécution d'Hébert et au moment même où s'ouvre le procès de Chaumette; dans son premier rapport sur le vandalisme, Grégoire formulera plus tard exactement les mêmes reproches en dénonçant, cette fois-ci sans ambages, Hébert. En outre, d'autres documents du Comité de salut public ainsi que du Comité d'instruction publique s'attaquaient à Hébert. Barère, membre du Comité de salut public chargé des problèmes d'instruction, dans son rapport sur la « fabrication révolutionnaire des poudres », en faisant l'éloge des « cours révolutionnaires » qui ont associé les plus grands savants à la formation d'artisans dont la République avait tellement besoin, tonne contre un « complot »; une « ligue » met en péril à la fois la science et la Révolution. « Ce mode révolutionnaire de cours publics est devenu pour le Comité un type d'instruction qui lui servira utilement pour toutes les branches utiles à la République; et vous ne tarderez pas à en sentir le besoin *au milieu d'une ligue vandale ou wisigothe qui veut encore proclamer l'ignorance, proscrire les hommes instruits, bannir le génie, et paralyser la pensée* [2]. »

La formule sur la « ligue vandale », soigneusement frappée, s'inscrit dans le contexte de toute une campagne menée par le Comité de Salut public. En effet, Payan, nommé récemment par le même Comité commissaire de la Commission exécutive

1. Grégoire, *Rapport sur la bibliographie*, présenté au nom du Comité d'instruction publique, le 22 germinal an II, Grégoire, *Œuvres, op. cit.*, vol. II, pp. 208-212; cf. J. Guillaume, *Grégoire et le vandalisme, op. cit.*

2. Barère, *Rapport sur l'état de la fabrication du salpêtre et de la poudre*, présenté le 26 messidor an II, cf. J. Guillaume, *Procès-verbaux..., op. cit.*, vol. IV, p. 820. Sur les cours révolutionnaires qui ont servi d'exemple à l'École de Mars ainsi qu'à l'École normale, cf. B. Baczko, *Une éducation..., op. cit.*, pp. 38 et suiv. En floréal an II le Comité de salut public prend d'ailleurs une série de mesures visant à encourager les arts, les sciences et les beaux-arts. Cf. la longue liste *in* Guillaume, *Procès-verbaux..., op. cit.*, vol. IV, pp. 248-253.

de l'instruction publique, rédige à la même époque un rapport sur « les corrections de l'opéra *Castor et Pollux*; paroles de Bernard, musique de Candeille ». Le prétexte est futile : un « correcteur » a remplacé dans le livret les paroles qui lui semblaient être contraires à la morale républicaine par d'autres, plus conformes. Ainsi, à la place de « présent des dieux », il écrivit « présent du ciel »; à la « divine amitié » il substitua « la céleste raison »; « l'amour te laisse la constance » fut remplacé par « qui suit les lois avec constance », etc. Le procédé était courant en l'an II; dans les pièces anciennes on remplaçait même « monsieur » par « citoyen » et le ci-devant « vous » par le tutoiement républicain... Mais, dès ses premières lignes, le rapport annonce avec véhémence la véritable cible de ses attaques. « L'ignorance, la grossièreté, la barbarie, enfin *tout ce qu'on peut appeler l'hébertisme des arts*, marchaient à la contre-révolution par l'abrutissement de la pensée, comme l'hébertisme politique par les complots, le désordre et le meurtre. » Le rapport devait être envoyé à toutes les sociétés populaires de la République, dans tous ces bourgs et communes où l'on n'a jamais rêvé des spectacles d'opéra. Car le livret de *Castor et Pollux* devint l'exemple d'un vaste complot qui dans le domaine culturel prolongeait de sinistres visées politiques.

> « Jamais on ne vit les attentats contre l'esprit moral d'une nation mieux liés aux forfaits qui attaquent son gouvernement [...]. L'hydre des factions avait dressé toutes ses têtes à la fois, pour enlacer tous les membres du corps politique; on le retrouvait aux théâtres et sur les places publiques, aux tribunes et dans les antres des journalistes; de tous côtés sifflaient ses serpents; partout il distillait ses poisons. »

« La *faux vandale* » s'est abattue ainsi sur toute la culture avec une fureur inouïe. Pour s'emparer du pouvoir et saper le gouvernement révolutionnaire les " factieux " se proposaient « de tout marquer ou plutôt de tout flétrir du cachet de cet homme dont le surnom seul [le père Duchesne] fut d'une platitude révoltante. » Certes, la vertu et la vigilance républicaines, incarnées par le Comité de salut public et par le Tribunal révolutionnaire, ont déjoué le complot d'Hébert. La tâche n'est pourtant pas achevée. La Commission d'instruction publique a comme devoir de « poursuivre les sottises de la littérature, comme le gouvernement a écrasé les crimes d'Hébert; elles en furent les auxiliaires; elles préparèrent leur puissance; elles réapparaissaient avec audace; ainsi vivent encore les *racines d'un arbre* dont la foudre a renversé la tête [1] ».

La dénonciation de l' « hébertisme des arts » ne désigne pas seulement un bouc émissaire sur lequel le pouvoir révolution-naire pouvait rejeter la responsabilité de la « grossièreté et de la barbarie ». Tout un paradigme est ainsi inventé. En effet, la frontière qui séparait « nous », les révolutionnaires éclairés, de la « ligue vandale et wisigothe », se trouve, du coup, déplacée. La représentation du vandale conserve sa fonction première : désigner *l'autre*, opposé à la civilisation et aux Lumières qui sont indissociables de la cause révolutionnaire. Mais cet autre s'est désormais glissé parmi « nous » et cela d'une manière per-fide et ignoble, comme le met en évidence l'idée-image du « complot ». Ceux qui maniaient la « faux vandale » étaient certes des ennemis, mais des ennemis *cachés*. Ainsi s'explique-rait que puissent surgir dans la Révolution tous ces maux – la destruction des monuments, la persécution des savants et artistes, etc. – qui pervertissent sa noble cause. La « barbarie » n'est guère inhérente à celle-ci; au contraire, le fait que les conspirateurs veuillent avilir l' « esprit moral de la Nation » est une preuve supplémentaire de l'identité profonde de la Révolu-tion et des Lumières. Du coup, est également confirmée la vocation culturelle et éducatrice du pouvoir révolutionnaire.

1. « Commission d'instruction publique. Rapport sur les corrections de l'opéra de " Castor et Pollux ", paroles de Bernard, musique de Candeille », *Moniteur*, 7 thermi-dor, an II. Le rapport n'est pas daté; quant à la date probable de son établissement cf. J. Guillaume, *Procès-verbaux...*, *op. cit.*, vol. IV, p. 714. La dénonciation de l' « héber-tisme dans l'art » semble d'ailleurs s'inspirer du réquisitoire lancé par Camille Des-moulins dans *Le Vieux Cordelier* contre Hébert et son langage ordurier et barbare qui compromettait la République. « Mais y a-t-il rien de plus dégoûtant, de plus ordurier que la plupart de tes feuilles? Ne sais-tu donc pas, Hébert, que quand les tyrans d'Europe veulent avilir la République, quand ils veulent faire croire à leurs esclaves que la France est *couverte des ténèbres de la barbarie*, que Paris, cette ville si vantée pour son atticisme et son goût est peuplée de Vandales; ne sais-tu pas malheureux, que ce sont des lambeaux de tes feuilles qu'ils insèrent dans leurs gazettes... comme si c'était le langage de la Convention et du Comité de salut public, comme si tes saletés étaient celles de la Nation; comme si un égout était la Seine » (*Le Vieux Cordelier*, no 5, nivôse, an II). Nous citons d'après l'excellente édition de Pierre Pachet : Camille Desmoulins, *Le Vieux Cordelier*, Paris, 1987, p. 85. Comme on le sait, Desmoulins a été guillotiné le 5 avril 1794, dix jours après l'exécution d'Hébert.

L' « hébertisme des arts » représente une ramification dans le domaine culturel d'un complot essentiellement *politique* qui s'attaquait à ce pouvoir. C'est également par des moyens politiques que l'on devait arracher les racines mêmes du « vandalisme », en démasquant les factieux et en les châtiant avec toute l' « énergie révolutionnaire ». Le discours antivandale, en épousant l'idée de complot hébertiste, s'affirme donc comme un discours *terroriste*; c'est un appel à dénoncer et à punir les coupables, suspects et comploteurs.

Qui est visé par le Comité de salut public quand il lance cette campagne violente contre l' « hébertisme des arts », trois mois après l'exécution d'Hébert lui-même ? Aucun nom précis n'est cité mais l'*isme* indique que l'on pense à tout un système aux ramifications multiples. Pendant le procès d'Hébert, il n'était point question de « vandalisme »; les hébertistes furent accusés d'avoir comploté contre le gouvernement révolutionnaire avec l'appui de l'étranger, sinon sur l'instigation même de Pitt, en dressant contre l'autorité le peuple qu'ils affamaient. Le pouvoir, en prolongeant le « complot » politique en un complot culturel qui se traduirait par la « grossièreté et la barbarie » de la « ligue vandale et wisigothe » persécutant les savants et les arts, semble amorcer toute une offensive culturelle. La « platitude révoltante » du *Père Duchesne* ne symbolisait-elle pas un comportement social et culturel, un langage et un style de vie « populistes », qu'empruntaient en l'an II les élites politiques elles-mêmes [1] ?

Nous ne saurons jamais quelle tournure aurait prise une campagne contre le « vandalisme » menée par les « terroristes » et les « robespierristes ». Le rapport de Payan qui l'annonçait ne fut publié dans le *Moniteur* que le 7 thermidor (le jour même de l'exécution du poète André Chénier...). C'est également dans le contexte de la lutte contre la « ligue vandale et wisigothe » que le Comité d'instruction publique a chargé, le

1. Dans son analyse de l'hébertisme, très discutable dans son ensemble, A. Soboul a pertinemment dégagé la méfiance du pouvoir jacobin à l'égard de l'engouement pour une certaine mode « populiste ». Cf. A. Soboul, *Mouvement populaire et gouvernement révolutionnaire en l'an II, 1793-1794,* Paris, 1973, pp. 372 et suiv., p. 391 (procès de Chaumette).

27 messidor, Grégoire et Fourcroy de « recueillir les faits et de préparer un rapport pour dévoiler les manœuvres contre-révolutionnaires par lesquelles les ennemis de la République tentent de ramener le peuple à l'ignorance, en détruisant les monuments des arts et en persécutant des hommes qui réunissent le patriotisme aux talents [1]. » Si la Convention peut donc rapidement, à peine un mois après le 9 thermidor, élaborer son discours antivandale, pièce maîtresse du discours *antiterroriste*, c'est qu'un rapport contre le « vandalisme » fut déjà commandé en pleine Terreur et que le schéma *terroriste* de « complot vandale » fut inventé et mis en œuvre dans la lutte contre l' « hébertisme des arts ».

ROBESPIERRE-VANDALE...

Des trois célèbres rapports de Grégoire qui marquent une nouvelle étape dans l'évolution du discours sur les « vandales » et consolident le stéréotype de « vandalisme », se dégagent quelques thèmes conducteurs [2].

a) Grégoire présenta ses rapports à la Convention *après le 9 thermidor* (le 14 fructidor an II, le 8 brumaire et le 24 frimaire an III). La coupure qu'ils marquent dans l'élaboration du discours sur le vandalisme est bien évidemment solidaire de la « chute du tyran », coupure qui n'annule cependant pas la *continuité* de la représentation centrale du « complot vandale ». La Convention, qui fait très rapidement de la dénonciation du « vandalisme » le cheval de bataille de sa lutte contre le « robespierrisme » et la « queue de Robespierre » n'a pas, à vrai dire, prêté grande attention aux rapports mêmes de Grégoire. Grégoire, il est vrai, n'était guère chanceux dans le choix des dates de ses interventions. Ainsi, le premier rapport est lu devant une

1. J. Guillaume, *Procès-verbaux...*, vol. IV, p. 819.
2. J. Guillaume a fourni l'édition critique du premier rapport de Grégoire, cf. *Grégoire et le vandalisme, op. cit.* Son commentaire et ses notes, d'une remarquable précision, sont pourtant marqués par la querelle historiographique de l'époque. Les trois rapports sont repris dans Grégoire, *Œuvres, op. cit.*, vol. II.

salle à moitié vide; ce même jour a eu lieu l'explosion de la fabrique de poudres de Grenelle, qui fit de nombreuses victimes et dont on ne connaissait pas encore les origines : accident, sabotage ou prélude à une insurrection « robespierriste ». Les rapports n'ont pas suscité de larges débats et n'ont soulevé aucune objection. La Convention décrète leur impression et le premier rapport est publié à dix mille exemplaires, distribué dans tout le pays où il trouve une large résonance (la Commission temporaire des arts, répondant aux demandes des administrations locales, décide d'en envoyer encore plusieurs centaines d'exemplaires) [1]. Après le deuxième rapport, la Convention décrète une enquête dans tous les districts sur l'état des bibliothèques et des monuments des sciences et de l'art; elle se promet également de mettre « à l'ordre du jour » la lutte contre le vandalisme et d'entendre chaque mois un rapport sur ce sujet. Ces bonnes intentions n'ont duré qu'un mois. Néanmoins, le néologisme « vandalisme » entre définitivement dans le circuit discursif avec le dernier rapport; rapidement assimilé, il revient sans cesse dans les débats de l'Assemblée, dans la presse, dans la correspondance officielle et privée. La « hache du vandalisme », la « fureur du vandalisme », autant d'expressions qui désormais vont de soi. Ainsi, pour prendre un exemple particulièrement savoureux, les administrateurs de Jussey (Haute-Saône) annoncent que le « vandalisme n'a pas eu la barbare satisfaction de rien détruire dans notre administration ». Ils le constatent d'ailleurs avec un double regret. Puisque c'est la preuve qu'hélas, leur arrondissement est dénué de tout monument et, en cela, de toute occasion possible de manifester leur patriotisme et de « lutter avec lui [le vandalisme] pour ravir à sa fureur ce que la lime du temps doit elle-même respecter [2]... ».

b) Les rapports de Grégoire innovent sur un point capital. Contrairement aux dénonciations antérieures de la dégradation des monuments, qui demeuraient générales et floues, le réquisitoire se prolonge désormais par une *longue liste* (qui gagne en

---

1. Cf. L. Tuetey, *Procès-verbaux de la Commission temporaire des arts, op. cit.,* vol. I, p. 515.
2. Lettre à la Commission d'instruction publique, du 22 brumaire, an III; cité d'après P. Riberette, *op. cit.,* p. 96.

ampleur d'un rapport à l'autre) des monuments, « objets de
sciences et d'arts » qui ont été détruits : les ouvrages de Bou-
chardon à Paris; les excellentes copies de la Diane et de la
Vénus de Médicis à Marly; le tombeau de Turenne à Franciade (ci-devant Saint-Denis; cependant Grégoire ne considère
point comme vandale le fait que « la massue nationale y a à
juste titre frappé les tyrans jusqu'à leurs tombeaux » au cours
de la destruction des tombes royales); à Nancy, en l'espace de
quelques heures, « on a brûlé pour 100 000 écus de statues et
de tableaux »; à Verdun on a détruit une Vierge de Houdon; à
Versailles on a brisé une tête de Jupiter qui date de « quatre
cent quarante-deux ans avant l'ère vulgaire »; à Chartres « il
était sans doute utile d'enlever les plombs, car la première chose
est d'écraser nos ennemis », mais l'édifice laissé à découvert ne
cesse de se dégrader; à Nîmes on a détruit des monuments antiques, épargnés même par l'invasion vandale au ve siècle; à Car-
pentras, deux belles figures (de saint Pierre et de saint Paul)
ont été réduites en poudre; dans le département de l'Indre on a
voulu vendre de magnifiques orangers « sous le prétexte que les
républicains ont besoin de pommes et non d'oranges »; des
bibliothèques entières pourrissent dans des dépôts humides et
tout récemment la bibliothèque de l'abbaye de Saint-Germain-
des-Prés fut dévorée par des flammes, etc. Il ne s'agit donc
guère de cas isolés mais d'une « fougue destructrice » qui s'est
abattue sur tout le pays, en n'épargnant aucun département :
« De toutes parts, le pillage et la destruction étaient à l'ordre du
jour. » Les discours grandiloquents de l'époque de la Terreur
sur la « vertu à l'ordre du jour » ainsi que sur la République,
protectrice des arts et des sciences, se heurtent à une réalité
brutale. Certes, dans la longue liste de Grégoire, plusieurs
détails sont inexacts. Aux faits réels s'ajoutent des rumeurs : à
Paris, on se proposait de brûler la Bibliothèque nationale, de
même à Marseille on a voulu incendier toutes les bibliothèques;
on a essayé d'anéantir *tous* les monuments qui honorent la
France... (Nous savons bien pourtant à quel point les informations dont disposait Grégoire étaient partielles et incomplètes et
que sa liste pouvait être beaucoup plus ample et impression-
nante.) Les rapports sur le vandalisme suivent ainsi une ten-

dance plus générale propre au discours antiterroriste : étaler en
plein jour et dans le moindre détail les réalités effarantes de la
Terreur et les confronter avec la rhétorique de la vertu, de la
justice, de la liberté qui cherchait à la fois à justifier et à subli-
mer la répression.

Les rapports de Grégoire sur le vandalisme tissent à partir
du canevas fabriqué par le procès du Comité révolutionnaire de
Nantes, suivi de celui de Carrier. On aménage une gradation
dans l'horreur (le Tribunal révolutionnaire avait ainsi révélé
les massacres prémédités, les noyades, les exécutions sans jugement). De la sorte se constitue un *contre-imaginaire* qui
s'oppose à tout le symbolisme héroïque et exaltant d'un pouvoir
révolutionnaire sans faiblesse mais juste dans son combat
jusqu'à la victoire contre les ennemis et les coupables. La force
et l'agressivité de ce contre-imaginaire venaient, entre autres,
de ce qu'il permettait à la peur refoulée depuis des mois de se
libérer et de se dire sans plus de contraintes.

Cela se traduit par l'extension de plus en plus large que
Grégoire donne à son néologisme. Dès son premier rapport, il
n'évoque pas seulement les monuments et les «objets de
sciences et d'arts» sur lesquels la «barbarie promenait la
hache». Le «vandalisme», ce fut aussi la paralysie des travaux
d'éducation publique; on sabota des projets raisonnables et réa-
listes mais on en favorisait d'autres qui ne pouvaient que plonger la France dans l'ignorance. Le «vandalisme», c'est également «un véritable fanatisme» qui s'acharne à changer
inutilement le nom des communes et dont «la manie est poussée à tel point que, si l'on accédait à des vœux indiscrets, bientôt toute la plaine de Beauce s'appellerait *Montagne*». Le
«vandalisme» n'est pas une suite d'actes individuels et épisodiques; à l'instar de la Terreur, c'était un «système organisé»
qui s'abattait sur les «hommes à talent». De nouveau, les rapports ne se contentent pas de généralités, mais fournissent une
longue liste des savants, artistes, hommes de lettres qui furent
emprisonnés : Dessault, un des premiers chirurgiens d'Europe,
qui, en outre, «forme des élèves pour nos armées»; Bitaube,
«célèbre traducteur d'Homère», a gémi neuf mois dans une
prison; il avait pourtant fait preuve de son patriotisme; La

Chabeaussière, auteur du *Catéchisme révolutionnaire*, Fran-
çois-Neufchâteau, Volney, Chamfort, qui a attenté à ses jours,
Rouget de L'Isle, qui « par son hymne a peut-être donné cent
mille hommes à nos armées » : tous emprisonnés. La petite-fille
de Corneille, hébergée autrefois par Voltaire, fut détenue quatorze mois « sous le règne des Vandales » et n'a même pas « un
lit pour reposer sa tête » [1]. Et pour finir, l'exemple le plus bouleversant, qu'il faut « transmettre à l'histoire » : celui de Lavoisier qui exprimait le désir « de ne monter que quinze jours plus
tard à l'échafaud, afin de compléter des expériences utiles à la
République ». Dumas (président du Tribunal révolutionnaire)
lui répondit : « Nous n'avons plus besoin de chimistes. » (On
sait que cette phrase, promise à un bel avenir, ne fut jamais
prononcée et que les faits rapportés par Grégoire ne sont pas
exacts.) Avec cette évocation du supplice de Lavoisier – une
gloire de la science française et de la science tout court – l'élaboration du contre-imaginaire franchit un pas important. La
cause « antivandale » trouve ainsi son martyr et, du coup, son
symbole. Car les noms des « hommes à talent » les plus célèbres
ne sont que des exemples d'un « système désorganisateur qui
repoussait tous les talents ». Le même Dumas n'aurait-il pas
dit qu'il « fallait guillotiner tous les hommes d'esprit » ? A
Strasbourg on « emprisonnait les professeurs »; à Dijon « l'on
chassait les instituteurs et les médecins pour leur substituer des
ignorants »; partout « dans les places où il fallait de la tête, se
trouvaient des hommes qui n'avaient que des bras ». Dans toute
la France « il fallait paralyser ou anéantir les hommes de génie
[...] il fallait leur refuser indistinctement des certificats de
civisme, crier dans les sections : *Défiez-vous de cet homme, car
il a fait un livre* ». Cela ne fait donc aucun doute : si pendant
« toute une année de terreur et de crimes la barbarie étendait un
crêpe sur le berceau de la République », c'est qu'il existait « *un
projet de tarir toutes les sources de lumières* », d'anéantir « tous
les monuments qui honorent le génie français [...] en un mot *de
nous barbariser* ». Projet vandale, digne de ces « nouveaux
iconoclastes » plus fougueux que les anciens. Projet prémédité

1. Cas évoqué par J.-M. Chénier, dans son rapport sur la protection des hommes de
sciences, du 14 nivôse an II, qui prolonge la liste donnée par Grégoire.

qui ne s'explique pas par l'ignorance, laquelle, en elle-même, n'est pas toujours un crime. Derrière celle-ci se cachait « *un esprit contre-révolutionnaire* ».

c) Les rapports de Grégoire apportent à leur tour une réponse à la question troublante : comment le vandalisme pouvait-il frapper au cœur même de la Révolution pour que celle-ci en portât la responsabilité ? Grégoire reprend les accusations anciennes contre les « aristocrates », les « fripons », les « spéculateurs et agioteurs ». Leurs activités n'expliquent pourtant pas l'ampleur et le caractère systématique que le vandalisme a pris, malgré les nombreux décrets du pouvoir révolutionnaire. Pour comprendre ses causes cachées, il faut se référer « à une série de faits dont le rapprochement est un trait de lumière ». Sont alors dénoncés les « anciens conspirateurs », démasqués déjà sous la Terreur, hébertistes et dantonistes confondus, ceux-là mêmes auxquels Grégoire faisait allusion avant Thermidor, sans les avoir pourtant nommés. Cette fois-ci, les noms sont prononcés : Hébert, qui « insultait à la majorité nationale en avilissant la langue de la liberté »; Chaumette, qui « faisait arracher des arbres sous prétexte de planter des pommes de terre »; Chabot, qui « disait qu'il n'aimait pas les *savants* » et qui avec ses complices « avait rendu ce mot synonyme de celui d'*aristocrates* ». Hanriot, lui, voulait « renouveler ici les exploits d'Omar dans l'Alexandrie »; il proposait de brûler la Bibliothèque nationale, et « l'on répétait sa motion à Marseille ». Tombe, finalement, le nom clé : Robespierre, l' « infâme Robespierre », le « cruel Robespierre », qui « a soufflé le vandalisme dans toute la République ». On est encore effrayé de la rapidité avec laquelle les « conspirateurs », Robespierre et ses acolytes, « démoralisaient la nation et nous ramenaient par la barbarie à l'esclavage. Dans l'espace d'une année ils ont failli *détruire le produit de plusieurs siècles de civilisation* [...]. Nous étions sur le bord de l'abîme ». Le sujet d'un tableau de Franck heureusement sauvé de la main des vandales s'est révélé, hélas, prophétique : « On y voit l'ignorance brisant des sculptures, tandis qu'un barbare armé de torches s'occupe à incendier. » Le « vandalisme » figure symbolique, trouve ainsi une nouvelle incarnation : Robespierre exploitait l'ignorance et déclenchait la « fureur iconoclaste ». Son « complot vandale » avait donc un double objectif : s'attaquer à la Révolution et aux Lumières. Ou plutôt, ce n'étaient que les deux masques d'un seul et même projet global puisque les deux causes, celle de la Révolution et celle des Lumières, n'en font qu'une seule.

En dénonçant « Robespierre-vandale », Grégoire suit exactement le même schéma qui fut mis en place en pleine Terreur, en messidor an II, contre l' « hébertisme des arts ». Si les vandales se sont retrouvés, bel et bien, « parmi nous », cela ne peut s'expliquer que par le complot des « ennemis cachés ». Le schéma terroriste est simplement retourné contre les « terroristes », ce qui en soi est un phénomène remarquable et révélateur des particularités de la période thermidorienne. Pour paraphraser la formule de Payan (accusé de « robespierrisme » et de « vandalisme », il se cachait depuis le 9 thermidor pour échapper à la répression), le « vandalisme », c'est le « robespierrisme des arts », le prolongement et le complément de la Terreur dans le domaine culturel. Dans le schéma du « complot » les figures de « conspirateurs » sont, nous l'avons dit, interchangeables. Mais en fonction des incarnations concrètes de cette figure, le fantasme du « complot vandale » revêt de nouvelles significations, de même que changent les enjeux politiques et culturels de son exploitation et de sa manipulation [1].

Les rapports de Grégoire amplifient et érigent en système un thème qui pointait dans le discours politique dès le lendemain de la « chute du tyran ». En effet, dans le fantasme du « complot robespierriste » diffusé par la propagande thermidorienne, une place de taille revient aux ramifications du « complot » dans le domaine culturel. Déjà, le 11 thermidor, dans son premier rapport sur la « grande journée » qui a sauvé la République de l' « atroce conspiration », Barère dénonçait, entre autres crimes des « factieux », le plus essentiel à leur plan perfide : le projet « d'empoisonner la source la plus précieuse, celle de l'instruction publique [2] ». Le 13 thermidor, aux Jacobins, au cours

---

1. Dans les paragraphes consacrés aux rapports de Grégoire, toutes les citations (sauf autre référence) sont tirées de ses trois rapports sur le vandalisme, cf. Grégoire, *Œuvres, op. cit.*, vol. II.

2. Cf. *Moniteur*, l.c., vol. XXI, p. 359.

d'une séance qui voit les membres déchaînés de la Société se livrer à des dénonciations réciproques, dans la méfiance et la peur généralisées, Hassenfratz s'exclame : « L'ombre de Robespierre plane-t-elle en ce moment sur cette enceinte ? C'est en effet par les dénonciations individuelles que ce tyran, divisant tout, brouillant tout, voulait établir son autorité et régner despotiquement sur l'opinion, et nous retenir sous le joug [...]. Que la Société s'occupe en ce moment d'un objet plus digne de son attention : je veux parler de l'instruction publique que le tyran ne cessait pas d'écarter pour mieux parvenir à son but en dominant sur des ignorants et des aveugles [1]. »

On retrouve là assurément une énième variante du thème amplement brodé : les « vrais » Jacobins étaient eux-mêmes victimes du « tyran », et ils doivent maintenant serrer les rangs et affirmer leur unité, mais également l'accusation qui établissait un trait d'union entre Robespierre-tyran et Robespierre-vandale, entre le terrorisme et le vandalisme. Du coup, elle permettait de présenter l'un et l'autre phénomène comme les instruments de la même conspiration, et, partant, de les exorciser.

Pour mieux comprendre comment fonctionne ce discours qui accuse et disculpe à la fois, il n'est pas sans intérêt de dégager, de ce flot de paroles thermidoriennes, les faits précis qui sont reprochés à Robespierre comme preuves de son « vandalisme ». Ce n'est pas chose facile. En effet, l'image de « Robespierre-vandale » devient, notamment après les rapports de Grégoire, si stéréotypée que très souvent on se contente ou bien de la répéter comme une sorte d'évidence, ou bien de renchérir par des exercices rhétoriques et démagogiques, tel, par exemple, celui de Fréron dénonçant « ce nouvel Omar qui voulait brûler les bibliothèques [2] ». Quelques accusations furent plus précises. Fourcroy, qui se distinguait par ses attaques contre le « vandalisme » du « dernier tyran », affirmait : « Il ne savait rien, il était d'une ignorance crasse, il ramassait des pièces d'accusation contre quelques-uns de ses collègues amis des Lumières et

---

1. *Ibid.*, p. 540.
2. *Ibid.*, p. 645, intervention à la séance du 14 fructidor an II, pendant le débat sur le premier rapport de Grégoire.

des sciences, qu'il aurait conduits à l'échafaud ; le dernier tyran vous a présenté cinq à six discours dans lesquels, avec un art atroce, il déchirait, calomniait, abreuvait de dégoûts et d'amertumes tous ceux qui s'étaient livrés à de grandes études, tous ceux qui possédaient des connaissances étendues. »

Lindet dans son rapport dressant le bilan de l'an II n'hésite pas à reprocher à Robespierre de n'avoir jamais osé « envisager un savant ou un homme utile » ; ou J.-M. Chénier qui le qualifie d' « ambitieux ignorant » qui est tombé « peu à peu dans une honteuse barbarie » ; ou encore Jean Débry qui accuse le « tyran », « un homme dont la jalousie ne put jamais souffrir l'idée, je ne dirai pas de la supériorité, mais de l'égalité », d'avoir pour ces raisons retardé la panthéonisation de Rousseau [1]. Traits de caractère, certes, mais propres à la personnalité de tout tyran. La preuve majeure du « vandalisme » de Robespierre, sinon la seule plus ou moins concrète, sur laquelle on revient avec insistance, c'est le rapport du 13 juillet 1793 sur l'instruction publique. Comme on le sait, Robespierre présenta et appuya le plan d'éducation trouvé dans les papiers de Michel Le Peletier. Ce plan adoptait, comme principe, notamment, que l'enfant appartient à la Patrie et que les parents n'en sont que des dépositaires ; il proposait donc une éducation obligatoire et commune pour tous les enfants, de cinq à douze ans, séparés de leur famille et groupés dans des maisons communes, mi-internats, mi-casernes. Or, « ce qui, chez Le Peletier, n'était qu'une erreur, était un crime chez Robespierre. Sous prétexte de nous rendre spartiates, il voulait de nous faire des ilotes et préparer le régime militaire, qui n'est autre que celui de la tyrannie [2] ». Ce plan, « inexécutable dans les circonstances où se trouvait la République », n'était présenté que « pour qu'il n'y eût point d'éducation [pour] détruire à la fois tous les établissements publics, sans rien mettre à leur place [3] ». Marqué par « le sceau de la tyrannie stupide », il introduisait « la disposition

1. Fourcroy, intervention à la séance du 14 fructidor, an II, *Moniteur*, vol. XXI, p. 645 ; Lindet, Rapport présenté à la séance de la quatrième sans-culottide, an II, *Moniteur*, vol. XXII, p. 21 ; Débry, intervention à la séance du 6 fructidor an II, *Moniteur*, vol. XXI, p. 574.

2. Grégoire, « Premier rapport sur le vandalisme », *Œuvres, op. cit.*, vol. II.

3. Fourcroy, *Rapport sur l'établissement de l'École centrale des travaux publics*, 3 vendémiaire, an III ; *in* B. Baczko, *op. cit.*, p. 459.

barbare qui arrachait l'enfant des bras de son père, faisait une dure servitude du bienfait de l'éducation et menaçait de la prison, de la mort les parents qui auraient pu et voulu remplir le doux devoir de la nature [1] ».

Passons sur l'amalgame évident : Robespierre n'a pas « imposé » le plan de Le Peletier, mais la Convention l'avait bel et bien accepté après un long débat, tout en supprimant d'ailleurs la clause de l'obligation scolaire. Ce plan, jamais mis en pratique, fut rapporté en pleine Terreur : accuser Robespierre, c'était, dans ce cas comme dans plusieurs autres, un moyen de décharger les conventionnels de toute responsabilité d'un passé terroriste dans lequel ils avaient trempé mais ne voulaient plus se reconnaître. L' « affaire » du plan Le Peletier était censée apporter une preuve, sinon *la* preuve, que Robespierre, mariant l'ignorance à la Terreur, voulait ériger la *barbarie en système*. Du coup, elle mettait en évidence la perfidie de cette « conjuration contre les progrès de la raison humaine », du « système qu'ils [les derniers conspirateurs] avaient suivi pour éteindre le flambeau de l'instruction », de « cet atroce projet, éclatant dans toute sa force », qui tendait à faire « reculer de plusieurs siècles la marche de l'esprit humain et ses incroyables progrès en France ». Ainsi tout se tient : les actes de vandalisme se présentent comme des manifestations et des ramifications de la « vaste conjuration ourdie, avec la plus dangereuse et la plus perfide adresse, par les derniers conspirateurs », dont Fourcroy se charge de dresser « une légère esquisse » :

> « Persuader au peuple que les lumières sont dangereuses et qu'elles ne servent qu'à le tromper; saisir toutes les occasions de déclamer vaguement, et à leur manière constante, contre les sciences et les arts; accuser jusqu'au don de la nature et proscrire l'esprit; tarir toutes les sources de l'instruction publique, pour perdre en quelques mois le fruit de plus d'un siècle d'efforts pénibles; proposer la destruction des livres, avilir les productions du génie, mutiler les chefs-d'œuvre des arts sous des prétextes astucieusement présentés à la bonne foi; placer près de tous les dépôts précieux pour les arts et les lettres la torche d'Omar pour les

---

1. Daunou, *Rapport sur l'instruction publique du 23 vendémiaire an II, ibid.*, p. 509.

incendier au premier signal; arrêter sans cesse par des frivoles
objections les projets d'instruction proposés dans cette enceinte, [...]
en un mot anéantir toutes les choses et tous les hommes utiles à
l'instruction [1]. »

Un tel acharnement et une telle perfidie ne s'expliquent que
par l'objectif même poursuivi par le « tyran » : « *On voulait
rendre la France barbare pour l'asservir plus sûrement* [2]. » Le
discours thermidorien prend ainsi en charge et exploite jusqu'à
l'usure l'idée maîtresse de « tout esprit éclairé » : la tyrannie
repose naturellement sur l'ignorance et, du coup, porte une
haine incommensurable aux Lumières et leur diffusion. L'instruction, en revanche, les « progrès de l'esprit humain », les
acquis de la « civilisation » sont indissociables de la liberté et,
partant, de la République. Robespierre-tyran et Robespierre-
vandale ne font qu'un : le « complot vandale » était le plus perfide et le plus sûr moyen de donner l'assise la plus ferme à la
tyrannie. L'existence de ce complot, son ampleur et ses effets
destructeurs ne prouvent-ils pas, à leur tour, que le « cruel
Robespierre » aspirait à la tyrannie absolue, pire encore que
celle que la Révolution avait abolie? Ainsi s'expliquerait, par
la tautologie, que le « phénomène vandale », étranger à la *cause
révolutionnaire*, à la Révolution en majuscule, fût inhérent au
cours des *événements révolutionnaires*.

Il ne nous appartient pas d'analyser ici les ramifications
multiples du discours antivandale qui au long de la période
thermidorienne et, ensuite, sous le Directoire, devient protéiforme, au point de perdre ses contours. Deux orientations de ce
discours lui permirent d'assumer des fonctions spécifiques dans
le système de représentations thermidorien. Le discours antivandale épouse la logique du discours antiterroriste dans son
ensemble. Comme nous l'avons observé, celui-ci s'élargit rapidement de la dénonciation de Robespierre-tyran aux accusations, de plus en plus violentes et amples, de la « queue de
Robespierre », des « buveurs de sang », des « Jacobins scélérats », etc. De même, le discours antivandale, après avoir atta-

1. Fourcroy, *Rapport du 3 vendémiaire, an III, ibid.*, pp. 458-459.
2. Lindet, Rapport présenté à la séance de la quatrième sans-culottide, *op. cit.*

qué Robespierre-vandale, s'en prend violemment aux « vandales » (on dit aussi « vandalistes »), agents scélérats de la
Terreur et du vandalisme. Autrement dit, le discours antivandale s'intègre, comme une partie, au *discours de la revanche*
contre les « terroristes ». A la volonté de vengeance il apporte
une légitimation complémentaire : les « buveurs de sang » et les
« cannibales » sont autant d'ennemis des Lumières. Ils sont précisément ces *autres* que désigne le terme « vandale ». Poussé à
son terme, le discours antivandale insiste sur leur *altérité radicale* au point de se retourner en appel violent à l'*exclusion* des
vandales. Mais combattre le « vandalisme », c'est également, et
contradictoirement s'orienter dans une tout autre direction
impliquée par l'ambiguïté notoire, héritée des Lumières, dont
sont frappés les termes de « barbares » et de « vandales ». Si les
« barbares » sont *autres*, en certaines circonstances l'*altérité
n'est pas insurmontable*. Les « barbares » appellent, pour ainsi
dire, sur eux l'activité qui les fera évoluer, « adoucira » leurs
mœurs, les éclairera, bref, l'activité civilisatrice. Poussée à ses
limites, cette orientation du discours antivandale tend donc à
légitimer l'inclusion des « barbares », leur accession-ascension
progressive à la *civilisation,* grâce à l'action protectrice et pédagogique, impliquant une surveillance bienveillante, du pouvoir
révolutionnaire et, partant, de ses élites éclairées.

La schématisation est certainement excessive puisqu'en réalité ces deux tendances furent assez rarement poussées à
l'extrême, s'opposèrent l'une à l'autre. Mais précisément parce
qu'elles s'enchevêtrèrent jusqu'à se confondre, il nous semblait
utile de mettre en évidence le caractère à première vue paradoxal de leur complicité.

VANDALES ET CANNIBALES

« Dans la plupart des communes, est encore un petit Robespierre; et tandis que le moderne Catilina a expié sa férocité sur
l'échafaud, ses lieutenants sont tranquilles. Dans les divers lieux
où les arts ont reçu tant d'outrages, les auteurs, pour la plupart,

sont connus, et les agents nationaux deviennent complices en ne les dénonçant pas aux accusateurs publics [1]. »

En gagnant en ampleur, en appelant à traquer les « petits Robespierre », le discours antivandale (quelles que fussent d'ailleurs les intentions de Grégoire lui-même) ne visait pas uniquement ceux qui avaient directement contribué à la destruction des monuments et des œuvres d'art. Il s'attaquait à tous ceux qui pendant la Terreur exerçaient le pouvoir sur le terrain, à tous les membres des comités révolutionnaires et militants sans-culottes, exécutants de la répression inspirée d' « en haut » par le pouvoir central, mais également organisateurs et agents actifs de la terreur réalisée sur place. En passant de la dénonciation du « complot » de Robespierre et de ses acolytes, groupe restreint, à la poursuite des « petits Robespierre » disséminés dans tout le pays, Grégoire épouse la logique de tout le discours antiterroriste qui de la dénonciation du « tyran » progresse à grands pas dans ses attaques vers le « robespierrisme » en tant que « système de la terreur ».

Cette évolution du discours marque un changement remarquable dans la représentation des « vandales ». Les « petits Robespierre » ne sont pas considérés comme des instruments aveugles dans la main du « tyran ». Ils n'étaient pas mystifiés par le complot machiavélique, ce qui les aurait, en quelque sorte, disculpés; ils se reconnurent en lui. S'affirme de plus en plus dans le discours thermidorien, en l'espace de quelques mois, le sentiment de haine et de vengeance contre tous ceux qui, sortis d' « en bas », se sont emparés du pouvoir et ont tyrannisé, emprisonné, humilié des « bons citoyens ». « Des bourreaux régnaient, des fripons s'enrichissaient, des ignorants remplissaient les places », répète sans cesse Tallien dans son journal [2]. Le « tyran » voulait dégrader la Nation en exacerbant les penchants les plus néfastes et les plus cruels de la nature humaine. Du coup, se sont portés vers lui spontanément des criminels, des égorgeurs, des voleurs, comme l'avait mis en évidence le procès du Comité révolutionnaire de Nantes. Durant l'hiver 1794-1795, le discours thermidorien dispose

1. Grégoire, « Troisième rapport... », *Œuvres, op. cit.*
2. *L'ami des citoyens. Journal du commerce et des arts*, n° 5, 5 brumaire an III.

d'un vocabulaire particulièrement agressif pour désigner ces « petits Robespierre » : les anciens terroristes, le personnel des comités révolutionnaires, ce sont des anthropophages, des cannibales, des buveurs de sang humain. Injures et invectives, certes, mais qui traduisent des fantasmes dont l'emprise est bien réelle. Au cours du procès du Comité révolutionnaire de Nantes, ne vint-on pas témoigner que pendant les séances, les membres de la société populaire se livraient à un rite cruel, sorte de contre-messe : en signe de solidarité, chacun buvait dans une coupe remplie de sang ? « Cannibales », ceux qui sont hors *la civilisation,* « monstres » qui, par leur nature cruelle et sauvage, se sont eux-mêmes condamnés à l'exclusion de la société, sinon à l'extermination pure et simple. Ainsi le proclamait *Le Réveil du peuple,* cette contre-*Marseillaise* de la « jeunesse dorée », véritable appel à la vengeance meurtrière, chantée dans les salles de théâtre, dans les cafés, sous les arcades du Palais National (ci-devant Palais-Royal) :

> Peuple français, peuple de frères
> Peux-tu voir sans frémir d'horreur
> Le crime arborer les bannières
> Du carnage et de la terreur ?
>
> Tu souffres qu'une horde atroce,
> Et d'assassins et de brigands
> Souille par son souffle féroce
> Le territoire des vivants.
>
> Quoi ! Cette horde anthropophage
> Que l'enfer vomit de son flanc,
> Prêche le meurtre et le carnage !
> Elle est couverte de ton sang !
>
> Quelle est cette lenteur barbare ?
> Hâte-toi, peuple souverain,
> De rendre aux monstres du Ténare
> Tous ces buveurs de sang humain
>
> Mânes plaintifs de l'innocence
> Apaisez-vous dans vos tombeaux
> Le jour tardif de la vengeance
> Fait enfin pâlir vos bourreaux

> Oui, nous jurons sur votre tombe
> Par notre pays malheureux
> De ne faire qu'une hécatombe
> De ces cannibales affreux [1].

Cannibales, mais également barbares et vandales. Dans l'imaginaire et le langage thermidoriens, les deux représentations se complètent jusqu'à se confondre. Ainsi, Babeuf utilise les deux termes comme synonymes en dénonçant les crimes de la Terreur, « horreurs dont les siècles et les nations s'étonnent », à la fois comme « cannibalisme affreux » et comme « fruits de la barbarie [2] ». Les deux termes ont en commun une même fonction d'exclusion infamante, de mise au ban de la civilisation ; ils flétrissent des « ennemis du genre humain » sortis de l'univers des ténèbres, du crime et du meurtre. A une nuance près pourtant, pour autant qu'il soit possible de saisir des nuances dans cette violence verbale paroxystique, qui, ne l'oublions pas, légitime, excite et orchestre la violence physique, la chasse aux « Jacobins » et aux « terroristes » : le « cannibale », le « buveur de sang » symbolise la terreur sanglante, celle des proscriptions, de la guillotine, de la prison ; le « vandale », lui, personnifie la tyrannie de l'ignorance, de l'anticulture. Le « vandale », c'est, pour ainsi dire, l'autre face du « cannibale », l'anthropophage de la culture. Le règne de la Terreur n'a pas seulement entraîné les massacres et la mort d'innocents (on ne lésine pas sur les chiffres : des dizaines de milliers, des centaines de milliers, on parle même de millions...). La Terreur, c'est également le vandalisme triomphant et, du coup, l'image désolante de la Nation plongée dans les ténèbres de l'ignorance.

> « La tyrannie a trouvé dans l'ignorance un appui presque insurmontable ; et le *vandalisme barbare,* enfant de la tyrannie elle-même, est venu lui prêter de nouvelles forces. Pendant que les échafauds étaient inondés du sang des victimes, tous les monuments des beaux-arts, tous les dépôts de la science, tous les sanctuaires des lettres étaient en proie à l'incendie et à la dévastation des tyrans.

1. *Couplets chantés à la réunion des citoyens de la section de Guillaume Tell,* paroles du citoyen Souriguère, musique du citoyen Gaveaux; *Le Réveil du peuple* fut exécuté la première fois en public le 2 pluviôse an III et publié le lendemain par *Le Courrier républicain.* Cf. A. Aulard, *Paris pendant la réaction thermidorienne et sous le Directoire,* Paris, 1898, vol. I, pp. 408-411.
2. Babeuf, *On veut sauver Carrier..., op. cit.,* p. 12.

Ces féroces ennemis de l'humanité ne consentaient sans doute à laisser éclairer momentanément leurs forfaits que par la lueur des bibliothèques incendiées, que parce qu'ils espéraient que les ténèbres de l'ignorance ne deviendraient que plus épaisses. Les barbares! ils ont fait rétrograder l'esprit humain de plusieurs siècles; ils ont voulu ravir à la France les plus beaux titres de sa gloire; ils ont semblé conspirer essentiellement à la déposséder de cette dictature qu'elle a toujours exercée sur les nations, celle de l'instruction du génie [1]. »

On reconnaît facilement dans cette tirade les thèmes essentiels des rapports de Grégoire, mais amplifiés, exagérés, portés à l'hyperbole par une rhétorique rodée tout au long de la Révolution (ainsi Grégoire ne parlait que des intentions d'incendier les bibliothèques; à en croire Boissy d'Anglas, elles ont effectivement toutes brûlé). Cependant, la dénonciation du vandalisme excède son aire initiale : le vandalisme n'est plus uniquement la destruction des monuments, livres, œuvres d'art; c'est désormais tout un style de vie, un type de comportement et un langage, que la Terreur a imposés au pays et, notamment, aux gens cultivés. Ou plutôt, c'est l'inverse d'un style de vie, la négation même de la culture. Les « cannibales », ceux qui régissaient la Terreur, étaient des ignares et des infâmes, des crasseux et des brutes qui ne parlaient pas même un langage civilisé. Ainsi La Harpe, qui vient d'être libéré de prison, dénonce le vandalisme : « Cette guerre déclarée par nos derniers tyrans à la raison, à la morale, aux lettres et aux arts », et en dresse le tableau effrayant :

« Il me semble les voir encore ces brigands, sous les noms de patriotes, ces oppresseurs de la nation, sous le nom de magistrats du peuple, se répandre en foule parmi nous avec leur vêtement grotesque qu'ils appelaient exclusivement celui du patriotisme, comme si le patriotisme devait être nécessairement ridicule et sale; avec leur ton grossier et leur langage brutal qu'ils appelaient républicain, comme si la grossièreté et l'indécence étaient essentiellement républicaines [2]. »

1. Boissy d'Anglas, *Discours préliminaire au projet de constitution de la République française*, prononcé dans la séance du 5 messidor an III, Paris, Imprimerie nationale.
2. J.-F. La Harpe, *De la guerre déclarée par nos derniers tyrans à la raison, à la morale, aux lettres et aux arts,* discours prononcé à l'ouverture du Lycée républicain le 31 décembre 1794, Paris, an IV, p. 4.

Autant que les monuments détruits, c'est le langage ordurier utilisé par les fonctionnaires et les représentants en mission et considéré comme vraiment « populaire » et « patriotique », que Cambry dénonce, y voyant le symbole global du vandalisme, le « trait qui fait le mieux connaître l'avilissement des corps constitués à cette époque [...], jours de fureur, d'ignorance, d'imbécillité, de brutalité ¹ ».

Ainsi s'amplifie, par la représentation des « vandales-cannibales », le discours sur le vandalisme. La destruction des livres et des œuvres d'art, son point de départ, n'est plus qu'un singulier épiphénomène d'un drame plus universel, l'*enca-naillement* et de la France et de la Révolution. Car ces « petits Robespierre » dont parlait Grégoire, c'est tout simplement la *canaille au pouvoir*. Déguisée en patriotes et révolutionnaires, cette canaille ne se contentait pas d'égorger les honnêtes gens, de semer la terreur, de piller et de voler. Elle avilissait toute la vie publique en la plongeant dans la barbarie. Cette canaille, les bas-fonds de la société, est spontanément ennemie des gens éclairés et de la culture, qui lui répugnent. Quelle meilleure image de la canaille vandalisant la France que celle donnée par la comédie de Ducancel *L'Intérieur des Comités révolution-naires ou les Aristides modernes,* qui connut un immense succès au printemps de l'an III ² ? La pièce présente un comité révolu-tionnaire où s'est déposée la lie du peuple, escrocs, anciens laquais ou portiers de maison, chevaliers d'industrie, etc. Plus personne ne s'y prénomme Jeannot ou Pierrot, mais chacun désormais se fait appeler Torquatus, Brutus ou Caton. Faute de parler français, ils s'expriment dans un patois grotesque.

Vilain, une lettre à la main, reconnaissant Torquatus : Tiens, c'est Fétu, le rempailleur; bonjour donc, mon ami Fétu.

1. Cambry, *Voyage dans le Finistère ou état de ce département en 1794 et 1795,* Paris, an VIII, t. III, pp. 93-94.
2. *L'Intérieur des Comités révolutionnaires ou les Aristides modernes,* comédie en trois actes en prose par le citoyen Ducancel (C.-P.), Paris, s.d. La scène se passe au Comité révolutionnaire de Dijon (en fructidor an II, la société populaire de Dijon avait envoyé à la Convention et aux Jacobins une adresse condamnant le « modérantisme » et l'élargissement des détenus; cf. ci-dessus). Sur l'accueil triomphal réservé à la pièce, cf. E. et J. Goncourt, *Histoire de la société française pendant le Directoire,* Paris, 1864, pp. 122 et suiv. L. Moland, *Théâtre de la Révolution,* Paris, 1877, pp. XXVI-XXVII.

Torquatus : Qu'appelles-tu Fétu; je sommes Torquatu.
Vilain : Va pour Torquatu. C'est pis qu'une rage, on ne reconnaît aujourd'hui ni les hommes ni les rues.
Torquatus : Les patriotes s'appelons tous par des noms romains. Tiens, j' voulons te dépatiser toi, et t'appeler César, Dam! C'est stila qu'était un fier républicain.

[La lettre adressée au Comité provoque la panique : tous ses membres sont analphabètes.]

Torquatus, bas à Brutus : Brutus, sais-tu lire, mon ami?
Brutus, bas à Torquatus : Hélas, je ne suis encore qu'à l'alphabet; si tu savais comme c'est difficile d'apprendre à lire.

Coiffés de leurs bonnets rouges, habillés de carmagnoles aussi crasseuses que leurs bonnets, ces membres du Comité révolutionnaire sont tous des partisans ardents de la Terreur et de leur idole Robespierre. Illettrés, ils décident pourtant de la délivrance des certificats de civisme; ignares, ils procèdent aux interrogatoires et flairent partout des agents de l'étranger, bien que Barcelone ne soit, pour eux, qu'un chef-lieu lointain d'un district quelque part en France, dans un département qui s'appelle Catalogne. Mais tous se révèlent prodigieusement habiles pour manipuler la société populaire par des slogans révolutionnaires exprimés dans leur langage ridicule et efficace. Ils manient à merveille l'arme de la dénonciation. Les honnêtes gens, ils les incarcèrent pour s'emparer de leurs biens, mais également parce qu'ils haïssent leur éducation, leur culture, ce savoir dont ils disposent et ces livres qu'ils savent lire. Ils s'acharnent notamment sur le seul membre du Comité, « négociant, honnête homme persécuté, agent municipal », qui s'oppose à leurs activités néfastes en risquant sa vie et dont le fils combat aux frontières pour défendre son pays. Ils montent contre lui des accusations fausses, absurdes pour le faire arrêter et, du coup, se partager sa fortune. Ils auraient réussi (passons sur les détails de l'intrigue) sans la fameuse lettre, enfin décachetée et lue, qui apportait l'heureuse nouvelle que « les infâmes triumvirs sont enfin abattus » (« Oh! le vertueux, l'incorruptible Robespierre », s'écrie alors, tout écrasé, Caton, l'ancien laquais escroc) et que « les partisans de la terreur et les buveurs de sang seront poursuivis ». Ainsi, la vertu et la justice triomphent sur la canaille, et, avec elles, la raison et les Lumières l'emportent sur l'ignorance et la barbarie. La morale de la pièce est formulée par son héros positif, le jeune officier, fils de « l'honnête homme et négociant persécuté » :

> « Tant que l'éducation n'aura point propagé les lumières et la raison dans toutes les classes de la société, le peuple aura toujours besoin d'hommes éclairés et purs pour diriger son énergie et régler ses mouvements. »

La pièce de Ducancel (qui était royaliste) fut finalement interdite, après une centaine de représentations à Paris (elle fut également jouée avec le plus grand succès dans plusieurs villes de province). Elle faisait scandale, car au-delà des « vandales-cannibales », elle dénonçait et ridiculisait le pouvoir révolutionnaire en tant que tel. Les Brutus, les Tarquinus et les Caton, c'est, certes, la canaille et dans la pièce apparaît vaguement, comme en coulisse, un peuple bon (symbolisé d'ailleurs par la fidèle jeune servante de l'honnête homme persécuté) qui se réjouit du triomphe de la raison et de la vertu. Mais ce peuple qui se laissait manipuler par les grands et petits Robespierre, par tous ces Caton-escrocs, est-il, vraiment, sans faute? Le patois vulgaire et ridicule, le langage ordurier, le tutoiement symboles du vandalisme triomphant et qui pervertit l'esprit public, ne constituent-ils pas son parler quotidien? En pleine expansion, procédant par élargissement, le discours sur le vandalisme glisse vers la remise en question de la représentation clé du système symbolique révolutionnaire, le peuple souverain.

UN PEUPLE À CIVILISER, UN POUVOIR CIVILISATEUR

Le premier ventôse an III, les délégations de la section de la Halle-au-Blé et de celle du Bonnet-Rouge (qui renoncera rapidement à ce nom) sont admises à la barre de la Convention. Dans leurs adresses, elles félicitent celle-ci d'avoir entamé l'enquête contre les membres de l'ancien Comité de salut public, ce gouvernement qui « accabla notre patrie de plus de maux, en quinze mois, que tous les tyrans du genre humain ne lui en firent souffrir en quinze siècles ». On félicite également les législateurs d'avoir décrété l'expulsion des cendres de Marat du Panthéon et d'avoir ainsi rappelé à l'ordre « un honteux enthousiasme ». La section de la Halle-au-Blé dénonce violemment les membres des comités révolutionnaires, ces « hommes farouches qui ont fait tant de mal » et qui, « atroces ou imbéciles qu'ils soient », doivent être mis dans l' « impossibilité de nuire ». Elle appelle les législateurs à être encore plus énergiques et à aller courageusement en avant : pour effacer le souvenir de ces quinze mois atroces et pour rétablir l'unité du peuple français,

> « faites disparaître tous ces monuments qui rappellent vos anciennes divisions; que cette Montagne, élevée en face des Invalides, qui a enfanté tant de Montagnes; que ces jours qui déshonorent sa base, que les reptiles qu'on y voit et qui rappellent d'odieuses dénominations; que cette figure que le géant écrase, figure allégorique et chimérique comme le fantôme dont elle est l'emblème, disparaissent et ne rappellent de douloureux souvenirs ».

Propositions accueillies par les applaudissements des conventionnels qui connaissent tous très bien ce monument. En effet, ils ont eux-mêmes décrété, en août 1793, l'érection de cette statue dont le symbolisme, élaboré par David, avait alors séduit leur imagination :

> « Sur la cime d'une montagne sera représenté en sculpture par une figure colossale, le Peuple français, de ses bras vigoureux rassemblant le faisceau départemental; l'ambitieux fédéralisme sortant de son fangeux marais, d'une main écartant les roseaux, s'efforce de l'autre d'en détacher quelque portion; le Peuple français l'aperçoit, prend sa massue, le frappe, et le fait rentrer dans ses eaux croupissantes, pour n'en sortir jamais. »

Sept mois après thermidor, rares sont les conventionnels qui se reconnaissent dans ce Peuple-Hercule s'élevant sur la montagne; ils jugent maintenant la statue « terroriste et vandale ». Le monument porte un géant, or « ce géant est Robespierre ».

On l'a armé d'une massue; « on s'est trompé, c'est une guillotine qu'il fallait lui faire tenir ». Une seule voix s'élève pour défendre le monument :

> « Par respect pour le peuple français, ne donnez pas aux aristocrates le spectacle de sa destruction. Vous insulterez vos commettants, vous insulterez le *peuple toutes les fois que vous détruirez les images qui le représentent.* »

L'Assemblée s'indigne, plusieurs voix s'élèvent : « Ce n'est pas l'image du peuple, c'est celle du tyran qui a mutilé la Convention »; la destruction est votée [1].

Était-il pourtant possible de ne pas toucher aux « images qui représentent le peuple » ? Le débat sur la statue du Peuple-Hercule revêt lui-même un sens symbolique. Le Peuple libre et souverain, un et indivisible, marchant toujours droit, cette représentation clé de l'imaginaire révolutionnaire, pouvait-il sortir intact de l'engrenage dans lequel ce même imaginaire se trouvait pris du fait de la poursuite des « vrais responsables » de la terreur et du vandalisme? Tout le discours thermidorien sapera cette représentation par une action sournoise. Rappelons comment les membres des anciens Comités, dénoncés par Lecointre, se défendaient; s'ils portaient la responsabilité d'avoir toléré le « tyran », alors ils partageaient cette faute avec la Convention mais également avec tout le peuple.

> « La Convention même était-elle à l'abri de cette influence tyrannique de Robespierre ou des illusions qu'il donnait par ses discours patriotiques? Le *peuple lui-même* n'était-il pas, par son erreur ou par une aveugle confiance, l'*agent le plus actif* de ce despotisme exercé par cet homme [...] qui était à cette époque une puissance populaire [2]? »

1. Cf. *Moniteur*, t. XXIII, pp. 516-518. La description de la statue tirée du programme de la fête du 10 août 1793, rédigé par David; cf. B. Baczko, *Lumières de l'utopie*, Paris, 1798, pp. 377 et suiv. Rappelons qu'en l'an II, cette image du Peuple-Hercule a été évoquée par la Commission temporaire des arts dans son instruction sur la conservation des monuments. La massue devait alors symboliser la protection des œuvres d'art contre les « vandales »... Sur l'histoire et le symbolisme de cette statue, cf. les observations judicieuses in L. Hunt, *Politics, Culture and Class in the French Revolution*, Berkeley, 1984, pp. 98 et suiv.

2. *Réponse de Barère, Billaud-Varenne, Collot d'Herbois et Vadier aux imputations de Laurent Lecointre et déclarées calomnieuses par décret du 13 fructidor, op. cit.*, pp. 71-78.

Pour des raisons politiques que l'on sait opposées, les publicistes contre-révolutionnaires cherchaient, eux aussi, à ne pas limiter la responsabilité de la Terreur et du vandalisme à la seule « conjuration de Robespierre », mais à porter l'accusation le plus loin possible : contre la Révolution et le peuple lui-même. Robespierre s'appuyait directement sur les comités révolutionnaires dont la plupart des membres « étaient des hommes sans éducation, tirés des dernières classes de la société, de mœurs féroces, d'une ignorance brute ». S'il avait réussi, ce n'était pas seulement parce qu'il avait attiré à lui « tous les bandits, tous les assassins qui se trouvaient en France », mais surtout – fait inouï qui fit de sa tyrannie une chose inédite dans l'histoire – parce que « le gros de la nation s'est plus d'une fois plongé dans la fange que Robespierre et ses complices avaient remuée [...]. Nous sommes descendus à ce degré d'avilissement, d'adopter les folies les plus méprisables des peuples les moins policés [1] ».

En Thermidor, tout s'affronte et se redouble : stratégies politiques et discursives, la logique spécifique de l'évolution d'un système de représentations et la dynamique des conflits sociaux. Dans le Paris affamé de cet hiver particulièrement rude de 1794-1795, où éclatent en plein jour les contrastes sociaux, le luxe arrogant des nouveaux riches, spéculateurs et accapareurs, et la misère de ceux qui, la nuit, forment des queues devant les boulangeries, où l'élégance ostentatoire de la « jeunesse dorée » est un signe de mépris pour les carmagnoles et les bonnets rouges, où ceux qui sortent des prisons croisent ceux qui y sont condamnés alors qu'hier encore, ceux-là mêmes leur délivraient des certificats de civisme, dans ce Paris hanté par les récits des horreurs récentes de la Terreur, le Peuple souverain n'apparaît plus, vraiment, comme « un et indivisible ». Assurément, le discours politique thermidorien ne peut pas accepter ou légitimer en le prenant en charge l'éclatement de cette représentation essentielle; il s'efforce donc de la conserver et pour cela, ne veut tolérer qu'une seule distinction de la

---

1. F. Montjoie, *Histoire de la conjuration de Robespierre*, Paris, 1795; Montjoie dénonçait également les effets néfastes des études classiques dans les lycées et leur emprise sur l'imagination.

société civile, celle entre les « bons » et les « mauvais » citoyens. Cependant, sous la pression des conflits sociaux, ce discours thermidorien se lézarde dans un langage qui dit brutalement la division du « peuple » sinon en classes, du moins en riches et en pauvres. Ainsi Dubois-Crancé, tout en proclamant que la Convention, représentant le peuple, doit rester unie pour effacer les ultimes séquelles de la Terreur, appelle les législateurs à ne jamais perdre de vue, cette « simple réflexion » : « La fortune d'un million d'hommes en France nourrit l'industrie de 25 millions d'autres; anéantissez les ressources de ce million d'hommes et la contre-révolution est faite. » (Ces propos sont souvent attaqués par les Jacobins). Le peuple, certes, n'est ni « anthropophage » ni « vandale »; il « n'a jamais été égaré », mais on l'a souvent « cruellement trompé ». Comment, sinon, aurait-il fait confiance à ceux qui ne poursuivaient plus les aristocrates, « mais tous les riches, tous ceux dont la fortune met en activité les talents et l'industrie du peuple, que l'on pillait, que l'on égorgeait, sous le nom d'aristocrates [1] » ? Bourdon (de l'Oise) dénonce les illusions et les promesses démagogiques dont se servaient les « terroristes » pour leurrer le peuple : parce que, dans la Terreur, « on avait flatté le pauvre d'une folle espérance », « partout le propriétaire est insulté, accusé, condamné; ses domestiques sont corrompus pour le dénoncer; la trahison la plus vile est érigée en vertu publique; les monuments des arts sont mutilés; tout ce qui retrace l'opulence de la nation est anéanti ». C'est parce qu'une « horde de cannibales » avait promis « criminellement au pauvre les propriétés du riche » que pouvait triompher le « vandalisme de nos dictateurs ». Les seuls profiteurs de cet « infernal système » n'étaient que cette « nuée de barbares [qui], au bruit du fer des assassins se gorgeaient d'or et de sang, et insultaient la pudeur, outrageaient la vertu, massacraient l'innocence et mangeaient [*sic*] nos monuments en ruine, nos cités en tombeaux, nos champs en désert [2] ». Ainsi faut-il

« courageusement se rappeler les vérités premières : la masse de

1. Discours prononcé à la séance de la deuxième sans-culottide de l'an II, « fréquemment interrompu par de vifs applaudissements », *Moniteur*, t. XXII, pp. 6-7.
2. Discours prononcé le 10 ventôse an III, *Moniteur*, t. XXIII, p. 578.

tous les hommes nés sur le sol de la France, voilà le peuple. Une partie de ce peuple a obtenu par héritage, par acquisition ou par son industrie des propriétés; une seconde partie de ce même peuple travaille pour en acquérir ou y suppléer. Des gradations insensibles d'aisance ou de pauvreté existent entre ces deux parties du peuple, sous le nom de pauvres et de riches; elles sont l'une à l'autre indispensablement nécessaires ».

Certes, le « législateur vertueux et habile » doit étouffer les vices des uns et des autres, des riches et des pauvres, et assurer ainsi leur union. Mais la leçon essentielle à tirer de la Terreur, « du système du crime masqué en patriotisme », c'est la vigilance contre

« ces hommes à l'œil farouche, au teint pâle, au ton courroucé, qui excitent le ressentiment du peuple contre une partie de lui-même qu'ils appellent perfidement le *million doré* [1] ».

Peuple enfant, peuple égaré, peuple qui a trempé dans le vandalisme et la terreur, une frontière de plus en plus effacée le sépare de la canaille. Le discours thermidorien risquait à terme de se confondre avec les attaques des ennemis de tout acabit de la Révolution et de la République, dénoncées comme la tyrannie de la populace. La Convention régicide – peu importe la péripétie thermidorienne – ne serait plus qu'une piètre bande de criminels et d'assassins. Problème de discours, problème de représentation du peuple, mais également, sinon surtout, problème par excellence *politique*, celui du *pouvoir* et de sa légitimité. Aussi, dans le même temps où le discours thermidorien efface les frontières entre les « vandales » et le « peuple », il s'efforce, par une étrange gymnastique, de les rétablir; s'il insiste sur la division du « peuple » en riches et pauvres, en un million et vingt-cinq millions, c'est pour mieux réaffirmer la solidarité entre les uns et les autres que devrait assurer le « vertueux législateur ». Toute la légitimité du pouvoir thermidorien reposait sur la volonté, une et indivisible, comme la République, du peuple, « libre et souverain ». La référence au peuple, aux « vingt-six millions de Français qui nous ont

---

1. Boissy d'Anglas, *Discours prononcé à la séance du 21 ventôse an III*, *Moniteur*, t. XXIII, pp. 660-663.

envoyés ici », est omniprésente dans le discours thermidorien. C'est une figure de moins en moins exaltante et héroïque, de plus en plus emblématique et problématique, minée de l'intérieur par les accusations contre les « vandales et cannibales », et pourtant indispensable. Toutes les contradictions du pouvoir thermidorien se retrouvent dans la double volonté – sinon la nécessité – de préserver dans son discours cette représentation politique fondatrice qui le légitime et de prévenir à nouveau les effets terroristes de cette représentation unitaire dans l'imaginaire révolutionnaire. De plus en plus, le *peuple* est donc réduit à une seule fonction : légitimer la République et, partant, son pouvoir. Du coup, à ce peuple n'est accordée aucune autre réalité que celle des institutions censées l'incarner. Le peuple est ainsi incarné par l'armée qui combat victorieusement, au-delà des frontières, au nom de la République; il est incarné aussi et surtout par le pouvoir; le *peuple*, les conventionnels l'identifient de plus en plus à eux-mêmes, à un personnel politique sans la reconduction duquel la République ne pourrait durer. Le Peuple, en Thermidor, est la figure d'une rhétorique élaborée tout au long de l'expérience révolutionnaire, devenue le support symbolique d'une technique d'exercice du pouvoir, acquise au cours de cette même expérience.

Dans ce système de représentations politiques, le peuple ne pouvait donc être ni tout à fait « vandale » ni tout à fait « civilisé »; il devait occuper une position médiane, à mi-chemin entre la civilisation et la barbarie. Le discours contre le vandalisme véhiculait la représentation d'un *pouvoir civilisateur*.

Thermidor marque, en effet, cette « époque heureuse de la Révolution où l'ignorance et les vices qu'elle entraîne sont bannis des places que les conspirateurs leur ont livrées comme une proie », ce moment où

« les législateurs de la France, témoins des maux dont la barbarie et le vandalisme l'avaient menacée, se sont fortement prononcés contre ces ennemis du genre humain, et ont détruit, par des institutions faites pour accroître les connaissances humaines, les coupables espérances de la tyrannie [1] ».

1. Fourcroy, *Rapport sur les arts qui ont servi à la défense de la République et sur le nouveau procédé de tannage...*, présenté le 14 nivôse an III, *Moniteur*, t. XXIII, p. 139.

Toutes les grandes créations culturelles et pédagogiques de la période thermidorienne – l'École polytechnique, l'École normale, l'Institut, le musée des Monuments français, etc., – sont rythmées par le discours contre « le vandalisme et ses ravages ». Les lettres ont suivi, depuis trois années, la destinée de la Convention nationale. « Elles ont gémi avec vous sous la tyrannie de Robespierre, elles montaient sur les échafauds avec vos collègues, et, dans ce temps de calamité, le patriotisme et les sciences, confondant leurs regrets et leurs larmes, redemandaient aux mêmes tombeaux des victimes également chères. Après le 9 thermidor, en reprenant le pouvoir et la liberté, vous en avez consacré le premier usage à la consolation, à l'encouragement des arts. La Convention n'a pas voulu, comme les rois, avilir les talents, en les obligeant à solliciter ses dons; elle s'est empressée d'offrir des secours honorables à des hommes dont l'indigence aurait accusé la nation qu'ils avaient illustrée en l'éclairant [1]. »

La Convention thermidorienne offre des secours aux savants et artistes; elle rend hommage aux « martyrs de la terreur vandale », à Lavoisier et à Condorcet; elle met définitivement fin aux actes iconoclastes. Certes, elle n'arrête pas la destruction de *tous* les monuments : les hôtels, les cloîtres, les châteaux, autant de biens nationaux, sont toujours vendus à vil prix et font l'objet d'une spéculation effrénée. Elle détruit également, on l'oublie trop souvent, une grande partie de ce qui s'esquissait en l'an II comme l'ébauche d'une culture, sinon spécifiquement révolutionnaire, du moins « sans-culotte ». Si les statues élevées en l'an II ne nous sont pas parvenues, ce n'est pas seulement parce qu'elles étaient faites en plâtre, mais parce qu'elles furent détruites, comme celle du Peuple-Hercule, et le musée Lenoir ne les a guère accueillies. Le costume sans-culotte, le tutoiement obligatoire, les prénoms révolutionnaires, les piques, la politisation des minorités militantes, tout cela fut aboli parce que les thermidoriens y voyaient les signes du vandalisme et de la Terreur. Du répertoire symbolique révolution-

---

1. Daunou, *Rapport sur l'instruction publique du 23 vendémiaire, op. cit.*, p. 504.

naire survivront, en revanche, les éléments que le pouvoir considère comme des instruments pédagogiques destinés à affermir les mœurs républicaines : entre autres, le calendrier républicain et les fêtes décadaires, de plus en plus délaissées; les arbres de la liberté, de plus en plus desséchés et que les circulaires de l'administration appellent à replanter et à entretenir; le système de poids et de mesures républicain, les catéchismes républicains [1].

Dénonciateur du vandalisme et de la tyrannie terroriste, le pouvoir thermidorien se désignait et s'affirmait, du coup, comme le seul héritier légitime des Lumières. Le discours antivandale marié au discours pédagogique légitimait une répartition tranchée des rôles symboliques entre le pouvoir civilisateur et un peuple à civiliser. Ce peuple, le pouvoir se devait de le faire sortir de l'ignorance mais également de le surveiller pour qu'il ne succombât pas de nouveau à la tentation de l'anarchie

1. La sortie de la Terreur une fois consommée, une relative stabilisation du pouvoir post-thermidorien une fois assurée, le spectre du « vandalisme » et de son retour possible semble être exorcisé. On en parle, en effet, de moins en moins, sinon pour évoquer un passé néfaste auquel le pouvoir éclairé a définitivement mis fin. Cependant, l'évocation de ses ravages pouvait encore servir à d'autres fins. Sauvée du vandalisme, la France, où la liberté et les Lumières ont triomphé sur le despotisme « barbare », était, du coup, appelée à être le centre même de la culture et de la civilisation, à vocation aussi universelle que conquérante. Centre de rayonnement, mais également, pour ainsi dire, terre d'accueil. Entre deux séances consacrées aux rapports de Grégoire sur le vandalisme, la Convention a vivement applaudi Luc Barnier, lieutenant au 5ᵉ régiment de hussards, qui lui apportait une bonne nouvelle de la part de l'armée du Nord. « Les ouvrages immortels que nous ont laissés les pinceaux de Rubens, de Van Dyck et des autres fondateurs de l'école flamande, ne sont plus dans une terre étrangère. Réunis avec soin par les ordres des représentants du peuple, ils sont aujourd'hui déposés dans la patrie de l'art et du génie, dans la patrie de la liberté et de l'égalité sainte, dans la République française. C'est là, au Muséum national que désormais l'étranger viendra s'instruire » (Séance de la 4ᵉ sans-culottide, an II, *Moniteur*, t. XXII, p. 27).Avec une remarquable continuité, l'évocation de la « sainte Égalité » en moins, et le rappel des ravages du vandalisme en plus, le Directoire exécutif donne, le 7 mai 1796, l'ordre suivant au général Bonaparte : « Le Directoire exécutif est persuadé, citoyen général, que vous regardez la gloire des beaux-arts comme attachée à celle de l'armée que vous commandez. L'Italie leur doit en grande partie ses richesses et son illustration; mais le temps est arrivé où leur règne doit passer en France pour affermir et embellir celui de la liberté. Le Muséum national doit renfermer les monuments les plus célèbres de tous les arts, et vous ne négligerez pas de l'enrichir de ceux qu'il attend des conquêtes actuelles de l'armée d'Italie, et de celles qui lui sont encore réservées. Cette glorieuse campagne, en mettant la République en mesure de donner la paix à ses ennemis, *doit encore réparer les ravages du vandalisme dans son sein* et joindre à l'éclat des trophées militaires le charme des arts bienfaisants et consolateurs » (*Actes du Directoire exécutif*, publiés et annotés par A. Debidour, Paris, 1911, vol. II, p. 333).

et du vandalisme. Ainsi, dans l'élaboration de la Constitution de l'an III, qui devait marquer l'achèvement de la Révolution, se recoupaient les deux tendances du discours antivandale : la volonté d'*exclure* les « vandales » du champ politique et le souhait d'*inclure* le peuple dans une République incarnant le progrès et la civilisation. Cette conjonction du *culturel* et du *politique*, dont nous avons dégagé quelques traits généraux et qui connut en réalité maintes incarnations, définit une des particularités du *moment thermidorien*. En protégeant le peuple contre sa propre ignorance et contre tout retour de la « Terreur vandale », la répartition tranchée des rôles sociaux et culturels devait à la fois consommer la sortie de la Terreur, clore la Révolution et jeter les solides fondements de la République.

CHAPITRE V

Le moment thermidorien

Comment les « circonstances actuelles peuvent terminer la Révolution » et quels principes « devraient fonder la République » ? Cette préoccupation, exprimée par Mme de Staël en 1797 [1], est vivement ressentie en hiver et au printemps de l'an III. La crise à la fois politique et sociale qui marque cette époque l'a rendue plus pressante. La politique de revanche pratiquée par le pouvoir répondait aux exigences passionnelles du moment (encore n'assouvissait-elle point les passions vengeresses déchaînées mais, au contraire, les attisait-elle, déclenchant ainsi de nouveaux cycles de violence et d'arbitraire). Mais elle n'apportait pas de réponse au problème cardinal soulevé par la condamnation du « système de la Terreur » : quel espace politique et institutionnel inventer pour *l'après-Terreur*? *Sortir de la Terreur*, c'était, certes, démanteler d'abord ses institutions et son personnel. Plus on s'avançait pourtant sur la voie de ce démantèlement, plus celui-ci se confondait avec la répression antiterroriste et antijacobine dont les formes et l'ampleur devenaient de moins en moins contrôlables par le pouvoir central.

Car les « thermidoriens », nous l'avons vu, ne disposaient pas de *projet politique* ni le 9 thermidor, ni dans les premiers mois qui suivirent cette « mémorable révolution ». L'enchaînement

---

1. Mme de Staël, *Des circonstances actuelles qui peuvent terminer la Révolution et des principes qui doivent fonder la République en France*, éd. critique par Lucia Omacini, Paris-Genève, 1979.

des problèmes auxquels ils devaient faire face leur imposa une certaine logique d'action politique. Chaque solution provisoire soulevait de nouveaux problèmes auxquels il fallait trouver des expédients. En fin de compte, la volonté de prévenir tout retour de la Terreur exigeait que l'on formule désormais les problèmes politiques en termes *positifs, institutionnels et constitutionnels*. La question glissait de *comment en finir avec la Terreur* à *comment terminer la Révolution?* Les « thermidoriens » auraient donc à formuler leurs réponses à toutes ces préoccupations à la fois en termes de *réaction* à la Terreur et en termes de *promesse d'avenir*. Il leur faudrait inventer une nouvelle utopie répondant au nouveau départ de la République, renouant avec ses origines et ses principes fondateurs, ses attentes et ses promesses compromises par la Terreur. Penser ensemble la *réaction* et l'*utopie*, c'est également le défi que doit relever l'historien qui entend comprendre comment se clôt la période thermidorienne et sur quelles perspectives elle s'ouvre.

TERMINER LA RÉVOLUTION

Théoriquement, la République avait une Constitution. Elle avait été élaborée en juin 1793, après la chute des Girondins et n'avait jamais été appliquée. Elle avait été rédigée très rapidement, en l'espace d'une semaine, par Hérault de Séchelles, et tout aussi rapidement adoptée, presque sans débat, par la Convention. Cette procédure expéditive traduisait une volonté politique; le pouvoir, jacobin et montagnard, cherchait à démontrer qu'il était apte à résoudre « énergiquement » les problèmes que les Girondins avaient fait traîner (le projet de Constitution élaboré par Condorcet était particulièrement visé; on lui reprochait d'être trop complexe et trop libéral). Le pouvoir voulait surtout transformer l'adoption de son projet par un référendum en un plébiscite en faveur de la dictature montagnarde et contre les Girondins, sanctionnant ainsi le coup de force du 31 mai. Le vote (public et oral, marqué par de nombreuses irrégularités) se déroula sous la pression des autorités et des comités révolutionnaires. Ses résultats ne pouvaient pas surprendre : 1 801 918 voix pour; 11 600 électeurs osèrent voter non; 4 300 000 citoyens au moins ne prirent pas part au vote. L'adoption de la Constitution fut solennellement célébrée pendant la fête du 10 août 1793. Au soir de la fête, le texte fut, tout aussi solennellement, enfermé dans une « arche en bois de cèdre » et déposé dans la salle de la Convention. L'application de la Constitution était repoussée jusqu'à la paix.

L'historiographie révolutionnaire s'est plu à insister sur le caractère démocratique de cette Constitution (notamment en raison de l'introduction du suffrage universel) et la proclamation des « droits sociaux » dans la Déclaration des droits de l'homme; on s'est aussi interrogé sur les difficultés posées par son application éventuelle « en temps de paix » (référendums et élections.très fréquents; pouvoirs très étendus de l'Assemblée, etc.). Quoi qu'il en soit, le texte était bâclé; la désinvolture avec laquelle il avait été préparé contrastait singulièrement avec le sérieux du débat sur la Constitution de 1791. On peut s'interroger sur les intentions mêmes de ses auteurs : dès le début de son élaboration pensaient-ils à autre chose qu'à une opération de propagande? Songeaient-ils sincèrement à faire appliquer un jour ce texte pour lequel on fabriquait par avance une « arche »? Espéraient-ils plutôt le reprendre avant son application éventuelle, au moment de la paix? La Convention montagnarde ne s'est jamais mise au travail sur les lois organiques; les Jacobins étaient les premiers à dénoncer comme une idée contre-révolutionnaire toute allusion à l'application de la Constitution et, notamment, à la convocation des assemblées primaires. (Comme nous l'avons observé, ce fut aussi le cas après le 9 thermidor, face à des initiatives du Club électoral; sur ce point, en fructidor an II, la Convention, pourtant déjà déchirée, retrouvait facilement son unanimité.) La Constitution de 1793 était particulièrement mal adaptée aux problèmes de la redéfinition du champ politique qu'imposait le démantèlement de la Terreur. Il suffit, en effet, de rappeler les incertitudes qu'elle laissait planer sur les rapports entre deux légitimités, celle du pouvoir issu du système représentatif et celle qui

incomberait à un pouvoir rival, se réclamant du droit de
« chaque section du peuple » à la résistance, prétendant être le
« peuple debout » et exercer directement sa souveraineté illimitée par la violence au cours des « journées ». (Ainsi, par
exemple, l'article 23 de la Déclaration des droits de l'homme et
du citoyen stipulant que « la résistance à l'oppression est la
conséquence des autres Droits de l'homme » ou l'article 35, de
la même Déclaration : « Quand le gouvernement viole les droits
du peuple, l'insurrection est, pour le peuple et pour chaque
portion du peuple, le plus sacré et le plus indispensable des
devoirs » [1].)

La Constitution de 1793, doublement contestable en raison
des conditions de son élaboration et de son adoption, de son
contenu lui-même ne gênait cependant dans les premiers mois
qui suivirent le 9 thermidor, nul ne songea à la tirer de son
« arche ». Ce n'est qu'à l'hiver et au printemps dde l'an III
qu'elle devint un obstacle au démantèlement de la Terreur et à
la redéfinition des mécanismes politiques.

L'initiative de faire de la Constitution de 1793 un problème
d'actualité revint, paradoxalement, aux députés jacobins; ils y
virent le prétexte à une manœuvre politique. Le 24 brumaire
an III, ils surprirent la Convention en manifestant soudaine-
ment leur intérêt pour l'application de la Constitution. Ils proposaient d'entamer le travail sur les lois organiques et, partant,
de préparer la suppression du gouvernement révolutionnaire et
le rétablissement du gouvernement constitutionnel. L'époque
de la paix venant, il fallait terminer la Révolution en faisant
appliquer la Constitution de 93 : « Que la Convention nationale invite chacun de ses membres à s'occuper des lois organiques de la Constitution, que le peuple français embrassera
avec transport après avoir traversé le torrent révolutionnaire et
dicté aux ennemis de son indépendance une paix honorable. »
Barère, en secondant Audoin, donna à cette proposition,
embrouillée par une rhétorique sur les principes de la Répu-

---

1. Cf. *Les Constitutions de la France depuis 1789*, Paris, 1979, p. 83. Sur l'élaboration de la Constitution de 1793, son vote et le problème de son application possible, cf.
id., *Les institutions de la France sous la Révolution et l'Empire*, Paris, 1968. De
l'article 35 le pamphlet *Insurrection du peuple...* arguera afin de légitimer la « journée » du 1er prairial an III.

blique et son avenir radieux, sa signification politique immédiate : elle devrait rassurer le peuple au sujet du « vrai sens de
la révolution du 9 thermidor »; arrêter les agissements du
« comité secret du parti de l'étranger » qui, sans aucun doute, se
cache derrière les « derniers événements » et, par une habile
distribution des rôles, fait « tourmenter l'opinion du peuple »,
corrompt l'esprit public, calomnie les patriotes énergiques et
fait accuser la liberté de « tous les abus qui n'appartiennent
qu'aux circonstances de la guerre ». Ces allusions, trop trans-
parentes, aux événements les plus récents expliquaient le
brusque réveil de l'intérêt jacobin pour la Constitution. En
effet, la proposition de son application était avancée deux jours
après la fermeture des Jacobins. Demander à ce moment précis
que la Constitution fût sortie de son arche revenait à contester
indirectement la légalité de cette décision (la Constitution ne
garantissait-elle pas les droits des sociétés populaires?) et à
mettre en cause, comme abusive et arbitraire, toute la politique
antijacobine des Comités qui exerçaient leur pouvoir en vertu
des lois sur le gouvernement révolutionnaire.

La manœuvre était pourtant grossière. Plusieurs députés,
Tallien en tête, eurent beau jeu de rappeler que ceux-là mêmes
qui s'étaient opposés le plus à l'idée d'un gouvernement constitutionnel et avaient dénoncé comme criminels leurs collègues
qui avaient osé l'évoquer, aujourd'hui « se précipitent dans
l'arène et la [la Constitution] demandent à grands cris ». On
retourna contre les Jacobins leur propre argumentation dont ils
avaient largement usé : ils proposaient de faire des lois organiques au moment même où les armées luttaient contre
l'ennemi, alors que toute la réflexion devait porter sur les
mesures à prendre pour assurer la victoire; leur démarche rap-
pellait trop celle de la « faction d'Hébert ». Au combat sur les
frontières s'ajoutait celui que les Comités et « vingt-cinq millions de Français » menaient à l'intérieur. « Les hommes qui
ont abattu le tyran le 9 thermidor, les hommes qui ont détruit
une autorité rivale de la représentation nationale, forment, à la
vérité, une faction redoutable, c'est celle des vingt-cinq millions
de Français contre les fripons et les scélérats. » Le 9 thermidor,
une « révolution salutaire a abattu le *tyran* », le 22 brumaire,

avec la décision de fermer les Jacobins, la « même foudre a frappé la *tyrannie* ». Cette lutte devait être poursuivie, mais pour l'affaiblir ceux qui avaient demandé hier la Terreur prônaient aujourd'hui l'indulgence et exigeaient l'application de la Constitution. C'était donc contre l'*indulgence* des Jacobins, que, sans remettant en cause la légalité de la Constitution elle-même, les « hommes du 9 thermidor » s'opposaient, dans un premier temps, à l'élaboration des lois organiques [1].

Cet imbroglio politique ne pouvait pourtant pas durer. Au cours du débat sur le rappel des Girondins (le 18 ventôse, 8 mars 1795), Sieyès laissa pressentir à la Convention qu'il ne serait plus possible d'esquiver les problèmes constitutionnels et de se contenter de prolonger indéfiniment le régime provisoire de « gouvernement révolutionnaire ». Rappeler les députés girondins était pour Sieyès à la fois un acte de justice et une conséquence logique de la politique inaugurée le 9 thermidor. En effet, avec le coup de force du 31 mai, « ouvrage de la tyrannie », débuta cette « fatale époque... *où il n'y avait plus de Convention*; la minorité régnait, et ce renversement de tout ordre social fut l'effet de l'apparence d'une portion du peuple qu'on disait en insurrection »; après le 10 thermidor la majorité était « rentrée dans l'exercice de sa procuration législative ». Ces deux dates délimitaient donc l'intervalle auquel s'appliquaient

> « les principes qui sont de toute le monde : qu'une assemblée délibérante dont la violence éloigne une partie de ceux qui ont droit d'y voter est blessée dans son existence même, qu'elle *cesse de délibérer dans l'objet de sa mission* [...], que la loi qui émane d'un corps législatif cesse d'avoir ce véritable caractère si quelqu'un de ses membres, dont l'opinion et le suffrage auraient pu changer l'issue de ses délibérations, ne peut y faire entendre sa voix lorsqu'il le juge nécessaire [2] ».

---

1. *Moniteur*, t. XXII, séance du 24 brumaire an III. Sur ce débat et l'« impossible république constitutionnelle », cf. F. Diaz, *Dal movimento dei lumi al movimento dei popoli*, Bologna, 1986, pp. 618 et suiv.

2. Cf. l'intervention de Sieyès, au cours de la séance du 18 ventôse an III, *Moniteur*, t. XXIII, p. 640. Boissy d'Anglas dans son *Discours préliminaire au projet de Constitution pour la République française du 5 messidor an III*, Paris, an III, sur lequel nous reviendrons, reprend l'argumentation de Sieyès pour démontrer la nullité de la Constitution de 1793 « méditée par des intrigants, dictée par la tyrannie et acceptée par la ter-

Sieyès n'évoquait pas explicitement la Constitution de 1793;
personne ne doutait pourtant qu'il pensait à elle. Autorité
reconnue en matière constitutionnelle, il avançait une argumentation juridique qui frappait de nullité la Constitution en
raison même de ses origines terroristes. Les députés jacobins et
montagnards comme les militants sans-culottes, bref l'ancien
personnel politique de la Terreur, ne cessaient de brandir
comme un slogan politique la nécessaire application de la
Constitution, d'en faire un moyen de pression sur les Comités
et la majorité de la Convention. Appliquer la Constitution
devenait ainsi un symbole politique global, une manière détour-
née de contester la politique antiterroriste, d'exiger la libération
des « patriotes persécutés » et le rétablissement des activités des
sociétés jacobines, de condamner les purges ainsi que le dénigrement de l'héritage symbolique de l'an II. La fixation sur la
Constitution traduisait d'ailleurs la faiblesse politique de toute
cette campagne. Le discours jacobin est, nous l'avons dit, piégé
par sa référence à l'événement fondateur de toute cette période,
la « révolution du 9 thermidor ». Ses auteurs et partisans ne
pouvaient pas, et, peut-être, ne voulaient même pas, remettre
en cause cette date symbolique sans, du même coup, proclamer
le retour, pur et simple, de la Terreur et réhabiliter le « tyran ».
Paradoxalement, c'est au nom du « vrai sens du 9 thermidor »
qu'ils refusent les conséquences de cet événement et demandent
la « constitution démocratique de 93 ».

Tout se passe donc comme si conventionnels jacobins et montagnards acceptaient les principes du 9 thermidor, résumés
dans le slogan *A bas le tyran!*, mais en refusaient les conséquences, la dynamique politique qu'il a engendrée. C'était
demander, pour ainsi dire, le retour à la case départ, renier le
chemin parcouru dans la voie du démantèlement de la Terreur.
Dans ce contexte, les allusions de Barère au « comité secret du

reur... Jetons dans un éternel oubli cet ouvrage de nos oppresseurs, qu'il ne serve plus
de prétexte aux factieux. La France entière, en avouant qu'elle a été tyrannisée, a suffisamment frappé de nullité cette acceptation prétendue qu'on allègue aujourd'hui, et
l'adhésion de tous les Français à la proscription de nos tyrans condamne au mépris leur
système, leurs plans et leurs odieuses lois ». A la nullité des délibérations de la Convention s'ajoute la nullité du référendum lui-même.

parti de l'étranger » rappelaient trop les périodes les plus sinistres d'un récent passé.

Cette campagne nourrit, par contrecoup, des attaques contre la Constitution de 1793. Cette dernière était dénoncée non pas seulement en raison de ses origines « suspectes », mais surtout en raison de son contenu : tout essai d'application ne pouvait signifier que le retour de la Terreur. Le 1er germinal, eut lieu un débat particulièrement houleux, révélateur de l'importance de plus en plus grande que prenait la Constitution dans les enjeux politiques et symboliques. La pétition de la députation de la section Quinze-vingts provoque ce jour-là une tempête : en termes à peine voilés elle exigeait, comme remède à tous les maux, « l'organisation dès aujourd'hui de la constitution populaire de 1793 » qui « est le palladium du peuple et l'effroi de ses ennemis ». Du « côté gauche », la pétition trouve un appui des plus chaleureux; Chasles propose de décréter immédiatement, comme premier acte symbolique, l'exposition de la Déclaration des droits de l'homme et du citoyen dans « toutes les places publiques », le soin d'exécuter cette mesure devant être « confié au peuple lui-même ». Tallien réplique grâce à ses arguments « antiterroristes » déjà bien rodés : les hommes qui réclament maintenant si fort la Constitution sont « les mêmes qui l'ont enfermée dans une boîte » (ce n'est plus l' « arche solennelle »...); ils l'ont fait suivre non pas des lois organiques mais du gouvernement révolutionnaire. Tallien n'ose pourtant pas contester la Constitution elle-même; pour reprendre l'initiative, il propose, emporté par son habituelle démagogie, d'élaborer, en quinze jours, les lois organiques. Le pas sera franchi par Thibaudeau, présidant la séance : la majorité de ceux qui réclament aujourd'hui l'exposition de la Constitution, « sa publicité », ne la connaissent même pas. Or, elle n'est point « démocratique », comme on le dit, mais terroriste et derrière l'exigence de son application se cachent les manœuvres des terroristes. « Je ne connais qu'une constitution démocratique, c'est celle qui offrirait au peuple la liberté, l'égalité et la jouissance de ses droits. Dans ce sens la constitution actuellement existante n'est point démocratique, car la représentation nationale serait encore au pouvoir d'une commune conspiratrice, qui plusieurs fois a tenté de l'anéantir et de tuer la liberté. » Thibaudeau brandit le spectre du retour de la Terreur; remettre la Constitution en activité, c'est donner une municipalité à Paris; c'est voir, dans trois mois, les Jacobins rétablis et la représentation dissoute; c'est laisser aux factions le droit d' « insurrection partielle »; c'est accorder aux « scélérats » l'initiative de l'insurrection; c'est annuler la « révolution du 9 thermidor ». En conclusion, la Convention passe outre à la demande de faire exposer la « table des lois » et nomme une commission chargée de travailler à l'élaboration de lois organiques, sans pourtant fixer aucun délai [1].

VIOLENCE ARCHAÏQUE
ET GOUVERNEMENT REPRÉSENTATIF

Au lendemain du rapport de Saladin, au nom de la Commission des vingt et un, sur la dénonciation des anciens membres des comités (21 ventôse an III, 2 mars 1795), la Convention s'enlisait dans une procédure qui risquait d'être interminable, à en juger par le temps qu'avait pris la mise en accusation de Carrier. Encore le cas de ce dernier, directement impliqué dans les horreurs de la Terreur à Nantes, était-il relativement facile à trancher et sa responsabilité beaucoup plus évidente que dans le cas de Barère, Billaud-Varenne, Collot d'Herbois et Vadier. Car il ne s'agissait plus alors d'excès flagrants, mais de toute la politique de la Terreur, voire du bilan de l'an II. La lutte politique s'envenimait de plus en plus suivant la logique politique de la revanche et la volonté d'exorciser les souvenirs de la Terreur par le châtiment exemplaire des « coupables ». Cette lutte connaîtra une accélération brutale en raison de l'intervention de la rue, le 12 germinal et, surtout, le 1er prairial. Dans

1. *Moniteur*, vol. XXIV, pp. 31-32. Dans le même temps, pour faire face à l'agitation grandissante dans les sections, la Convention vota, sur le rapport de Sieyès, *La loi de grande police pour assurer la garantie de la sûreté générale, du gouvernement républicain et de la représentation nationale*, accordant des pouvoirs accrus aux Comités contre les « attroupements séditieux ».

l'affrontement politique entre les « thermidoriens » intervient soudain un acteur imprévu qui semblait appartenir au passé : la *foule populaire* pratiquant une violence primitive et archaïque.

Les « journées » de germinal et prairial ont fait l'objet de nombreux travaux [1]. Rappelons seulement que le 12 germinal et le 1er prairial, la Convention est assaillie par une foule de manifestants aux cris de *Du pain et la Constitution de 1793!* Ces attaques, qui ont été précédées par des assemblées particulièrement houleuses, notamment dans les sections des faubourgs populaires, sont toutes repoussées. Le 12 germinal, la foule, entraînée par des femmes, occupe la salle de la Convention pendant quelques heures, se dissipe après l'intervention de la garde nationale, sans coups de feu ni victimes. Les événements du 1er prairial prennent un tour beaucoup plus sanglant; un jeune conventionnel, Féraud, est tué, dans la salle même de l'Assemblée, lors de la bagarre qui éclate quand la foule enfonce la porte d'entrée. Il a la tête tranchée, celle-ci est portée, ensuite, fichée sur une pique, dans la salle de la Convention puis sur la place du Carrousel. La foule demeure dans la salle environ neuf heures (de 15 heures jusqu'à minuit); pendant ce temps, sous la pression d'une partie des envahisseurs, a lieu un simulacre de délibération auquel prennent part quelques députés montagnards. Sur leur initiative, la poignée de députés présents vote une série de mesures exigées par les manifestants, conformes, en grande partie, au pamphlet-manifeste *Insurrection du peuple pour obtenir du pain et reconquérir ses droits*, colporté la veille. Vers minuit, la Convention est libérée par les bataillons des sections modérées et par la force armée que ses commissaires ont réussi à réunir. Une pluie battante dissipe le rassemblement de la place du Carrousel. L'émeute se prolonge encore le lendemain; elle

1. Sur les journées du printemps an III, cf. R. Cobb, G. Rudé, « Le dernier mouvement populaire de la Révolution française. Les journées de germinal et prairial an III », *Revue historique*, 1955, pp. 250-288; K.D. Tönnesson, *La Défaite des sans-culottes. Mouvement populaire et réaction bourgeoise de l'an III*, Paris-Oslo, 1959; E. Tarlé, *Germinal et prairial* (trad. française), Moscou, 1959; G. Rudé, *La Foule dans la Révolution française*, Paris, 1989). Sur les conséquences politiques de la crise, cf. F. Diaz, *op. cit.*, pp. 626 et suiv.

commence, une fois encore, par un attroupement de femmes aux Tuileries; dans une des sections (d'Arcis), l'assemblée se déplace à la Maison Commune (Hôtel de Ville) et se proclame même *Convention nationale*. La foule de manifestants est arrivée jusqu'à la Convention et les canonniers ont braqué sur elle leurs canons. Pour empêcher la répétition du scénario de la veille, la Convention envoie une délégation qui « fraternise » avec la foule. Une députation de celle-ci est reçue à la barre, après quoi le « Peuple réuni » se retire. Le dernier acte se joue le 4 prairial, quand les Comités décident d'attaquer le faubourg Saint-Antoine, avec un double objectif : arrêter l'assassin présumé de Féraud (un certain Jean Tinel, garçon serrurier, qui, la veille, a été enlevé de la charrette qui l'amenait à l'échafaud par ses camarades de la section Popincourt) ainsi que saisir les représentants Cambon et Thuriot (ils auraient été proclamés, le 2 prairial, respectivement maire et procureur de la Commune, selon un bruit qui s'est depuis révélé faux). La première « expédition » contre le faubourg Saint-Antoine, entreprise par la « jeunesse dorée », ayant échoué (les « jeunes gens » se sont heurtés aux barricades et ont été attaqués par des femmes et des enfants qui, des toits et des fenêtres, jetaient sur eux des tuiles et des pierres), la Convention, qui dispose désormais de la force armée régulière, somme par un décret le faubourg de rendre les assassins de Féraud ainsi que les canons de ses trois sections. Menacé d'être déclaré en état de rébellion, d'être privé de pain et d'être bombardé par l'artillerie, le faubourg se rend le même jour en livrant ses canons et ses canonniers à l'armée commandée par le général Ménou (Tinel se suicidera).

La répression qui suit ces « journées » se déroule sur deux fronts. En ville, environ 3 000 personnes sont arrêtées (les gazettes parlent même de 8 à 10 000), les sections sévèrement épurées, la garde nationale est réorganisée et il est ordonné aux citoyens de rendre leurs piques, ce symbole du « peuple debout ». A la Convention, la majorité victorieuse met à son profit toute l'expérience de l'épuration à la mode jacobine. Déjà le 12 germinal, en flagrante violation de ses propres décrets garantissant aux députés dénoncés la possibilité de présenter leur défense, l'assemblée a décrété, sans autre formalité, la déportation immédiate de Barère, de Billaud-Varenne, de Collot d'Herbois et de Vadier. Le même jour, et les jours suivants, plus d'une quinzaine d'autres représentants sont arrêtés. Le 2 prairial, elle décide de traduire devant une Commission militaire les députés jugés coupables de complicité avec la foule d'insurgés (six députés, jugés le 27 prairial et condamnés à mort, tentèrent de se suicider; Romme, Goujon et Duquesnoy réussiront; Soubrany, Duroy et Bourbotte, gravement blessés, seront traînés à la guillotine; les condamnés passeront à la postérité sous le nom de « derniers Montagnards » ou encore de « martyrs de Prairial »). La Convention ne cessera pas, lors de séances de défoulement collectif où se déchaîneront les passions et les ressentiments, de se livrer à la rage de dénonciation, comme si elle voulait effacer, une fois pour toutes, son passé terroriste. Cependant, elle recourt pour cela aux moyens qu'elle avait déjà utilisés et rodés pendant la Terreur : l'exclusion et l'arrestation viseront tous les membres des anciens Comités (à l'exception de Carnot) ainsi que plusieurs anciens représentants en mission.

Ce bref rappel permettra de mieux situer dans sa séquence événementielle le phénomène qui nous retient : la foule et sa violence et le rôle qui leur incombe pendant les « journées » du printemps de l'an III. Ces « journées » font, sans doute, partie intégrante de l'*expérience* et de la *dynamique* de la période thermidorienne, mais elles ne se résument pas à leurs conséquences proprement politiques. En effet, elles présentent un exemple remarquable d'*enchevêtrement inextricable de l'archaïque et du moderne*, phénomène plus général que nous avons déjà évoqué à maintes reprises et qui est propre aux mentalités et à la culture politique de la Révolution. Il en va ainsi du contexte socioculturel dans lequel s'inscrivent les « journées » du printemps de l'an III et sur lequel nous aimerions nous arrêter. Nous insisterons notamment sur la « journée » du 1er prairial, au cours de laquelle le rôle de la foule et de sa violence dans l'affrontement entre le « peuple debout » et le gouvernement représentatif ressort très nettement, comme dans un cas de laboratoire.

A l'origine des « journées » de germinal et de prairial il y a une crise économique : crise de subsistance, pour ainsi dire « classique », propre à l'économie de l'Ancien Régime (malgré une récolte qui s'annonçait bien, la disette s'abat sur la population en raison d'un hiver très rigoureux; la Seine est gelée, l'arrivage du blé et du bois est gravement perturbé); crise financière « nouvelle », propre à l'économie de la Révolution (la disette est déclenchée par la dépréciation des assignats et la suppression du *maximum*. Le pouvoir, en comptant sur une bonne récolte, voyait dans l'application d'un libéralisme doctrinaire le seul moyen adéquat de ranimer l'économie. La flambée des prix et la pénurie, notamment de pain, découlaient ainsi de l'action conjuguée de ces deux facteurs). La crise fait ressortir d'une manière flagrante les clivages et les contrastes sociaux : d'un côté, les interminables queues, où prédominent les femmes, devant les boulangeries; d'autre part, les cabarets, les restaurants, les halles et les pâtisseries approvisionnés abondamment et étalant des produits de luxe, mais à des prix inabordables pour le « menu peuple ». Ces clivages sociaux se traduisent aussi par des préoccupations bien différentes : tandis que les assemblées des sections aisées, de l'Ouest et du Centre, se passionnent pour la « grande affaire politique » qu'est la mise en accusation des quatre membres des anciens Comités, les assemblées sectionnaires des quartiers pauvres, notamment des faubourgs Saint-Antoine et Saint-Marcel, se préoccupent surtout de la disette et exigent de la Convention qu'elle assure au peuple ses rations de pain qui ne cessent d'ailleurs de diminuer. Mais ce n'est pas seulement, ni même principalement, dans les assemblées sectionnaires que s'exprime l'opinion populaire. Son lieu d'expression se déplace vers les queues devant les boulangeries qui se forment la nuit, où pendant de longues heures d'attente ne cessent de circuler des bruits et des rumeurs dont une partie au moins nous est demeurée grâce aux rapports quotidiens des agents du Comité de sûreté générale, ceux-ci se faufilent dans les queues et les « groupes » et informent ensuite leurs supérieurs de l' « état de l'esprit public ».

Dans les queues, de quoi parle-t-on ? D'abord et surtout de la disette et de ses conséquences néfastes. On y commente les cas de gens morts de faim et de froid dont les corps sont retrouvés dans la rue, au petit matin; les cas de suicide, entre autres celui d'une mère qui se donna la mort après avoir tué ses propres enfants. Le mécontentement se politise rapidement. Ainsi, on entend dire que sous le roi on ne manquait pas de pain et qu'il faudrait de nouveau un roi si on ne veut pas crever. Une campagne d'inscriptions et de billets royalistes se développe. Mais on entend dire aussi que sous Robespierre le peuple avait, au moins, du pain et les accapareurs n'osaient pas affamer les pauvres gens. Taxer cet « esprit public » qui se manifeste dans les queues de « royaliste » ou de « robespierriste » serait rapide et erroné. La rumeur se politise et s'en prend violemment au pouvoir lorsque, pour expliquer la famine, le peuple vient à puiser dans son propre passé socioculturel et agite à nouveau le spectre du « complot de famine ». Sauf que la version en est nouvelle : ce n'est plus aujourd'hui la monarchie, mais la Convention et ses Comités qui sont accusés d'*organiser la famine*, de cacher le blé, pour affamer le peuple et frapper ainsi sa substance vitale, mais la plus vulnérable, les femmes et les enfants. Cette rumeur connaît plusieurs versions : la famine est montée artificiellement pour pousser le peuple aux actions extrêmes, ou même, selon une autre version, pour qu'il exige, dans son désespoir, le retour du roi, à quoi rêveraient, en n'osant pas l'avouer, les Comités. En même temps circulent des rumeurs selon lesquelles la Convention se préparerait à quitter Paris, afin d'abandonner le peuple et le laisser mourir plus vite de faim. La rumeur trouve un écho même à la Convention où des députés montagnards accusent les Comités d' « organiser la famine ».

Dans ses diverses variantes, la rumeur désigne le pouvoir comme l'ennemi juré et perfide du peuple; accusatrice et mobilisatrice, elle justifie et légitime par avance toute action populaire contre la Convention en la parant de la nécessité de l'autodéfense : le peuple n'a pas seulement le droit mais le devoir de *se protéger* contre ce « complot scélérat ». La majorité antijacobine de la Convention prend d'ailleurs très au sérieux la diffusion de ces rumeurs et ne sous-estime guère leur impact sur les esprits; elle essaie de les contrecarrer en imputant leur propagation à un autre complot, tramé par des « buveurs de sang » ou encore par « le terrorisme et le royalisme conjugués ». Elle rejette la responsabilité de la famine sur les terroristes qui ont assassiné des milliers de cultivateurs, et sur Robespierre lui-même, dont la « tyrannie » serait à l'origine de tous les maux dont la disette [1].

Les femmes, souvent avec leurs enfants, sont très nombreuses dans les foules qui ont envahi la Convention le 12 germinal et le 1er prairial; les queues devant les boulangeries constituent souvent le point de départ des rassemblements. Or, la présence massive des femmes, entourées de leurs enfants, est un trait caractéristique des révoltes traditionnelles, notamment d'origine frumentaire. Marchant dans les premiers rangs, criant *Du pain!*, les femmes forment l'avant-garde, à la fois réelle et symbolique, d'un mouvement spontané exigeant la satisfaction des besoins les plus élémentaires; la présence des enfants souligne le caractère *défensif* du mouvement ainsi que sa légitimité, au-delà de tout mot d'ordre politique. C'est aux hommes qu'il revient de relier les revendications politiques à la pure exigence : *Du pain!* Parmi ces revendications, deux sont les plus fréquentes : appliquer immédiatement la Constitution de 1793 et faire libérer les « patriotes » opprimés après le 9 thermidor [2].

1. Cf. les proclamations de la Convention du 12 germinal et du 2 prairial, *Moniteur, op. cit.*, t. XXIV, pp. 122-123 : 518. Sur les rumeurs rapportées par les agents du Comité de sûreté générale, cf. A. Aulard, *Paris pendant la réaction thermidorienne et sous le Directoire*, Paris, 1898, t. I, pp. 361, 370, 545, 546, 584, 663, 684, 686. Michelet insiste sur les rumeurs et leur impact; il y trouve à la fois la résurgence de la « légende du pacte de famine » et l'écho lointain du « système du dépeuplement », le fantasme de Babeuf. « Il est certain que deux légendes dominaient la situation, légendes absurdes au total, quoiqu'il s'y mêlât un peu de réalité. D'un côté les masses ouvrières, le peuple en général, disait : " On veut que nous mourions de faim. " De l'autre, les classes marchandes, l'innombrable petit rentier disait, croyait : " Un complot se fait entre les Jacobins pour recommencer la Terreur, massacrer la Convention et la moitié de Paris." La terrible légende du pacte de famine sous forme différente, revient dans les esprits. Écoutez dans la longue queue qui se fait la nuit pour le pain. Vous y entendrez ceci : " Il y a trop de monde en France. Le gouvernement y met ordre. Il faut qu'on meure, qu'on meure..." C'est ce qui dans Babeuf, Vilatte, etc., prend la formule atroce du système de dépeuplement. Tous en parlent, et le pis, c'est qu'ils y sont crédules », Michelet, *Histoire du dix-neuvième siècle. Œuvres complètes*, éd. par. P. Viallaneix, Paris, 1982, t. XXI, p. 158.
2. Sur les foules pendant la Révolution, et notamment sur la présence des femmes et des enfants, les modes d'action, cf. l'étude très stimulante dont j'ai largement profité : C. Lucas, « Crowds and Politics », *in The French Revolution and the Creation of Modern Political Culture*, vol. II, *The political Culture of the Revolution*, Oxford, 1988.

Lors de la « journée » du 12 germinal, ce sont d'abord, sinon surtout, les femmes qui occupent la salle de la Convention. A l'éloquence des représentants, à leurs appels au calme, aux longs développements sur la situation alimentaire et sur les efforts des Comités, elles n'ont qu'une seule et même réponse, le cri collectif : *Du pain! Du pain!* La foule ne se contente pas de cet étrange dialogue entre les femmes et les orateurs de la Convention, mais occupe les sièges des députés, les bouscule et se déchaîne en vociférations. « Au lieu d'une troupe réglée et intelligente nous avions sous les yeux le tableau déplorable d'une véritable orgie populaire », constate, non sans regret, Levasseur (de la Sarthe) dans ses *Mémoires* (il sera d'ailleurs arrêté le même jour, comme complice des émeutiers, dès que les Comités auront réussi à reprendre la situation en main et à faire évacuer la salle) [1].

La « journée » du 1er prairial a été beaucoup mieux préparée et un projet politique élaboré d'avance devait orienter la foule. Certes, à l'origine de la « journée » se retrouvent les mêmes facteurs qu'en germinal : tout au long des sept semaines qui séparent les deux « journées », la disette s'est encore aggravée (et cela malgré de réels efforts du pouvoir pour faire acheminer du blé à Paris). Dans les queues circulent les mêmes rumeurs auxquelles, après la répression qui a suivi le 12 germinal, s'en ajoutent de nouvelles : la Convention veut mettre Paris « à sang et à feu »; au bois de Boulogne sont concentrées des troupes, même d'origine étrangère, pour attaquer le peuple; le 12 germinal, les femmes qui demandaient du pain ont été brutalisées et sauvagement battues sur l'ordre de la Convention. La grande différence consistait pourtant dans la tentative de canaliser et d'encadrer le mouvement spontané, de lui fixer des objectifs politiques dont un plan d'action précis assurerait la réalisation.

En effet, dans une atmosphère déjà surchauffée, commence à circuler à Paris, à la fin de floréal, un pamphlet intitulé *Insurrection du peuple pour obtenir du pain et reconquérir ses droits.* Le texte a été lu dans les sections et a connu une assez large diffusion. Le 1er prairial au matin, Isabeau l'a même lu à la tri-

1. R. Levasseur, *Mémoires*, t. IV, Paris, 1831, p. 210.

bune de la Convention, en le présentant au nom du Comité de sûreté générale, comme la preuve flagrante « de la révolte qu'on prépare [1] ». Le texte est anonyme, mais à croire les dires de Buonarroti, dans sa *Conjuration pour l'égalité*, il a été rédigé par des militants sans-culottes détenus pour terrorisme à la prison du Plessis. Le texte, qui s'ouvre par des considérants, se présente d'emblée comme une sorte de proclamation faite par le *Peuple souverain*. Il reprend à son compte et répète, comme une sorte d'évidence, la rumeur dénonçant « le gouvernement qui fait mourir [le peuple] inhumainement de faim »; ainsi toutes ses promesses d'améliorer l'approvisionnement ne sont-elles que « trompeuses et mensongères ». Les auteurs affirment que le gouvernement possède des magasins où il tient « renfermées des subsistances » qu'il se réserve pour réaliser ses « infâmes projets », tandis que le peuple meurt de faim (on retrouve là une autre rumeur archaïque). Les souffrances du peuple sont telles que les vivants envient « le sort infortuné de ceux que la famine entasse journellement dans les tombeaux ». Du coup, le peuple se rendra coupable envers lui-même et « la génération future », s'il n'assure ses subsistances et ne ressaisit ses droits. Car le gouvernement affameur est aussi un gouvernement usurpateur et oppresseur. Quelle meilleure preuve de sa tyrannie que d'avoir fait « arrêter arbitrairement, transférer de cachot en cachot, de commune en commune, et massacrer dans les prisons ceux qui ont assez de courage et de vertu pour réclamer du pain et les droits communs »? Or, un tel pouvoir ne peut fonder sa force que sur la « faiblesse, l'ignorance et la misère du peuple ». Le « peuple debout » dispose d'un seul moyen d'action pour défendre sa survie et reconquérir ses droits; son insurrection est parfaitement légitime et, comme il est dit dans la Constitution, elle représente « pour le peuple et pour chaque portion du peuple opprimé *le plus sacré des droits, le plus indispensable des devoirs* ». D'où les objectifs de l'insurrection. D'abord : *Du pain*; le pamphlet se contente de

---

1. Cf. *Moniteur*, t. XXIV, pp. 497-498. Le texte présenté à la Convention correspond, à quelques détails mineurs près, à l'original en quatre feuillets, dont les mentions abondent dans les actes de la répression. Cf. Tönnesson, *op. cit.*, pp. 250 et suiv. Dans la suite nous citons le pamphlet d'après le *Moniteur*.

reprendre ce slogan mobilisateur sans pourtant préciser comment ce « pain » serait assuré. Il est, en revanche, beaucoup plus précis en fixant les objectifs proprement politiques : abolition du gouvernement révolutionnaire dont « chaque faction abuse tour à tour, pour ruiner, pour affamer et pour asservir le peuple » ; proclamation et établissement immédiat de la « Constitution démocratique de 1793 » ; destitution du gouvernement actuel, arrestation de tous ses membres et leur remplacement par d'autres représentants ; libération « à l'instant, des citoyens détenus pour avoir demandé du pain et émis leur opinion avec franchise » ; finalement, la convocation au 25 prairial des assemblées primaires et la convocation d'une Assemblée législative, qui remplacera la Convention, pour le 25 messidor. L'*Insurrection du peuple...* définit également les moyens d'action : appel aux « citoyens et citoyennes » à se porter en masse, le 1er prairial, à la Convention, et cela « dans un *désordre fraternel* et sans attendre le mouvement des sections voisines ». C'est donc un appel à former une foule qui échapperait, en raison précisément de son « désordre fraternel », aux astuces du gouvernement et des « chefs qui lui sont vendus ». Cette foule aurait une ébauche de structure et d'organisation grâce à un signe de reconnaissance : chacun porterait sur son chapeau le mot de ralliement, écrit à la craie, *Du pain et la Constitution démocratique de 1793*. Les autres points indiquent entre autres mesures pratiques à prendre : la fermeture des barrières de la ville ; la saisie du canon d'alarme et des cloches destinées à sonner le tocsin ; le ralliement de la troupe au peuple.

Le langage ainsi que la minutie des dispositions traduisent toute une expérience, politique et technique, accumulée par un personnel entraîné et rodé lors de sa participation aux « journées » antérieures, notamment celle du 31 mai 1793; elle est mise au service d'un projet politique qui se réclame du « peuple debout », reprenant sa souveraineté. Les mesures proposées constituent, en réalité, un appel au retour à la Terreur qui retrouverait son personnel, les « patriotes opprimés » libérés des prisons, et seraient mises en œuvre par un nouveau gouvernement montagnard. Il est d'ailleurs frappant que ni le terme de

Terreur ni le nom de Robespierre ne soient évoqués; de toute évidence, les auteurs ne veulent être assimilés ni aux « terroristes » ni aux « robespierristes », termes généralement ressentis comme compromettants. Il est autrement frappant que le projet cherche à contourner les structures sectionnaires; il compte sur la spontanéité de la foule et, éventuellement, sur son encadrement par les « patriotes », le personnel terroriste libéré des prisons (il n'est pas d'ailleurs exclu que les auteurs aient compté aussi sur un groupe de leurs complices dont le nombre est difficile à évaluer; parmi les meneurs de la foule, jugés après l'échec de la révolte, se retrouvent des militants sectionnaires qui, au lendemain du 9 thermidor, avaient vu se briser une carrière révolutionnaire devenue presque un métier) [1]. Le projet politique réunissant en un tout le « pain », la libération du personnel terroriste et l'application immédiate de la Constitution de 1793, s'inscrit parfaitement dans la *logique politique* de l'affrontement autour du démantèlement de la Terreur. L'*Insurrection du peuple...* révèle l'amertume et la rage de gens désespérés et persécutés qui n'hésitent plus à pousser les idées jacobines et montagnardes jusqu'à leurs dernières et extrêmes conséquences.

Une fois la salle de la Convention assaillie et envahie, la foule échappe cependant à la logique et au projet politique qu'elle devrait poursuivre. C'est une foule politisée, certes, au moins en ce sens qu'elle s'attaque à la Convention, que certains clament le « mot de ralliement » : *Du pain et la Constitution de 93!* Dans ses comportements, elle retrouve et suit cependant une autre logique, qui commande les rites séculaires de la révolte populaire. La « journée révolutionnaire », préméditée, est donc à la fois débordée et vidée, en grande partie, de sa substance politique. La foule l'intègre à son propre rituel de la violence et la réduit à un simple fragment d'un « monde à l'envers » que son comportement met en représentation. De ces phénomènes assez complexes ne relevons que deux exemples : l'assassinat de Féraud et les comportements des émeutiers.

Colin Lucas souligne que la foule populaire adopte de pré-

1. Tönnesson, *op. cit.*, pp. 358 et suiv.

férence un espace ouvert, une rue ou une place, comme théâtre d'action. Or, en s'attaquant à la Convention, elle se retrouve nécessairement dans un espace clos, dans une salle. Une partie importante de la foule reste dehors, place du Carrousel, et entre ces deux espaces, « dedans » et « dehors », s'installe un réseau de rapports assez complexes, une sorte de double échange d'hommes et de symboles. Le symbole le plus macabre est la tête de Féraud. Comme on le sait, le jeune conventionnel a été blessé par un coup de feu, parti, selon l'hypothèse la plus crédible, accidentellement pendant la bagarre qui a éclaté lorsque la foule essayait de forcer la porte d'entrée et d'envahir la salle. Ce coup de feu et sa victime ensanglantée ont déclenché l'explosion d'une violence collective et gratuite. Blessé, mais encore vivant, Féraud est achevé par plusieurs assaillants qui, dans une sorte de rage collective, s'acharnent sur lui avec leurs couteaux. Les témoignages varient sur la manière dont a été accompli l'acte symbolique : trancher la tête et l'empaler sur une pique. Selon les uns, cela se passait dans la salle même de la Convention; avec des couteaux, on sépara péniblement la tête du corps, sous les yeux mêmes des députés et au milieu des rires et des cris d'encouragement des émeutiers. Selon une autre version, le corps a été jeté dehors, offert, pour ainsi dire, comme un don à la foule qui occupait la place, et c'est là que les cris auraient retenti : « Coupez-lui la tête. » Un des émeutiers l'aurait fait d'un seul coup de sabre, en la coupant « comme une rave », suscitant l'admiration de l'entourage. Quoi qu'il en soit, la tête, embrochée sur une pique, est portée de main en main par les hommes qui se relaient, sous les rires et les injures de la foule massée sur la place. (Le corps, lui, traîne quelque part ailleurs.) Ce déchaînement de violence est d'autant plus gratuit que la foule ne connaît pas exactement l'identité de la victime et ignore même à qui appartenait la tête qu'elle insulte. Ce spectacle d'horreur dure environ deux heures; ce n'est qu'une fois la pique revenue avec la tête dans la salle où elle est encore accueillie par des rires et des applaudissements, qu'elle est enfin plantée devant Boissy d'Anglas, le président de la séance. Autant d'images et de gestes bien connus qui évoquent et reprennent tout un rituel traditionnel de la violence collective.

Dans la salle même, la foule semble se comporter sur un mode presque carnavalesque. Elle déloge les députés, les insulte, s'empare de leurs places, entoure la tribune, n'est pas économe de ses coups de poing, sans d'ailleurs trop savoir quelles sont les opinions politiques des députés frappés. Ainsi Bourbotte, qui sera exécuté comme complice des insurgés, un Montagnard déclaré, témoigna qu'un homme « aux yeux hagards, à figure noire, armé d'une longue pique s'attacha à sa personne lui donnant dans ces moments de fureur [...] de minute en minute des coups de poing sur la tête [1] ». La foule parodie le comportement des députés lors des débats et le tourne en dérision. Ainsi, la Commission militaire condamna un des assaillants, un compagnon serrurier, « pour s'être porté au bureau du président et s'y être tenu d'une manière indécente » (*sic*) [2]. Une grande partie des occupants, dont le nombre est difficile à estimer, est ivre. Le va-et-vient incessant entre la salle et la place s'explique surtout par la présence de tonneaux de vin, emmenés, on ne sait d'où ni par qui, sur la place. On boit beaucoup et à jeun. Dans cette atmosphère, quelques militants lisent la liste des revendications puisées dans l'*Insurrection du peuple...* et quelques députés montagnards, qui le paieront de leur tête, et de leur vie, essaient de canaliser les passions et la violence, en proposant d'adopter des mesures qui calmeraient la foule (du moins, telle fut l'explication de leur comportement devant la Commission militaire qui les condamna à la mort).

Les agissements de la foule ont laissé une trace pénible et durable dans la mémoire collective. « Le peuple, écrit Quinet, parut plus effrayant qu'à aucune autre époque de la Révolution. Il fit peur à ses amis. Ce moment fut le plus atroce. » Michelet parle « d'une ivresse terrible, une étrange soif de sang » et cite, avec approbation, les paroles de Carnot : « C'est le seul jour où le peuple m'ait paru féroce [3]. » Il est d'ailleurs frappant que les néo-jacobins et les babouvistes qui vont exalter les « derniers Montagnards » et leur suicide héroïque, en les

---

1. Témoignage cité par Tönnesson, *op. cit.*, p. 271.
2. *Ibid.*
3. E. Quinet, *La Révolution*, *op. cit.*, Paris, 1987, pp. 613-615; Michelet, *Histoire du dix-neuvième siècle*, *op. cit.*, pp. 170-171.

présentant comme autant de martyrs de la cause du peuple, passeront sous un silence embarrassé la violence rageuse de ce même « peuple » lors de la journée du 1er prairial.

Sur le coup, la révolte matée aura des conséquences multiples et graves pour la suite de l'expérience politique thermidorienne.

L'action désordonnée, brutale et inefficace de la foule a mis en évidence la fragilité du phénomène sans-culotte ainsi que son caractère conjoncturel. Celui-ci se voit de plus en plus réduit à l'ancien personnel politique de la Terreur, traqué partout, essayant d'échapper aux massacres et à la « revanche légale », aussi impitoyable que systématique. L'échec de la révolte parachève le 9 thermidor; c'est une victoire, sans aucune équivoque possible, de la Convention sur la rue, du « système représentatif » sur les pratiques de démocratie directe, réduite à l' « anarchie » d'une foule violente. Germinal et prairial présentent en quelque sorte l'envers des « journées révolutionnaires ». Elles annoncent le déclin, voire la fin, de l'imagerie, héroïque et militante, de l'an II, celle du « peuple debout » prêt à reprendre sa souveraineté.

> « Les vingt-cinq millions d'hommes qui nous ont envoyés ici ne nous ont pas placés sous la tutelle des marchés de Paris et sous la hache des assassins. Ce n'est pas au faubourg Saint-Antoine qu'ils ont délégué le pouvoir législatif; c'est à nous... Et vous, citoyens de Paris, sans cesse appelés *le peuple* par tous les factieux qui ont voulu s'élever sur les débris de la puissance nationale, vous ont longtemps flattés comme un roi mais à qui il faut enfin dire la vérité, des choses grandes et glorieuses vous ont honorés durant le cours de la révolution; mais la République aurait toutefois de graves reproches à vous faire, si la journée du 4 prairial [capitulation du faubourg Saint-Antoine] n'avait réparé les jours exécrables qui l'ont précédée [1]. »

Combien est significative la contre-imagerie qui s'affirme avec force dans les éloges funèbres à la mémoire de Féraud qui le consacraient martyr de la liberté et de la cause anti-terroriste. « Faisons notre devoir comme lui, en imitant son

1. M.-J. Chénier, discours du 6 prairial an III, *Moniteur*, t. XXIV, p. 548.

héroïsme, en célébrant sa mémoire. Les honneurs décernés aux morts rendent les vivants plus vertueux. N'oubliez jamais, représentants, cette journée horriblement mémorable, où la Convention nationale outragée par des factieux, investie, forcée, envahie par une horde avide de sang, a vu la majesté du peuple foulée aux pieds, et la volonté du crime insolemment appelée *loi*, dans le sanctuaire de la loi même. N'oubliez jamais ces cris séditieux, ces vociférations atroces, cette ivresse délirante et homicide, ce spectacle déplorable des représentants du peuple assis sur les mêmes bancs qu'usurpaient leurs bourreaux [1]. » Cette imagerie rejoignait la représentation du « peuple vandale » en la revigorant. Le « peuple », certes, n'est pas coupable dans son ensemble; il se laisse pourtant trop facilement égarer, et du coup, il demande une surveillance et une éducation permanentes. Le « peuple enfant » n'est séparé du « peuple vandale » que d'un seul pas qui transforme l'erreur en crime. Ainsi, Louvet rappelle cette « horrible journée » où des « scélérats » apportaient au président divers écrits « qu'ils appelaient des motions; ils lui disaient : " Nous n'avons pas besoin de ton assemblée; le peuple est ici, tu es le président du peuple; signe et le décret sera bon, signe ou je te tue" ». De ce « peuple », Féraud a voulu sauver la Convention, en sacrifiant sa propre vie :

> « C'est la déraison, l'imposture, la colère, l'impudence; ce sont les vengeances, les haines, les viles imprécations, les malédictions féroces, toutes les passions hideuses, toutes les fureurs, toutes les furies. Partout la faim s'agite et crie; et sur tous ces visages bourgeonnés d'ivresse on ne découvre que la débauche gorgée de viandes et de vin. Pourtant c'est encore du nom des femmes que tout cela se qualifie! et tout cela se dit insolemment le peuple! »

Certes, le jour viendra où le « vrai peuple » reprendra son titre « si indignement prostitué » mais, pour l'instant, même aux « frères égarés... vous [les conventionnels] ne rendrez point leurs armes! Ils furent trompés, ils pourraient l'être encore. *On ne rend point à l'enfant l'instrument dont il s'est blessé* [2] ».

---

1. *Ibid.*
2. J.-B. Louvet, discours à la séance solennelle du 14 prairial, *Moniteur*, t. XXIV, pp. 608 et suiv.

Les révoltes de germinal et de prairial et leur brutale répression n'ont pas fondamentalement modifié le *problème politique* majeur de la clôture de la Révolution; au contraire, elles l'ont encore aggravé et rendu plus urgente encore sa solution. Les « journées » de germinal et de prairial ont provoqué de nouvelles flambées de hantise face au retour possible de la Terreur, à l'intensification dramatique de la vengeance exercée contre les « terroristes », poussée jusqu'au paroxysme pendant les massacres des prisonniers à Lyon et dans le Midi. Ces lynchages se font parfois avec l'appui tacite de la population, mais de plus en plus souvent ils deviennent l'œuvre de bandes spécialisées de tueurs recrutés parmi les « jeunes gens ». Les limites entre « la justice portée à l'ordre du jour » et les massacres, dont l'inspiration royaliste est à peine voilée, ont tendance à s'effacer. De même, deviennent floues les frontières entre une *réaction* à la Terreur qui se réclame de la légalité et celle qui recourt elle-même à l'arbitraire et installe une sorte de contre-Terreur. D'autre part, la foule violentant la Convention aux cris *Du pain et la Constitution de 1793!* apportait à l'Assemblée, si besoin était, la preuve que le démantèlement de la Terreur et l'abolition de la Constitution de 93 n'étaient que les deux aspects du même problème. Mater les révoltes parisiennes, c'était condamner de fait, en bloc et sans appel, la Constitution illégale et terroriste. La République devait donc sortir du provisoire et se donner comme fondement une Constitution nouvelle.

RÉACTION ET UTOPIE

Au lendemain du 9 thermidor, pas d'hésitation sur le terme à appliquer à l'événement qui venait de s'accomplir : la *chute du tyran* et le *triomphe de la liberté* étaient, nécessairement, une *révolution*. « Le 31 mai le peuple fit sa révolution, le 9 thermidor la Convention nationale a fait la sienne : la liberté a applaudi également à toutes les deux », constata la Convention dans sa proclamation solennelle adressée au peuple français le 10 thermidor. Les innombrables adresses qui parviennent à la Convention reprennent à leur compte la même terminologie. Le mot *réaction* ne commence sa véritable carrière politique qu'à la fin de la période thermidorienne. Comme si, à ce moment seulement, se manifestait le besoin de trouver un terme spécifique qui permettrait d'identifier les événements qui se sont succédé et d'en dégager un sens.

Comme le mot *thermidorien,* le terme *réaction* (et ses dérivés : *réacteurs, réactionnaire*) attendent encore qu'on écrive leur histoire et ses péripéties [1]. Quelques textes attestent le besoin et, partant, le sentiment qu'eurent les contemporains d'avoir vécu des phénomènes inédits en Révolution et qu'il fallait d'abord *nommer* pour les *reconnaître* ensuite. De même que *révolution* ou *progrès,* le terme *réaction* est emprunté par le vocabulaire politique à la mécanique. Il est élargi au domaine moral. Il prend le sens de mouvement contraire provoqué par un mouvement antécédent, de simple *contrecoup.* Ainsi l'utilisait, par exemple, Rousseau : « Tout l'art humain ne saurait empêcher l'action brusque du fort contre le faible, mais il peut se ménager des ressorts pour la *réaction* [2]. » Avant la période thermidorienne, c'est pourtant un terme rare qui n'assigne d'ailleurs aucune caractéristique spécifique ni « couleur » politique à l'*action* ou à la *réaction.* Celle-ci, mouvement « contraire » des idées et des sentiments, n'est que la répercussion du choc premier. Dans ce sens-là, *réaction* n'est pas d'ailleurs opposée à *révolution*; les deux termes seraient plutôt complémentaires. C'est ainsi que le terme *réaction* a été pour la première fois, semble-t-il, associé aux conséquences du 9 thermidor. C'est dans la mesure où cette journée fut précisément une *révolution,* une puissante action libératrice, qu'elle eut comme effet un *contrecoup,* un *desserrement* des sentiments,

1. Jean Starobinski en a posé quelques jalons dans son étude stimulante : « Réaction. Le mot et ses usages », *Confrontations psychiatriques*, n° 12, 1974.
2. J.-J. Rousseau, *Considérations sur le gouvernement de Pologne, in Œuvres complètes*, Pléiade, vol. III, p. 1018.

comprimés pendant la Terreur, de justice et de sympathie à l'égard des victimes innocentes. « De grands événements se sont passés à Paris depuis quelques jours; une grande révolution s'est opérée; le tyran n'est plus, la patrie respire, la liberté triomphe... Après une aussi longue compression, il faut s'attendre à une réaction *puissante et proportionnée* aux malheurs que nous avons eu à déplorer; il faut donner à la sensibilité tout ce que l'humanité commande [1]. »

Rare à la fin de l'an II, le terme *réaction* est assez courant après l'écrasement de la révolte du 13 vendémiaire an IV (5 octobre 1795). Il s'installe alors durablement dans le discours politique, notamment dans le vocabulaire officiel, tout en s'enrichissant de sens multiples. Ainsi Joseph-Marie Chénier, dont les rapports sur les massacres des prisonniers à Lyon et dans le Midi ont joué un rôle important dans la diffusion du terme *réaction,* n'entendait pas confondre le projet politique *thermidorien* avec la *réaction*; du coup, parler de *réaction thermidorienne* aurait été un contresens. Dans son rapport du 29 vendémiaire an IV (donc deux semaines après l'écrasement de la révolte du 13 vendémiaire), Chénier insiste sur l'opposition entre l'*époque* thermidorienne et la *réaction* qui lui succéda dans le temps mais qui la pervertit et représenta un mouvement contraire à l'œuvre et à l'esprit de celle-ci. Chénier propose même une sorte de périodisation de l'histoire de la République depuis le 9 thermidor. Cette date mémorable annonça la fin de

---

1. *La Société des amis de la Liberté et de l'Égalité séante aux Jacobins de Paris à toutes les Sociétés populaires de la République, le 18 thermidor, an II,* in A. Aulard, *La Société des Jacobins,* Paris, 1897, vol. VI, pp. 323-325. Dans la suite, l'adresse insiste pourtant sur les risques de cette *réaction,* si « noble et naturelle » qu'elle soit : « il faut arrêter cette sensibilité là où la malveillance voudrait s'en saisir comme d'une arme contre la liberté publique... Ce n'est point pour eux [les ennemis de la liberté] que la Convention a opéré cette *étonnante révolution* ». Six semaines plus tard, le terme *réaction* revient, mais cette fois-ci il évoque un contexte inquiétant et on lui accole l'adjectif *cruelle.* Ainsi, les Jacobins dressent un bilan positif de la reprise de leurs activités après la « chute du tyran », de l'épuration de leurs membres, de la réparation des abus qui « se sont glissés au milieu des efforts du patriotisme dans la marche révolutionnaire »; mais ils constatent que « cependant une *réaction cruelle s'est fait sentir* : de tous les points de la République des Sociétés affiliées signalent : l'aristocratie et le fédéralisme relevant la tête, l'élargissement d'hommes regardés jusqu'alors comme suspects, leur mouvement pour se venger des patriotes », *Rapport fait à la Société des Jacobins par son Comité de correspondance,* 5 vendémiaire an III; Aulard, *op. cit.,* vol. VI, pp. 517-518.

la Terreur, avec son cortège de tribunaux et de comités révolutionnaires, d'échafauds et de prisons, de ruines et de brigandages « en honneur ». A cette époque sanglante, succéda *l'époque thermidorienne,* « mémorable, immortelle époque, où la Convention nationale seule, reprenant des forces qu'on ne lui croyait plus, reconquit la liberté publique; alors furent à la fois terrassés la dictature et le décemvirat, alors les pleurs furent séchés, les cachots ouverts, les échafauds renversés ». La Convention fut assez généreuse pour « oublier des torts, des délits même », elle a cru au repentir de ceux qui longtemps furent des ennemis de la liberté et de la Révolution. Or, « ces *nouveaux républicains* entrèrent dans les rangs éclaircis des vieux patriotes, mais c'était pour les égorger; ils proclamaient des louanges de la représentation, mais c'était pour l'anéantir. Le système d'*indulgence et de générosité,* suivi si courageusement par la Convention... n'a fait qu'aigrir leur ressentiment et les encourager au crime. A peine mis en liberté, ces fidèles amis de l'esclavage ont couvert de sang leurs robes d'affranchis; c'est toujours en abusant des principes qu'ils ont conduit la République au bord de l'abîme ». Ainsi est née la *réaction* dont Chénier dénonce la perfidie, les méfaits et les crimes. Il dresse même une sorte d'inventaire des actes et phénomènes propres à la *réaction* : persécution des patriotes sous prétexte qu'ils étaient des « terroristes »; bandes de « jeunes gens », arrogants et provocateurs, envahissant les lieux publics, proscrivant même *La Marseillaise*; les mystérieuses « compagnies de Jésus » et « compagnies du Soleil » qui ont effectué de véritables massacres, notamment dans le Midi. Or, c'est « au nom de l'humanité, de la justice, de la Convention nationale elle-même », en se disant des « vengeurs de leurs pères et des patriotes immolés » que ces « scélérats » se sont attaqués à la République et qu'ils ont même trouvé des complices parmi les autorités constituées. Autant de phénomènes politiques qui se ressemblent et se complètent au point que Chénier les réunit sous le seul vocable de *réaction.* Encore choqué par l'émeute du 13 vendémiaire contre la Convention, il n'a aucun doute sur la couleur politique de cette réaction : elle est royaliste. En revanche il semble hésiter entre deux interprétations de ses origines : parfois il se contente de réutiliser le schéma, classique pour ainsi dire, du « complot » ourdi par l'étranger, les émigrés, les prêtres réfractaires, etc.; tantôt il lui arrive d'expliquer la *réaction* par une sorte de retournement du « système de générosité » issu du 9 thermidor en « machine » de vengeance et de proscription. Ces deux versions ne s'excluent d'ailleurs pas et Chénier ne pousse pas trop loin son interrogation sur les raisons de cette « perversion » : face à la *réaction,* il exprime surtout sa surprise et son indignation [1].

Quelques mois plus tard, Mailhe nuance à la fois le sens du terme *réaction* et des phénomènes en question. « Le 9 thermidor qui devait être simplement pour le trône de l'anarchie ce qu'avait été le 10 août pour le trône de la royauté fut insensiblement détourné de son objet réparateur et présenté comme le principe d'une sanglante et arbitraire *réaction.* » Celle-ci n'est simplement qu'un contrecoup; le phénomène politique est plus complexe. Il faut le distinguer des attaques et des intrigues tout simplement contre-révolutionnaires, lancées par des ennemis aussi jurés qu'anciens de la Révolution au nom des valeurs et principes qui lui étaient toujours hostiles. La *réaction* et, partant, les *réacteurs* se sont emparés des principes inhérents à la Révolution et les ont pervertis; ils ont retourné sa marche et ses progrès. Sous cet aspect les réacteurs ressemblent curieusement aux terroristes contre lesquels ils crient pourtant vengeance : ceux-ci avaient installé la Terreur « sous le nom de la liberté »; ceux-là ont perverti la justice, principe sacré du

---

1. Chénier avance même une date à partir de laquelle la *réaction* a perverti la « mémorable époque thermidorienne » : six mois après le 9 thermidor, donc pendant l'hiver de l'an III. Le discours de Chénier mériterait un commentaire plus ample, notamment pour sa part de démagogie ainsi que pour son caractère apologétique. L'étalement des horreurs accomplies par les « réacteurs » dans le Midi, notamment pendant le massacre au fort Saint-Jean, à Marseille, vise à compromettre l'émeute du 13 vendémiaire et ses auteurs; Chénier ne souffle mot des responsabilités qui revenaient à la Convention elle-même qui avait pourtant *toléré* les massacres (en réagissant, tout au plus, assez mollement, comme l'avait fait Chénier lui-même dans son rapport du 6 messidor sur les massacres à Lyon, dans lequel il n'utilisait d'ailleurs pas le terme *réaction*). Chénier trouve des notes pathétiques pour exalter l'œuvre de la Convention et le destin des conventionnels : « Un jour, quand les années auront mûri la République, les membres de cette Convention calomniée, attaquée, assassinée par toutes les factions, resteront debout comme ces chênes épars dans une forêt dépeuplée où l'on a porté l'incendie. » Cette évocation aurait été encore plus éloquente si elle ne justifiait pas le décret de deux tiers...

9 thermidor, et s'en sont servi de prétexte à leurs violences et vengeances arbitraires. Les uns et les autres (et rien d'étonnant à ce que ce soient parfois les mêmes hommes...) suivent « le même plan de désorganisation, d'envahissement de l'autorité légitime, de discorde, de guerre civile [1] ».

La brochure de Benjamin Constant, *Des réactions politiques,* constitue à la fois le point d'aboutissement du discours thermidorien sur la *réaction* et le point de rupture avec celui-ci. Constant, au début de sa carrière et de sa réflexion politiques, accepte l'ordre républicain défini par la Constitution de l'an III, mais il refuse de partager avec les thermidoriens leur passé et leurs responsabilités pour les *réactions politiques.* (La *réaction* devient, pour la première fois, l'objet d'une réflexion systématique, preuve du succès que connaît ce terme dans le discours politique et de l'importance que prend la problématique qu'il désigne dans la réflexion sur l'expérience révolutionnaire.) Pour Constant, les *réactions politiques* s'expliquent par le phénomène révolutionnaire, elles sont consécutives aux révolutions qui n'ont pas réussi du premier coup et qui, partant, se sont trop prolongées. « Lorsque l'accord entre les institutions et les idées [d'un peuple] se trouve détruit, les révolutions sont inévitables. Elles tendent à rétablir cet accord... Lorsqu'une révolution remplit cet objet du premier coup et s'arrête à ce terme, sans aller au-delà, elle ne produit point de réaction parce qu'elle n'est qu'un passage, et que le moment d'arrivée est aussi celui du repos. » Lorsqu'une révolution dépasse ces bornes, elle se transforme, en quelque sorte, en un balancier fou, oscillant en un mouvement incontrôlé et incontrôlable : « Lorsqu'une révolution, portée hors de ses bornes, s'arrête, on la remet d'abord dans ses bornes. L'on *rétrograde* d'autant plus que l'on avait trop avancé. La modération finit, et les réactions commencent... Il y a deux sortes de réactions : celles qui s'exercent sur les hommes, et celles qui ont pour objet les idées. Je n'appelle pas réaction la juste punition des coupables, ni le retour aux idées saines. Ces choses appartiennent, l'une à la loi, l'autre à la raison. Ce qui, au contraire,

---

1. Cf. Mailhe, *Rapport du 8 germinal an IV, au Conseil des Cinq-Cents, sur les sociétés populaires, Moniteur,* t. XXVIII, p. 89.

distingue essentiellement les réactions, c'est l'arbitraire à la place de la loi, la passion à la place du raisonnement : au lieu de juger les hommes, on les proscrit; au lieu d'examiner les idées on les rejette. » Nous n'avons pas à suivre les développements de ces définitions qui se prolongent par une réflexion politique originale. N'en retenons qu'un seul point. Constant est particulièrement sensible au phénomène des *transfuges politiques,* inséparable de la réaction. Il dénonce « ces hommes atroces et lâches, avides d'acheter par le sang le pardon du sang qu'ils ont répandu, [qui] ne mettent point de bornes à leur excès », les « assassins convertis, proconsuls repentants ». Allusion transparente aux anciens terroristes qui « cédant à l'entraînement de la réaction, laissaient [la Convention] remplacer les maux qu'elle avait faits par des maux qu'elle aurait dû prévenir », notamment pendant la « réaction qui suivit le 1er prairial ». Les *réactions* ne font donc que changer d'arbitraire, « le grand ennemi de toute liberté, le vice corrupteur de toute institution ». Elles recourent à l'arbitraire pour rétablir la justice et la liberté bafouées, mais ce même recours à l'arbitraire fait que la « réparation devient réaction, c'est-à-dire une vengeance et une fureur ». Constant s'en prend d'autre part aux « transfuges de la philosophie » qui, comme La Harpe, se sont convertis en bigots et veulent rétablir « les préjugés et le fanatisme ». Virant brusquement de bord, tous ces transfuges politiques et idéologiques risquent d'entraîner le pays dans une *réaction* violente qui, nécessairement, engendrera à son tour une autre réaction, de direction inverse, et perpétuera ainsi la Révolution. Or, l'essentiel, c'est de la terminer, de la faire rentrer dans les bornes, et, du coup, de revenir à ses principes. La Constitution de l'an III offre, pour la première fois, la chance d'arrêter le mouvement de pendule qui remplace un arbitraire par un autre, de mettre fin aux « réactions politiques », de substituer la loi à l'arbitraire. Ainsi, Constant partage partiellement le discours thermidorien sur la réaction tout en marquant ses distances. On dirait qu'il veut détacher la Constitution de l'an III, l'œuvre couronnant la période thermidorienne, de ses mauvais antécédents, de la sauver de l'héritage troublant des extrémismes de tous bords légués par cette même époque qui fut celle de son élaboration. « Si les réactions sont une chose terrible et funeste, évitez l'arbitraire, car il traîne nécessairement les réactions à sa suite; si l'arbitraire est un fléau destructeur, évitez les réactions, car elles assurent l'empire de l'arbitraire... Le système de principes offre seul un repos durable. Seul il présente aux agitations politiques un inexpugnable rempart. » Pour Constant, il existe donc des réactions de « gauche » et de « droite », si on maintient la métaphore du mouvement de pendule, l'une entraînant l'autre. Ce n'est que le retour au *centre,* aux principes de 89, de la liberté et de la loi, qui peut assurer la stabilité politique [1].

Autant d'illustrations de l'omniprésence, pour ainsi dire, d'un mot qui est pourtant en quête de signification. Cette présence traduit, avons-nous dit, le besoin, ressenti vivement par les acteurs politiques, d'inventer un terme pour identifier des faits, événements et tendances politiques qui formaient un phénomène inédit, aux contours flous et aux frontières incertaines. Ces hésitations sur le sens à donner à ce terme traduisent un malaise et une situation elle-même confuse. Le discours officiel réserve le terme *réaction* aux seuls *dérapages* du projet politique thermidorien initial, à sa perversion, voire à son détournement par des forces hostiles à la République. Le caractère apologétique de ce discours est évident : il visait à disculper la Convention de sa responsabilité dans la montée de la « réaction ». Il était facile de l'accuser d'avoir trop longtemps toléré, voire encouragé, tous ces phénomènes dont Chénier avait dressé l'inventaire après le 13 vendémiaire : persécution arbitraire et sauvage du personnel politique de l'an II, assimilé globalement aux « terroristes », tolérance, voire bienveillance, à l'égard de la « jeunesse dorée » s'appropriant l'espace public, la rue, les places, les théâtres; dénigrement systématique du symbolisme et du rituel issus de l'an II, etc. Adopter la *revanche légale* comme réponse politique aux problèmes posés par le démantèlement de la Terreur était un choix piégé qui impliquait un risque d'escalade dans la répression. Certes, la Convention et ses Comités de gouvernement n'ont pas organisé eux-mêmes de

1. Benjamin Constant, *Des réactions politiques* (an V), *in* B. Constant, *Écrits et discours politiques*, présentation par O. Pozzo di Borgo, Paris, 1964, t. 1.

massacres; les débordements de la politique de répression légale et systématique contre les « buveurs de sang » étaient pourtant prévisibles et inévitables; en outre, dans certains cas, notamment à Marseille, les représentants en mission deviennent ouvertement des complices des massacreurs. Après la révolte du 1er et du 2 prairial, la Convention se livra à une sorte d'exorcisme collectif de son propre passé terroriste pendant des séances où affluaient par dizaines des dénonciations contre les députés, offrant ainsi au pays un spectacle qui réduisait sans vergogne la politique à un simple règlement de comptes. De là à accuser les « thermidoriens » d'être des « réacteurs », voire des contre-révolutionnaires à peine déguisés, il n'y avait qu'un pas. Les anciens militants jacobins et sans-culottes, persécutés, arrêtés, assignés à résidence, n'hésiteront pas à le franchir. La réaction cessait d'être un épisode pour devenir un *système global de pouvoir,* résumant à lui seul toute l'évolution politique entamée le 9 thermidor [1].

Il y eut donc *plusieurs réactions* dans ce qu'on commençait parfois à appeler la *réaction thermidorienne.* Il y eut une *réaction* antijacobine et antiterroriste, un contrecoup de l'opinion publique qui exigeait la réparation des maux et des souffrances subis pendant la Terreur et qui se réclamait de la « justice portée à l'ordre du jour ». Il y eut une *réaction* qui, souvent poussée par la volonté de revanche, identifiait la Terreur et ses séquelles au bilan de la Révolution et remettait du coup en question les principes mêmes de celle-ci. La *réaction* prit alors la forme du reniement des principes de 89, ou, dans une autre variante, de la remise en question de la République jugée inapplicable, comme forme de gouvernement, dans un grand pays

---

1. Sur la répression du personnel politique de la Terreur par le pouvoir thermidorien, cf. l'ouvrage fondamental de R. Cobb, *The Police and the People,* Oxford, 1970 (trad. française *La Protestation populaire en France, 1789-1820,* Paris, 1975). Cobb observe d'ailleurs que la répression contre les « terroristes » jouissait d'un assez large soutien auprès de toute une partie de la population qui prenait sa revanche sur ceux qui avaient dominé leur bourg pendant la Terreur. D'autre part, à Lyon où les massacres étaient l'œuvre de petites bandes organisées en commandos, le lynchage jouissait parfois d'une réelle approbation populaire : l'assistance atteignait jusqu'à 40 000 personnes manifestant leur approbation au « châtiment » des « mathevins »; cf. R. Fouc, *La Réaction thermidorienne à Lyon (1795),* op. cit.

(problématique classique de la réflexion politique héritée des Lumières). Il y eut aussi *réaction* dans le domaine des idées quand des « publicistes » fraîchement convertis au catholicisme reniaient et condamnaient avec un zèle de néophyte l'esprit éclairé pour lequel ils tenaient la veille encore. Les contours et les limites de chacune de ces *réactions* sont difficiles à tracer et rendent l'usage de ce terme fondamentalement ambigu dans le *discours* thermidorien. Dans la pratique, et notamment dans les comportements des acteurs politiques, toutes ces différences trop subtiles eurent tendance à s'effacer et la *réaction* finit par recouvrir un éventail de positions allant du libéralisme républicain au royalisme intransigeant.

Mais la *réaction*, au sens de mouvement de reniement des principes fondateurs de la Révolution, ne constitue qu'un aspect secondaire du moment thermidorien. Les paroxysmes de la violence, les horreurs des massacres sont restés épisodiques et n'ont pas trouvé leur prolongement dans un *système de pouvoir*, contrairement à la violence érigée en système pendant la Terreur. La crise du printemps de l'an III entraîna, comme effet immédiat, la montée de la « réaction », mais elle accéléra également la recherche de *réponses positives et institutionnelles* aux problèmes que les premiers mois de l'expérience politique thermidorienne avaient déjà fait surgir. La force et la faiblesse de la politique thermidorienne viennent de ce qu'elle était définie d'abord et surtout négativement par rapport aux deux extrémismes politiques : ni Terreur ni monarchie. Formule suffisamment vague, le 9 thermidor, pour rallier tous ceux qui voulaient la « chute du tyran » sans pourtant compromettre la République. Formule trop vague pour suffire à définir un projet politique plus durable et cohérent. Au début de l'an III, un tel projet devenait urgent. Une *nouvelle Constitution* devait répondre à ce double besoin : tirer *les leçons du passé et formuler un projet pour l'avenir*. Elle ne devait pas seulement couronner l'expérience politique de la période thermidorienne mais, plus largement, l'histoire complexe et douloureuse de six ans de révolution.

L'expérience thermidorienne, comme toute expérience politique, charrie des souvenirs et des attentes, des craintes et des espérances. Le débat constitutionnel de l'an III ainsi que la Constitution elle-même offrent à l'historien la possibilité de scruter l'imaginaire politique de la Convention finissante, le jeu complexe qui s'installe entre la mémoire et les espoirs des acteurs politiques [1].

Les auteurs de la Constitution étaient conscients de la nouveauté et de l'originalité de l'entreprise qui leur incombait. La nouvelle Constitution devait définir les principes et les institutions d'une *République constitutionnelle* et, du coup, *terminer la Révolution*. Elle ne pouvait reprendre ni les bases ni les institutions de la Constitution de 91 : d'abord, celle-ci était monarchique et, ensuite, elle avait rendu le pays ingouvernable. Elle ne pouvait non plus s'inspirer de la Constitution de 93 (pour des raisons que nous avons déjà évoquées : Constitution bâclée et impraticable, confondant démocratie directe et système représentatif, fruit amer de la Terreur et de la démagogie). Il existait, assurément, le projet légué par Condorcet, abandonné sous la pression de la Montagne et de la rue avant même d'avoir été discuté. Il souffrait pourtant d'un défaut capital : pour des raisons évidentes il ne pouvait pas tenir compte de l'expérience de la Terreur. Or, la nouvelle Constitution devait répondre à une double attente de la Convention thermidorienne : *préserver la République* et la *protéger efficacement* contre tout risque de rétablissement de la Terreur; ce n'est qu'ainsi qu'elle pouvait clore la Révolution et conserver la République, en détachant ses *principes* des *deux premières années* de son histoire effective. Elle devait donc s'inspirer des principes fondateurs de 89 mais en tirant les leçons qu'imposait l'expérience de la Terreur; c'est ainsi qu'elle pouvait donner au 9 thermidor son véritable sens. *Terminer la Révolution* : ni le projet ni le slogan n'étaient nouveaux. La promesse de faire parvenir la Révolution à son terme avait, on le sait, maintes fois servi d'occasion, voire de prétexte, à la volonté de la radicaliser. En 1795, on veut le contraire : la Révolution ne peut pas se terminer par la réalisation de tous les espoirs et de toutes les pro-

---

1. Cf. B. Baczko, *Les Imaginaires sociaux. Mémoires et espoirs collectifs*, Paris, 1984, pp. 34 et suiv.

messes, aussi indéfinis que démagogiques, qu'elle a engendrés. La désillusion ou, si l'on veut, le réalisme préside à l'élaboration de la Constitution. Terminer la *Révolution,* c'est installer la République comme État de droit, sur des bases solides et durables et, du coup, la protéger contre le retour de son propre passé se réclamant de la promesse révolutionnaire indéfinie et de la souveraineté illimitée du peuple.

En 1795, la conscience de se trouver devant une tâche inédite rappelle curieusement l'esprit qui animait, à l'été-automne 1789, le premier grand débat constitutionnel au cours duquel le « parti patriote » se scinda en une « gauche » et une « droite ». Mais en six ans les termes dans lesquels se posait l'élaboration d'une Constitution pour la France ont radicalement changé et ce changement peut, en quelque sorte, servir d'aune à laquelle mesurer l'évolution de la culture et des mentalités politiques. N'en retenons, très succinctement, que quelques éléments.

En 89, l'accent est mis sur le refus radical du passé; élaborer une Constitution, c'est redéfinir le contrat social des Français et celui-ci ne peut être qu'un contrat de fondation. Les Français forment, certes, une nation ancienne; la Révolution l'a pourtant régénérée et, du coup, elle peut agir comme si l'Histoire venait de commencer avec elle. La Nation régénérée, assumant dorénavant pleinement sa souveraineté, tout ouverte sur l'avenir, fonde son identité non pas sur son passé, marqué par la tyrannie et les préjugés, mais sur *le projet politique et moral à réaliser.* En l'an III, la nouvelle Constitution se propose de cimenter la Nation en s'ouvrant sur l'avenir et en formulant un projet de société, mais l'identité collective est imaginée *en fonction du passé que la Nation et, partant, la République doivent assumer.* La Révolution a derrière elle un passé dont elle ne peut pas se débarrasser; son présent succède au passé immédiat de la Terreur.

« Ah! c'est une grande entreprise que d'obtenir par la sagesse un ouvrage que souvent on n'obtient que du temps; mais puisque nous voulons devancer l'avenir, enrichissons-nous du passé. Nous avons devant nous l'histoire de plusieurs peuples; nous avons la nôtre : parcourons le vaste champ de notre révolution, déjà couvert de tant de ruines qu'il semble partout nous offrir les traces et les ravages du temps; ce champ de gloire et de douleur, où la mort a moissonné tant de victimes, où la liberté a remporté tant de victoires. Nous *avons consommé six siècles en six années. Que cette expérience coûteuse ne soit pas perdue pour vous* [1]. »

Contrairement à ses symboles et représentations, la Révolution n'est pas une fontaine de jouvence. Elle vieillit et fait vieillir. Le sentiment de vivre un temps qui use et ravage est l'antienne des débats constitutionnels.

Tenir compte tant de ses propres expériences que de celles des autres nations, cette volonté est aussi manifeste. En 89, on avait surtout insisté dans les débats sur l'*originalité absolue* du projet de société à inventer pour la France : une nation régénérée, repartant de zéro, a tout à imaginer et rien à imiter. Elle n'imitera pas l'Angleterre, peuple corrompu, dont les institutions sont marquées par les préjugés et par l'esprit aristocratique; elle n'imitera pas non plus les États de l'Amérique, pays certes neuf et libre mais qui vit dans un environnement sauvage et non pas au centre de la vieille Europe. Mais dans les débats de l'an III, l'exemple des États-Unis est souvent évoqué; leur expérience constitue, notamment, l'argument majeur en faveur du bicaméralisme. Expérience positive, d'autant plus appréciée qu'elle concordait avec les leçons à tirer des erreurs commises pendant la Révolution : une Assemblée unique, dotée de pouvoirs exorbitants, se laisse trop facilement dominer par des démagogues et apprentis tyrans. Se pencher sur le passé de la Révolution revient à la relativiser dans le temps et l'histoire. Ainsi un débat s'engage sur la question de savoir si les vicissitudes de la République ne viendraient pas de ce que les Français représenteraient une Nation trop corrompue et pas assez civilisée pour pouvoir et savoir vivre en démocratie [2]. En 89, la représentation de la rupture radicale avec le passé et la volonté

---

1. Boissy d'Anglas, *Discours préliminaire au projet de constitution pour la République française...*, op. cit., *Moniteur*, t. XXV, pp. 81 et suiv.
2. La polémique sur la Terreur entre Lezay-Marnesia (*Des causes de la Révolution et de ses résultats*) et Benjamin Constant (*Des effets de la Terreur*) est particulièrement révélatrice de la réflexion thermidorienne sur l'histoire de la Révolution. Cf. l'étude de F. Furet, « Une polémique thermidorienne sur la Terreur : autour de Benjamin Constant », *Passé-Présent*, n° 2, 1983.

de faire œuvre entièrement neuve et originale allaient de pair avec l'affirmation de la souveraineté illimitée de la Nation. *Sa volonté n'étant en rien limitée quand elle statue sur elle-même, la Nation peut et doit exercer son pouvoir constituant* dans toute sa plénitude, sans aucune entrave. En l'an III la souveraineté de la Nation ne cesse d'être reconnue comme fondement même de la République; on admet pourtant qu'elle doit être nécessairement limitée. Le dogme de la souveraineté illimitée du peuple a servi à légitimer la Terreur, ses ravages, la tyrannie exercée au nom du « peuple debout » par une canaille ignare se réclamant de la démocratie directe. La sagesse et les leçons tirées du passé demandent donc d'imposer des bornes institutionnelles, légales et morales, à la souveraineté du peuple. L'exemple de Sieyès est très révélateur de cette évolution des idées. L'auteur de *Qu'est-ce que le Tiers État*, qui, en 89, démontrait le caractère illimité du pouvoir constituant incarnant la volonté générale de la Nation souveraine, n'hésitait pas, en l'an III, à combattre ce « dogme » dont avaient tellement abusé les « fanatiques » et les « démagogues ». « Les pouvoirs illimités sont un monstre en politique, et une grande erreur de la part du peuple français... Lorsqu'une association politique se forme, on ne met point en commun tout le droit que chaque individu apporte dans la société, toute la puissance de la masse entière des individus. » L'allusion au *Contrat social*, auquel cette formule est empruntée presque textuellement, est évidente. Or, continue Sieyès, « on ne met en commun sous le nom de pouvoir public ou politique que le moins possible, et seulement ce qui est nécessaire pour maintenir chacun dans ses droits et dans ses devoirs. Il s'en faut bien que cette portion de puissance ressemble aux idées exagérées dont on s'est plu à revêtir ce qu'on appelle la *souveraineté* et remarquez que c'est bien de la souveraineté du peuple que je parle, car s'il en est une, c'est celle-là [1] ». Le système représentatif limite nécessaire-

1. Sieyès, *Discours du 2 thermidor an III*, in P. Bastid, *Les Discours de Sieyès dans les débats constitutionnels de l'an III*, Paris, 1939, pp. 17-18, 32 et suiv. J'ai discuté plus longuement des idées de Sieyès sur le pouvoir constituant et la souveraineté illimitée dans mon étude : « Le contrat social des Français, Sieyès et Rousseau », *in The French Revolution and the Creation of Modern Political Culture*, vol. I, *The Political Culture of the Old Regime*, ed. by K.M. Baker, Oxford, 1987, pp. 493-515.

ment la souveraineté populaire. Ce mot de souveraineté ne s'est présenté « si colossal devant l'imagination » qu'en raison des « superstitions royales, qui imprégnaient l'esprit des Français; des rois-despotes s'attribuaient un pouvoir illimité et terrible; la souveraineté du peuple devait être encore plus grande ». Il faut donc que la souveraineté rentre dans ses justes bornes, si on ne veut pas retomber dans les erreurs de la Constitution de 1793. L'erreur néfaste vient du concept rousseauiste de volonté générale, une, indivisible et inaliénable, qui ne peut point errer. Or, ce volontarisme est lui-même pernicieux, comme l'a démontré la Terreur. « Malheur aux peuples qui croient savoir ce qu'ils veulent quand ils ne font que vouloir. » « Vouloir » est la chose la plus aisée, encore faut-il savoir organiser le corps politique.

Les auteurs de la Constitution de l'an III partagent les préoccupations de Sieyès et acceptent certaines des solutions qu'il avance : le système représentatif doit nécessairement limiter la souveraineté populaire; il protège les libertés individuelles inaliénables contre les risques et les dangers de leur annulation par une volonté dite générale, donc contre un pouvoir illimité qui s'en réclamerait; il repose sur le principe rationnel de division du travail qui, appliqué à la politique, exige de considérer celle-ci comme une activité spécialisée, confiée aux personnes éclairées et compétentes, disposant du temps et des moyens pour s'y consacrer.

Ainsi uniquement l'intérêt commun peut être dégagé et c'est aux seuls représentants, et non pas aux représentés, qu'il revient de formuler la volonté générale. La version spécifique du libéralisme français qui cherche à concilier l'inégalité de fait avec l'égalité de droit, la souveraineté du peuple avec le pouvoir exercé par les élites éclairées, s'élabore ainsi en réaction à la Terreur. L'installation d'une *démocratie des capacités* répondrait, en termes constitutionnels, à une double préoccupation : verrouiller le système politique par un dispositif institutionnel qui empêcherait la Révolution de prendre un nouveau départ; formuler un projet pour l'avenir qui rassemblerait tous les citoyens en reconnaissant leur égalité civile mais qui, dans le même temps, garantirait « le gouvernement de la Nation par les meilleurs ». Autrement dit, comment à la fois terminer la

Révolution et offrir un espoir, voire une utopie, pour l'après-Révolution ?

Dans la perspective qui est la nôtre, deux promesses de la Constitution de 95, sur lesquelles débouche l'invention d'un nouvel espace politique et institutionnel, revêtent une importance particulière : l'ordre dans la stabilité et le progrès par l'instruction. Après des années où le bouleversement permanent était devenu la règle, le rêve d'une *réalité autre*, en rupture avec les expériences récentes, voudrait assurer à la vie collective des cadres stables et durables. La Convention finissante produit l'*utopie de l'ordre républicain* qui résisterait aux bouleversements grâce à ses mécanismes d'autoconservation. Sieyès, dans ce projet de l'an III que nous venons d'évoquer, propose donc la création d'un « jury *constitutionnaire* », d'une instance représentative chargée de veiller sur la permanence des institutions et d'empêcher tout changement précipité. La Constitution de l'an III n'a pas retenu la proposition de Sieyès mais on y retrouve la même préoccupation de conserver les institutions. La procédure prévue pour une éventuelle révision de la Constitution en témoigne : particulièrement lourde, elle imposait comme condition préalable à tout changement une proposition du Conseil des Anciens, réitérée trois fois, « faite à trois époques éloignées l'une de l'autre de trois années au moins », ratifiée par le Conseil des Cinq-Cents, etc. Tout recours à une forme quelconque de démocratie directe est rigoureusement écarté; des précautions innombrables sont prises pour protéger une Assemblée de révision contre les pressions venant de la rue ou du pouvoir exécutif [1]. Rétrospectivement il est, bien entendu, très et même trop facile de démontrer combien ces espoirs de stabilisation étaient illusoires et à quel point la Convention thermidorienne s'est trompée dans ses projets institutionnels. Les deux bornes qu'elle devait fixer : « ni tyrannie ni anarchie », lui semblaient tracer une voie magistrale aux progrès de

---

1. Cf. Titre II, *in* J. Godechot, *Les Constitutions...*, *op. cit.*, pp. 138-139. Le contraste est frappant avec le projet de Condorcet qui voulait assurer la *révision périodique de la Constitution* par voie de référendum, afin que la « volonté générale » d'une génération n'entrave en rien celle de la génération suivante. Exemple frappant, qui mériterait un long commentaire, de l'incidence de l'expérience de la Terreur sur l'évolution du libéralisme français.

la **République**. En réalité, elles ne définissaient qu'une marge de manœuvre politique très étroite. La Constitution échafaudait des institutions qui devaient se maintenir en équilibre par le jeu complexe de la limitation réciproque de leurs pouvoirs. Les historiens ont souvent reproché à ces mécanismes institutionnels leur trop grande complexité, ce qui provoqua leur paralysie et précipita le 18 brumaire. Le phénomène politique fondamental se trouve cependant ailleurs : malgré cette ample sophistication institutionnelle et juridique, il s'agissait, en définitive, d'une *démocratie à un stade assez rudimentaire de son élaboration historique*. Sur ce point, la Constitution de l'an III est particulièrement significative des limites de l'imagination politique et sociale de la période révolutionnaire, précisément en raison de toutes les précautions accumulées.

Cette constitution pense l'espace politique, tout au plus, en termes de séparation et d'équilibre des pouvoirs, d'exercice de la souveraineté par un gouvernement représentatif et de renouvellement assez fréquent des députés (cela afin d'empêcher le maintien aux affaires d'un même personnel pour mieux faire accéder les « meilleurs »). Mais elle partage la représentation *moniste* et *unitaire* de l'espace politique, commune aux Jacobins et aux libéraux. Les institutions représentatives, la presse libre, etc. devraient gérer, organiser et éclairer la *volonté générale* et, partant, contribuer à l'unité de la Nation. Toute *division* ne peut que profiter aux intérêts particuliers et partisans, et du coup, générer des troubles et des luttes de factions. En d'autres termes, les thermidoriens ne peuvent penser ni imaginer l'espace politique comme *nécessairement divisé en tendances opposées, donc comme nécessairement conflictuel et contradictoire*. En cela, la Constitution de l'an III demeurait prisonnière de la mythologie révolutionnaire de la *Nation une* et de la vie politique perçue comme l'expression de son unité. La Convention thermidorienne n'admet pas le pluralisme politique, même pas comme un mal nécessaire; du coup, elle n'invente aucun des mécanismes de son fonctionnement. Les ajustements entre l'opinion publique nécessairement variable d'une élection à l'autre et l'équipe au pouvoir seront dès lors le fruit de coups d'État.

Quant au rêve du progrès civilisateur par l'instruction, rien ne l'illustre mieux, paradoxalement, que l'instauration d'un cens culturel. La Constitution prévoyait que « les jeunes gens ne peuvent être inscrits sur le registre civique, s'ils ne prouvent qu'ils *savent lire et écrire*, et *exercer une profession mécanique*... Cet article n'aura exécution qu'à compter de l'an XII de la République [1] ». On a trop souvent interprété cet article fondant un cens culturel comme le simple corollaire de l'abandon du suffrage universel. En effet, seuls sont citoyens ceux qui paient une contribution directe. On y vit également l'intention d'éliminer du « Peuple souverain » les groupes sociaux les plus défavorisés et, partant, la confirmation du caractère « bourgeois » de la Constitution. Les problèmes soulevés par cet article sont pourtant infiniment plus complexes que ces clichés. Ce train de mesures est révélateur à la fois des craintes et des espoirs des élites républicaines de l'époque. Certes, la volonté de sortir de la Terreur ainsi que les nouveaux choix politiques imposaient nécessairement la redéfinition des alliances sociales. En ce sens, les « thermidoriens » se tournent, tout naturellement, vers les « propriétaires », les groupes sociaux plus aisés, les acheteurs de biens nationaux (leur acquisition est d'ailleurs garantie par la Constitution) et, surtout, vers les notables, stratégie sociale qui allait de pair avec la volonté de raviver les manufactures et le commerce ruinés par la Terreur. Mais il s'agit, ici encore, d'un retour aux origines, aux idées et principes des Lumières, repensés et ajustés en fonction des expériences révolutionnaires. D'où le modèle de « démocratie des capacités », d'une République gouvernée par les plus éclairés.

> « Nous devons être gouvernés par les meilleurs; les meilleurs sont les plus instruits et les plus intéressés au maintien des lois; or, à bien peu d'exceptions près, vous ne trouverez de pareils hommes que parmi ceux qui, possédant une propriété, sont attachés au pays qui la contient, aux lois qui la protègent, à la tranquillité qui la conserve, et qui doivent à cette propriété et à l'aisance qu'elle donne l'éducation qui les a rendus propres à discuter avec sagacité et justesse les avantages et les inconvénients des lois qui fixent le sort de leur patrie. L'homme sans propriété, au contraire, a besoin

---

1. *Ibid.*, Titre II, art. 16, p. 105.

d'un effort constant de vertu pour s'intéresser à l'ordre qui ne lui conserve rien, et pour s'opposer aux mouvements qui lui donnent quelques espérances. Il lui faut supposer des combinaisons bien finies et bien profondes pour qu'il préfère le bien réel au bien apparent, l'intérêt de l'avenir à celui du jour [1]. »

Ce choix social incontestable se traduit surtout par les conditions à remplir pour être nommé « électeur » (chaque assemblée primaire nommant un électeur à raison de deux cents citoyens). Or, ces électeurs, réunis en assemblées électorales, élisent à leur tour les membres du corps législatif, les membres du Tribunal de cassation, les juges des tribunaux civils, etc. (La Constitution introduit le scrutin secret dans toutes les élections.) Pour ces électeurs la barre était placée très haut : ils devaient notamment disposer de revenus élevés, ce qui limitait leur nombre, pour toute la France, à environ 30 000 personnes. Mais l'introduction du cens financier et culturel avait en soi des conséquences politiques limitées. Le rétablissement du régime censitaire ne suscita, en effet, guère d'opposition notable; il fut accepté à la quasi-unanimité par la Convention ainsi que par les assemblées primaires malgré le fait que, selon ce régime, il ne devrait y avoir que six millions de citoyens actifs sur environ sept millions et demi de Français autorisés à voter. Cette absence d'intérêt pour le rétablissement du cens s'explique par un fait essentiel : tout au long de la Révolution, quel que fût le régime électoral, universel ou censitaire, persista une abstention, qui put s'élever jusqu'à 90%. Cet abstentionnisme de masse confirme la caractéristique générale de la culture politique révolutionnaire que nous avons déjà évoquée : l'apprentissage de la démocratie est lent et difficile; il se fait dans la situation spécifique d'un *espace politique moderne* créé dans un *environnement culturel et mental largement traditionnel*.

L'établissement d'un *régime censitaire culturel* donnait indirectement et furtivement raison à ceux qui affirmaient que la République était venue trop tôt, avant que les Lumières eussent éclairé toute la population et non plus seulement les

1. Boissy d'Anglas, *op. cit.*, p. 92.

élites. Le bouleversement politique aurait devancé le progrès civilisateur. Mais c'était également une ferme réfutation d'un axiome de la philosophie politique de l'époque, selon lequel le système républicain n'était adapté qu'aux petits pays et pas aux grandes nations modernes. Sur ce point, la Constitution ne laissait planer aucun doute. Si le peuple avait été plus éclairé, on aurait assurément évité les malheurs des deux premières années de la République. Mais ces heures sombres ne doivent compromettre ni les principes ni le bilan de la République. Celui-ci ne doit pas « se faire sur les échafauds ». Le 9 thermidor a démontré que la Nation républicaine est capable de surmonter les dangers qui la guettent; la nouvelle Constitution manifestait la volonté de rattraper le retard culturel du pays et de faire en sorte que le peuple, une fois civilisé, ne puisse jamais rebrousser le chemin tracé par le progrès. Ainsi, l'instauration du cens culturel, comme tant d'autres mesures thermidoriennes, avait l'ambiguïté des volontés désireuses d'embrasser les contraires : elle entendait à la fois conjurer le retour aux affaires de la « canaille » et des « vandales », ignares qui croyaient pouvoir gouverner sans savoir se gouverner eux-mêmes, faute de pouvoir lire et écrire, et fonder la conviction que par l'instruction, par l'acquisition d'un minimun de culture, serait assurée la condition préalable à la jouissance des droits civiques. Ainsi la République serait-elle protégée du peuple vandale en protégeant le peuple contre lui-même. Ce projet constitutionnel renvoie, somme toute, à un autre espoir et lui donne corps : les Lumières et la Révolution se répondent nécessairement; les épreuves par lesquelles est passée la Nation ne resteront pas inutiles. Au bout de son chemin, la France sera un pays d'hommes éclairés et de citoyens, ou, si l'on préfère, de citoyens *car* d'hommes éclairés. Les Lumières étaient à l'origine de la Révolution, c'est aux Lumières qu'il revient de la terminer. Le pouvoir s'accordait du coup une mission pédagogique à accomplir : il fallait aider efficacement les arts, l'instruction et, tout particulièrement, la formation de nouvelles élites. La Constitution de l'an III fut complétée par le décret sur l'organisation de l'instruction publique, un des derniers actes de la Convention. Daunou, dans son rapport, résume mieux que quiconque les rêves et les symboles pédagogiques thermidoriens : Thermidor ou une République éclairée qui retournerait aux sources mêmes de la Révolution, Thermidor ou les Lumières victorieuses qui mettraient un point final à l'épreuve révolutionnaire.

> « Les lettres ont suivi, depuis trois années, la destinée de la Convention nationale. Elles ont gémi avec nous sous la tyrannie de Robespierre; elles montaient sur les échafauds avec vos collègues; et dans ce temps de calamités, le patriotisme et les sciences, confondant leurs regrets et leurs larmes, redemandaient aux mêmes tombeaux des victimes également chères. Après le 9 thermidor, en reprenant le pouvoir et la liberté, vous en avez consacré le premier usage à la consolation, à l'encouragement des arts... Représentants du peuple, après tant de secousses violentes, tant de soupçons inquiets, tant de guerres nécessaires, tant de défiances vertueuses; après cinq années si pleines de tourments, d'efforts et de sacrifices, [l'heure est venue] de la bienveillance, du rapprochement, de la réunion, du repos dans le sein des passions douces et des sentiments paisibles. Or, qui mieux que l'instruction publique exercera ce ministère de réconciliation générale ? Oui, c'est aux lettres qu'il est réservé de finir la révolution qu'elles ont commencée, d'éteindre tous les dissentiments, de rétablir la concorde entre tous ceux qui les cultivent; et l'on ne peut se dissimuler qu'en France, au XVIIIe siècle, et sous l'empire des lumières, la paix entre les hommes éclairés ne soit le signal de la paix du monde [1]. »

Thermidor investissait durablement l'État républicain d'une mission éducative qui reproduisait et incarnait l'opposition entre un *pouvoir civilisateur et un peuple à civiliser*. Opposition héritée des Lumières, mais réactivée et ajustée afin de tirer de la Révolution, et tout particulièrement de la Terreur, les

1. Daunou, *Rapport sur l'instruction publique du 23 vendémiaire an IV*, in B. Baczko, *Une éducation pour la démocratie*, Paris, 1982, pp. 504 et suiv. Le jeune Constant conclut ses réflexions sur les « réactions politiques » par une profession de foi dans le progrès qui assurera le triomphe du « système des principes » sur les « convulsions du moment ». « L'harmonie dans l'ensemble, la fixité dans les détails, une théorie lumineuse, une pratique préservatrice, tels sont les caractères du système des principes. Il est la réunion du bonheur public et particulier... Il appartient aux siècles, et les convulsions du moment ne peuvent rien contre lui. En lui résistant on peut sans doute causer encore des secousses désastreuses. Mais depuis que l'esprit de l'homme marche en avant et que l'imprimerie enregistre ses progrès, il n'est plus d'invasion de barbares, plus de coalition d'oppresseurs, plus d'évocation de préjugés, qui puissent le faire rétrograder. » Constant, *op. cit.*, pp. 84-85.

conclusions nécessaires au pouvoir et au peuple. Pas de pouvoir légitime sans la souveraineté qui réside dans l'universalité des citoyens, mais pas de citoyens sans un État qui leur ouvre l'accès aux Lumières, donc à la politique et qui, le cas échéant, saurait protéger le peuple contre le réveil de ses propres démons.

Le dernier mot dans le débat thermidorien sur la Terreur, la Convention se l'accorda lors du dernier jour de ses travaux, le 4 brumaire an IV. Au cours de cette dernière séance, elle discuta le projet d'amnistie, présenté par Baudin au nom de la Commission des onze. Le projet avait été rédigé aux heures enfiévrées de l'écrasement de l'agitation royaliste et de l'insurrection du 13 vendémiaire. Le discours antiterroriste se veut modéré : il s'agit dès lors de clore la Révolution par des mesures d'apaisement. « L'expérience ne nous a-t-elle pas appris le danger des vicissitudes, ne savons-nous pas que ce n'est qu'après avoir parcouru les extrêmes qu'on s'arrête dans un juste milieu [1] ? » Rétrospectivement, la Terreur n'était-elle pas une de ces « vicissitudes » ?

> « Il est des maux inséparables d'une grande révolution, et parmi ces maux, il en est qui, par leur nature, ne sont plus susceptibles de remède. »

Nul ne peut demander aux victimes de la Terreur ou à leur famille le pardon, mais on est en droit de leur demander l'oubli. Exiger une justice abstraite ne mène qu'au renouvellement du mal : « S'il faut installer autant de jurys qu'il y eut de comités révolutionnaires, alors il faudra couvrir la République de prisons et d'échafauds pour la consoler de tant d'échafauds et de prisons [2]. » Le projet propose même d'abolir la peine capitale, manifestant ainsi la volonté de finir une fois pour toutes la Révolution en faisant oublier la Terreur. Un acte symbolique devait consacrer cette abolition : la Convention prononcerait

---

1. Rapport de Baudin, au nom de la Commission des onze, *Moniteur, op. cit.,* t. XXVI, p. 303.
2. *Ibid.*

son décret sur la place de la Révolution; le président « foulerait aux pieds la faux de la mort » qui serait brisée solennellement et les débris du couperet déposés aux archives. L'échafaud serait brûlé, et la place changerait de nom : elle s'appellerait dorénavant place de la Concorde.

Après un débat animé, où se déchaînèrent à nouveau les passions politiques qui devaient précisément être condamnées à l'oubli, la Convention thermidorienne statua à sa manière, par un de ces actes de compromis ambigu pour lesquels elle avait toujours fait montre d'une grande habileté. L'amnistie fut proclamée pour les « faits purement relatifs à la Révolution » (sauf pour ceux contre lesquels existaient des charges relatives à la « conspiration du 13 vendémiaire »). La peine capitale ne fut pas abolie, ou pour être plus exact, on en repoussa l'abolition « au jour de la publication de la paix générale ». Du coup, la cérémonie symbolique de destruction de la guillotine devint sans objet.

On décréta en revanche que la place de la Révolution porterait désormais le nom de place de la Concorde.

Quant à la Révolution, on donna son nom à une rue conduisant du boulevard à la place de la Concorde.

Peut-être pouvons-nous désormais répondre à la question soulevée au seuil de cet essai : Thermidor fut-il un « phénomène matriciel » dans l'Histoire, dupliqué dans le cours des révolutions qui advinrent après la française ?

Au cours de la période thermidorienne et sous le Directoire, le jour anniversaire du 9 thermidor fut solennellement célébré comme celui de l' « heureuse révolution ». Puis il ne fut plus jamais question de commémorer cet événement. Cependant, Thermidor devint mémorable. A l'instar de certains autres phénomènes de la période révolutionnaire, tels le *jacobinisme* ou le *bonapartisme*, il fut érigé en paradigme du cours de l'histoire par toutes les idéologies qui firent de la Révolution française leur référence ou leur source en modèle explicatif des dérives historiques.

A la mort de Lénine, Trotski puis les trotskistes ne recoururent-ils pas à Thermidor pour comprendre l'ascension de Staline au pouvoir ? La révolution d'Octobre connaîtrait *son* Thermidor et les staliniens, nouveaux thermidoriens, seraient d'anciens révolutionnaires qui auraient « dégénéré » en profiteurs et en fossoyeurs de la Révolution. Cette dégénérescence à partir du camp du peuple les distinguerait des contre-révolutionnaires, « ennemis de classe » de la première heure, voire de toute éternité. En réaction, Trotski et ses partisans furent accusés par les staliniens de bonapartisme, puis ils furent honnis, voire liquidés, comme des agents au service, entre autres, du Japon, de la Pologne, de la Gestapo et de l'Intelligence Service... La métaphore trotskiste de Thermidor est, de loin, la plus connue, au point d'être la marque distinctive des partisans de Trotski. Mais chaque révolution du XIXᵉ et du XXᵉ siècle fut hantée par le spectre de *son* Thermidor, de ce moment où l'élan de la révolution se briserait sur les révolutionnaires eux-mêmes qui basculeraient, trahiraient le mouvement historique et se retourneraient contre lui.

Si, pour les mythologies révolutionnaires du XIXᵉ et du XXᵉ siècle, Thermidor devint une telle figure « matricielle », ce n'était pas que la Révolution française aurait été réellement trahie ou déviée le 9 thermidor an II. Le débat visant à établir l'identité des « vrais » fossoyeurs de la Révolution : les Girondins ou les dantonistes, les Jacobins ou les thermidoriens, les Directeurs ou le Premier Consul, est sempiternel et stérile; il participe lui-même du mythe révolutionnaire et ne fait que le reproduire. Comme tout mythe, celui de la Révolution assassinée occulte la réalité mais livre sa propre vérité. Cette vérité, elle est dans la représentation même que le mythe donne de l'événement : la Révolution aurait été étranglée, glacée, tuée – peu importe –, l'essentiel est bien qu'elle l'aurait été *toute jeune*, avant d'avoir pu tenir ses promesses. Le mythe de Thermidor n'est qu'une variante de celui de *l'éternelle jeunesse de la Révolution*. Or, ce mythe et son imagerie, le moment thermidorien les compromet d'abord, les détruit pour finir. Le discours thermidorien regorge, pour ainsi dire, de métaphores qui toutes traduisent la lassitude, l'usure de la mythologie révolutionnaire par le temps. Écoutons Boissy d'Anglas : le champ de la Révolution semble « partout nous offrir *les traces et les ravages du temps* », les révolutionnaires ont consommé « *six siècles en six années* ». Chaque année de la Révolution compte-t-elle pour un siècle? Alors de quoi celle-ci a-t-elle le plus vieilli? des seize mois de la Terreur ou des quinze mois de l'expérience thermidorienne? Des noyades de Nantes ou de la vérité sur ces massacres étalée publiquement au cours des procès du Comité révolutionnaire de Nantes et de Carrier? Des réquisitoires de Fouquier-Tinville au Tribunal révolutionnaire sous la Terreur ou de ses mémoires en défense rejetant toute la responsabilité sur la Convention?

La Terreur produisait un imaginaire héroïque en même temps qu'elle refoulait la réalité et générait une légende noire. En Thermidor, tout remonte brusquement à la surface. Le moment thermidorien, c'est l'éclatement d'une évidence : la Révolution est fatiguée, la Révolution est vieillie.

Thermidor, c'est le moment clé où la Révolution doit porter le poids de son passé et avouer qu'elle ne tiendra pas toutes ses promesses initiales. C'est surtout le moment où ses acteurs proclament qu'ils ne veulent plus ni recommencer son histoire, ni refaire son expérience.

Thermidor, c'est le moment où les révolutionnaires ne nourrissent plus qu'un désir, ne sont plus animés que par une motivation : terminer, enfin, la Révolution.

Les révolutions vieillissent assez vite.

Elles vieillissent mal, par leur obstination symbolique à toujours vouloir marquer un nouveau départ de l'Histoire, être une rupture radicale dans le temps, demeurer une œuvre en ses perpétuels commencements, incarner la jeunesse d'un monde qui durerait toujours. La Révolution chante les lendemains, mais voudrait ne jamais quitter l'aujourd'hui inaugural de sa venue au monde.

La Révolution française n'a pas plus mal vieilli que toutes les révolutions qui lui ont succédé et qui s'en sont inspirées. Aucune de ses cadettes n'a pourtant voulu se reconnaître dans le Thermidor de son aînée. A juste titre : la Révolution, même prise dans ses mythes, n'est pas un conte. Et Thermidor est ce miroir sans magie qui renvoie à chaque révolution naissante la seule image qu'elle ne voudrait pas voir : celle de l'usure et de la décrépitude qui tuent les rêves.